톨스토이 단편선

■ 저자 소개

톨스토이

톨스토이는 1828년 러시아의 야스나야 폴랴나에서 태어나 카잔 대학교를 중퇴하고 고향에 돌아와 농촌 계몽 활동을 하다가 실패하고 군에 입대했다. 그는 처녀작 『유년시절』을 시작으로 주로 〈현대인〉이란 잡지를 통해 『소년시절』 『청년시절』 『카자크 사람들』 등을 발표했다. 이후 투르게네프, 곤차로프 등 공인들과 친교를 맺으면서 『전쟁과 평화』 『안나 카레니나』 『부활』 등 세계적인 불후의 명작을 남겼다. 또한 『바보 이반』 『두 친구』 등 민중소설도 썼으며 종교론, 예술론, 인생론, 희곡 등 이루 헤아릴 수 없는 방대한 저서를 남겼다.

■ 역자 소개

박형규

고려대학교 노문학과 교수, 한국러시아문학회 회장, 러시아연방 국제러시아어문학교원협회 상임위원회 상임위원을 지냈으며 현재 한국러시아문학회 고문으로 있다. 러시아 연방 국제러시아어문학교원협회 푸쉬킨 메달과 러시아연방 국가훈장 우호훈장을 받았다.
톨스토이 문학에 관한 한 우리나라에서 가장 정확하고 권위있는 번역자로 인정받고 있으며 톨스토이 생가의 국립 톨스토이 문학박물관에도 그가 번역한 한국어 번역판 톨스토이 작품들이 전시되어 있다.
주요저서 · 논문 : 『러시아문학의 세계』 『러시아상징주의 시문학운동』 『러시아낭만주의 연구』 등
주요역서 : 톨스토이—자전적 3부작 〈『유년시절』 『소년시절』 『청년시절』〉 『전쟁과 평화』 『안나 카레니나』 『부활』 『예술이란 무엇인가』 『인생에 대하여』 『인생의 길』 등. **도스토예프스키**—『가난한 사람들』 『이중인격』 『죄와 벌』 『백치』 『카라마조프 씨네 형제들』 등. **파스테르나크**—『의사 지바고』. **불가코프** —『거장과 마르가리따』 등이 있다.

톨스토이 단편선

지은이 | 톨스토이
옮긴이 | 박형규
펴낸이 | 손상목
펴낸곳 | 도서출판 인디북
공급처 | 도서출판 아가돼지
편 집 | 김연순 신선균 김재희
일러스트 | 이일선

2판1쇄 발행 | 2003. 3. 7
2판7쇄 발행 | 2003. 7. 29

등록일자 | 2000. 6. 22
등록번호 | 제 10-1993호
주소 | 서울시 마포구 현석동 105-56 3층
전화번호 | 02 · 3273 · 6895-6
팩스번호 | 02 · 3273 · 6897
e-mail | indebook@shinbiro.com

ISBN 89-89258-38-3 03890

톨스토이
단편선

L. N. **톨스토이** 지음 | **박형규** 옮김

인디북

차례

사람은 무엇으로 사는가

어떤 구두장이가 아내와 자식을 데리고 한 농가에 세 들어 살고 있었다. 그는 집도 땅도 가지고 있지 않았으며 구두를 만들고 고쳐서 그 품삯으로 살아가고 있었다. 그런데 빵값은 비싸고, 품삯은 헐했기 때문에 버는 것은 모조리 먹는데 써 버렸다. 그래서 구두장이와 아내는 둘이 공동으로 입는 양가죽 외투를 사야겠다고 벼르고 있었다.

가을이 되자 구두장이는 약간의 여유가 생겼다. 3루블짜리 지폐가 아내의 장롱 속에 있었고, 또 마을 농부들에게 꿔준 돈이 5루블 20코페이카가량 있었다. 그래서 구두장이는 아침부터 양가죽을 사려고 마을에 갈 채비를 했다. 그는 아침 식사를 마치자 털가죽 외투 위에다 솜을 두른 아내의 무명 재킷을 껴입고, 그 위에 긴 모직 외투를 걸쳤다. 그런 다음 3루블짜리 지폐를 호주머니에 넣고 나뭇가지 하나를 꺾어 지팡이로 삼아 떠났다.

마을에 도착한 구두장이는 어느 농부의 집에 찾아갔는데 주인이 없었다. 농부의 아내가 일주일 안으로 주인 편에 돈을 보내겠다고 약속했을 뿐 돈은 갚아 주지 않았다. 구두장이는 또 다른 농부에게로 갔다. 그 농부는 돈이 한 푼도 없다고 딱 잘라 말하고 장화를 고친 값 20코페이카를 줄 뿐이었다. 구두장이는 양가죽을 외상으로 사려고 했으나 가죽 장수는 외상을 주려고 하지 않았다.

"돈을 가지고 와요. 그러면 마음에 드는 걸로 줄 테니까. 외상값을 받는다는 게 얼마나 어려운지 우리들은 너무나 잘 알아요."

이렇게 구두장이는 겨우 구두를 고친 값 20코페이카를 받고, 어느 농부에게서 낡은 털장화에 가죽을 대어 꿰매는 일을 맡았을 뿐이었다. 구두장이는 속이 상해서 20코페이카를 몽땅 털어 보드카를 마셔 버린 다음 양가죽도 사지 못한 채 집을 향해 걸었다. 아침에는 좀 추운 것 같았지만, 보드카를 한잔 마시고 나니 외투 따윈 입지 않아도 될 만큼 몸이 후끈거렸다.

구두장이는 길을 걸었다. 한쪽 손으로는 지팡이로 울퉁불

통 언 땅을 두드렸고, 다른 한쪽 손으로는 털장화를 휘두르면서 혼잣말을 했다.

"젠장, 외투 같은 건 입지 않아도 따습기만 하군. 작은 걸로 한 병 마셨는데 온몸의 피가 달음박질치는구면. 모피 외투 따윈 필요도 없을 정도야. 난 이런 사나이라구! 아암, 아무렇지도 않아. 난 모피 외투 따윈 없어도 살 수 있어! 그런 건 한평생 필요 없어. 다만 마누라가 가만있지 않을 거란 말야. 그게 개운치 않아. 나는 죽어라 일하는데 날 아주 깔본단 말이야. 가만 있자, 너희들이 이번에 돈을 갖고 오지 않으면 모자를 잡아 벗기고 말테니. 아암, 내 그렇게 하구말구. 정말 이건 도대체 어떻게 된 거야? 20코페이카씩 찔끔찔끔 주다니! 홍, 20코페이카로 대체 뭘 한단 말인가? 술이나 마실 수밖에 없잖은가 말야. 너희들은 곤란하다고 말들 하면서, 나는 곤란하지 않은 줄 아나? 너희는 집도 있고 소도 있고 말도 있지만, 나는 알몸뚱이뿐이다. 너흰 너희들이 만든 빵을 먹고 있지만, 나는 사서 먹는다구. 아무리 몸부림을 쳐 봐야 일주일에 빵 값만 3루블은 치러야 돼. 집에 돌아가면 빵도 없을 테니 또 1루블 반은 내놔야 하고. 그러니까 너희들은 내 돈을 갚아 줘야만 해."

이윽고 구두장이는 모퉁이의 교회 근처까지 왔다. 교회 뒤에 무엇인가 허연 것이 보였다. 구두장이는 유심히 살펴보았지만, 이미 땅거미가 지기 시작해서 무엇인지 알아볼 수가 없었다.

'여기에 돌 같은 건 없는데, 소인가? 그런데 짐승 같지도 않아. 머리는 사람 같지만, 사람치곤 너무 희군. 그리고 사람이 이런 데 있을 리가 없지.'

그는 좀더 다가갔다. 물체가 똑똑히 보였다. 이게 웬일인가. 아니나 다를까 사람은 사람인데 살았는지 죽었는지 알몸으로 교회 벽에 기대앉은 채 꼼짝도 하지 않았다. 구두장이는 무서운 생각이 들었다.

'어떤 자가 이 사나이를 죽이고 옷을 벗겨 여기 버린 모양이군. 너무 바짝 다가갔다가는 나중에 무슨 변을 당할지도 모르겠는걸.'

구두장이는 그냥 지나쳐 교회 모퉁이를 돌았고 사나이의 모습은 보이지 않게 되었다. 구두장이는 교회를 지나서 사나이가 있는 곳을 돌아다보았다. 사나이는 벽에서 떨어져 움직이기 시작했다. 어쩐지 이쪽을 보고 있는 것 같았다. 구두장이는 더럭 겁이 났다.

'가까이 가 볼까, 그냥 지나쳐 갈까? 혹시 갔다가 무슨 봉변이라도 당하면 큰일이지. 저 놈이 어떤 놈인지도 모르잖아. 어차피 좋은 일을 하고서 이런 데 왔을 리는 없고, 가까이 가면 무섭게 덤벼들어 날 목 졸라 죽일지도 몰라. 그렇게 되면 꼼짝없이 죽는 거야. 설령 목 졸라 죽이지는 않더라도 시끄러운 일이 벌어질 게 뻔해. 저 벌거숭이 사나이를 어쩐

다? 내가 입고 있는 것을 홀랑 벗어 줄 수도 없고. 아아, 그냥 지나쳐 가자. 제기랄!'

그렇게 생각하면서 구두장이는 걸음을 재촉했다. 거의 교회 앞을 다 지나치게 되자 양심이 고개를 쳐들었다. 구두장이는 길 한복판에서 걸음을 멈추고 혼잣말을 했다.

"도대체 너는 뭘 하는 거야, 세몬. 사람 하나가 봉변을 당해 죽어 가고 있는데, 겁을 집어먹고 슬쩍 도망치려고 하느냐? 네가 뭐 큰 부자라도 된단 말이냐? 가진 물건을 빼앗길까봐 겁이 나는가? 세몬, 그건 잘하는 일이 아니야!"

그리하여 세몬은 사나이에게 되돌아갔다.

세몬은 그에게 다가가 자세히 살펴보았다. 아직 젊은 사나이여서 힘도 있을 듯하고 몸에 얻어맞은 흔적도 없었다. 몸이 꽁꽁 얼어 말을 듣지 않는 모양이었다. 벽에 기대앉은 채 세몬

쪽을 보려고도 하지 않았다. 쇠약해질 대로 쇠약해져 눈을 뜰 수도 없는 것 같았다. 세몬이 다가가자 사나이는 그제야 제정신이 든 듯 고개를 돌리더니 눈을 뜨고 세몬을 바라보았다. 세몬은 사나이의 그 시선이 마음에 들었다. 그래서 털장화를 땅바닥에 내동댕이치고 허리띠를 끌러 그 허리띠를 털장화 위에 놓은 다음 외투를 벗었다.

"이러고 있을 때가 아냐! 자아, 이걸 입어요! 자!"

세몬은 사나이를 부축하여 일으켰다. 사나이는 일어서서 세몬을 보았다. 자세히 보니 깨끗한 몸에 손도 발도 거칠지 않았고 귀여운 얼굴을 하고 있었다. 세몬은 그 어깨에 외투를 걸쳐 주려 했으나 팔이 소매 속으로 잘 들어가지 않았다. 세몬은 두 팔을 끼워 주고 옷자락을 잡아당겨 앞을 여며 준 다음 허리띠를 매어 주었다. 세몬은 헌 모자도 벗어 벌거숭이 사나이에게 씌워 주려고 했으나 '나는 민머리지만, 이 자는 고수머리가 더부룩하게 자라 있어' 이렇게 생각하고 모자를 도로 썼다.

"그보다도 이 젊은이에게 신을 신겨 줘야지."

구두장이는 사나이를 앉히고 털장화를 신겼다.

"이제 됐다. 자아, 이번엔 좀 움직여서 언 몸을 녹여야지. 뒷일은 내가 걱정하지 않더라도 다 잘 될 거야. 자네, 걸을 수 있나?"

사나이는 멀거니 서서 감격한 듯한 표정으로 세몬의 얼굴을 바라보았으나 말은 전혀 하지 않았다.

　"왜 아무 말도 하지 않는 거야? 이런 데서 겨울을 날 셈인가? 집으로 돌아가야지. 자, 여기 내 지팡이가 있으니까 몸이 말을 듣지 않거든 이걸 짚어요. 자, 자, 걸어요. 걸어!"

　그러자 사나이는 걷기 시작했다. 그는 조금도 뒤처지지 않고 잘 걸었다. 두 사람이 길을 걷기 시작했을 때 세몬이 물었다.

　"자네, 대체 어디서 왔나?"

　"나는 이 고장 사람이 아닙니다."

　"이 고장 사람이라면 내가 다 알지. 그래, 왜 이런 데까지 오게 됐나? 교회 근처까지 말이야."

　"그건 말씀드릴 수 없습니다."

　"틀림없이 나쁜 놈들이 이런 짓을 했겠지?"

　"아무도 나를 혼내지 않았습니다. 나는 신의 벌을 받았지요."

　"물론 만사가 신의 뜻임에는 틀림없어. 그렇더라도 어디좀 들어가 쉬어야 할 텐데. 자네 어디로 갈 건가?"

　"어디든 마찬가집니다."

　세몬은 깜짝 놀랐다. 불한당 같지도 않고, 말씨도 공손한데 신상에 대한 이야기를 하려 하지 않았기 때문이었다.

　'그야 물론 세상에는 말 못할 일이 많기는 하지.'

　세몬은 사나이에게 말했다.

"어때, 우리 집에 가는 게? 거기 가면 불을 쬘 수 있어."

세몬은 집을 향해 걸었다. 낯선 사나이는 한 발짝도 뒤떨어지지 않고 나란히 따라 걸었다. 찬바람이 세몬의 외투 밑으로 스며들었다. 차차 술이 깨면서 추위가 느껴졌다. 세몬은 코를 훌쩍거리며 몸에 걸친 아내의 재킷 앞섶을 여미고 걸으면서 생각했다.

'아니 이건 어떻게 된 일이람. 모피 외투를 장만하러 갔다가 외투는 뺏기고, 벌거숭이 사나이까지 거느리게 됐으니. 이거 마트료나가 알면 야단일 텐데……'

마트료나를 생각하자 세몬의 마음은 우울해졌다. 그러나 옆의 낯선 사나이를 쳐다보고, 교회 뒤에서 자신을 쳐다보던 이 사나이의 시선을 생각해 내자 금세 마음이 유쾌해졌다.

3

세몬의 아내는 일찌감치 일을 마쳤다. 장작을 패고 물을 긷고 아이들과 같이 저녁 식사를 끝마치고 생각에 잠겼다.

'빵을 굽는 일을 오늘 할까, 내일로 미룰까?'

아직 큰 것이 한 조각 남아 있었다.

'세몬이 거기서 점심을 먹고 온다면, 저녁은 그리 많이 먹지 않겠지. 그렇게 되면 내일 빵은 이것으로 충분하다.'

마트료나는 빵 조각을 만지작거리면서 생각했다.

'오늘은 빵을 굽지 말아야겠다. 밀가루도 얼마 남지 않았으니, 이걸 금요일까지 먹도록 하자.'

마트료나는 빵을 치우고 테이블 옆에 앉아 남편의 외투를 깁기 시작했다. 바느질을 하면서 마트료나는 남편이 어떤 양가죽을 사 올까 줄곧 생각했다.

'모피 장수에게 속지는 않았겠지? 그래도 사람이 워낙 좋으니 알 수 없어. 어린아이라도 그이를 속여먹는 것쯤은 문제없으니 말이야. 8루블이라면 큰돈이니까 좋은 모피 외투를 만들 수 있겠지. 비록 다룸가죽은 아니지만, 어쨌든 모피 외투를 살 수는 있어. 작년 겨울에는 모피 외투가 없어서 얼마나 고생을 했던지! 강엘 갈 수 있었나, 산엘 갈 수 있었나. 지금도 그렇지, 그이가 옷이란 옷은 모조리 입고 나가 버리니까 난 걸칠 것도 없어. 이제 올 때도 됐는데……. 아니, 이 양반이 또 술타령을 하고 있는 게 아닐까?'

마트료나가 그렇게 생각한 순간 현관의 계단이 삐거덕거리면서 누가 들어오는 소리가 났다. 마트료나가 바늘겨레에 바늘을 꽂고 입구 쪽으로 가서 보니 사나이 둘이 들어오는 것이 아니겠는가? 세몬 옆에 낯선 사나이가 맨발에 털장화를 신고, 모자도 없이 서 있었다. 마트료나는 당장에 남편이 술을 마셨다는 것을 알았다.

'역시 마시고 왔구나.'

남편은 외투도 입지 않은 속옷 바람이었고, 게다가 손에는 아무것도 들지 않은 채 말없이 서 있었다. 마트료나는 화가 치밀어 올랐다.

'그 돈으로 몽땅 마셔 버린 게 틀림없어. 알지도 못하는 건달하고 퍼마시고 한술 더 떠서 그 작자까지 끌고 왔구면.'

마트료나는 두 사람을 앞세우고 뒤따라 들어가다 생판 모르는 젊고 빼빼 마른 사나이가 입고 있는 외투가 바로 자기 것임을 알았다. 집 안으로 들어온 젊은 사나이는 그 자리에 선 채 움직이지도 않고 눈을 쳐들지도 않았다. 그래서 마트료나는 필경 무슨 잘못을 저질러서 겁을 내고 있는 것이라고 생각했다. 마트료나는 얼굴을 찡그린 채 페치카 쪽으로 떨어져서 두 사람의 거동을 살폈다. 세몬은 모자를 벗고 태연하게 의자에 앉았다.

"여보, 마트료나, 식사 준빌 해야지."

마트료나는 입 속으로 무엇이라고 중얼거릴 뿐 페치카 옆에 서서 움직이려고도 하지 않았다. 두 사람을 번갈아 쳐다보며 고개를 갸웃거릴 뿐이었다. 세몬은 아내가 화난 것을 눈치채고 하는 수 없다는 듯이 낯선 사나이의 손을 잡았다.

"자, 앉아요. 저녁을 먹어야지."

낯선 사나이는 의자에 앉았다.

"그래, 아무것도 마련하지 않았어?"

마트료나가 화가 나서 대답했다.

"왜 안 해요? 하긴 했지만 당신을 위해서가 아니에요. 보아하니 당신은 염치마저 홀랑 마셔 버린 모양이군요. 모피 외투를 마련하러 간다더니 모피 외투는커녕 외투까지 뺏긴데다 건달까지 데리고 오다니. 당신네 같은 주정뱅이들에게 줄 저녁은 없어요."

"마트료나, 까닭도 모르면서 함부로 말하면 안 돼요. 먼저 어떻게 된 일인지 물어봐야지."

"그런 건 어쨌든 좋아요. 그래, 돈은 어디 있어요? 말해 봐요."

세몬은 외투 호주머니를 더듬어 돈을 꺼냈다.

"여기 돈 있잖아. 도리포노프가 주지 않더군. 내일은 꼭 주겠다고 약속하긴 했지만……."

마트료나는 더욱더 화가 치밀었다.

"모피도 사지 않고, 단 하나밖에 없는 외투를 낯선 벌거숭이에게 입혀 가지고 집으로 끌고 오다니."

마트료나는 테이블 위의 돈을 집어 장롱 속에 넣으면서 말했다.

"저녁은 없어요. 벌거숭이와 술주정뱅이를 일일이 아랑곳

하다간……."

"여보 마트료나, 말 좀 삼가요. 내 말 좀 들으라니까……."

"당신 같은 주정뱅이한테 내가 무슨 말을 들어야 한다는 거예요? 난 처음부터 당신 같은 술꾼하고 결혼하고 싶지 않았어요. 그런데 그만…… 어머니가 주신 옷감도 당신이 술값으로 없앴죠. 모피 사러 간다더니 그것마저 다 마시고 오다니."

세몬은 아내에게 자기가 마신 것은 고작 20코페이카뿐이라는 것을 납득이 가도록 이야기하고, 사나이를 데리고 온 경위도 밝히려 했으나 그녀는 어떤 말도 들으려 하지 않았다. 어디서 쏟아져 나오는지 단번에 두 마디씩 내뱉으니 세몬이 끼어들 새가 없었다. 십년도 더 지난 옛날 일까지 들춰내는 판이었다. 마트료나는 마구 욕설을 퍼부으면서 세몬에게 달려가 옷소매를 부여잡았다.

"자, 내 옷을 돌려줘요. 하나밖에 없는 내 옷을 뺏어 입고 염치도 좋지. 빨리 이리 벗어 놔요. 못난 인간 같으니! 차라리 죽어 버리는 게 낫지."

세몬이 아내의 무명 재킷을 벗으려 하는데 한쪽 소매가 뒤집어졌다. 그때 마트료나가 그것을 잡아 당겨 홈질한 옷의 솔기가 부드득 뜯겨져 나갔다. 마트료나는 재킷을 뺏아 입고 문 쪽으로 달려갔다. 그리고는 나가 버리려고 하다가 걸음을 멈췄다. 속상하긴 하지만, 이 사나이가 누구인지 알아내야겠다고 생각했던 것이다.

4

마트료나는 발길을 멈추고 말했다.

"온전한 사람이라면 벌거숭이로 있을 리가 없어요. 이 사나이는 셔츠도 입고 있지 않잖아요. 당신이 나쁜 짓을 하지 않았다면, 어디서 이 사나이를 끌고 왔는지 왜 말 못하는 거예요?"

"내 말하지 않았소. 집으로 돌아오는 길에 교회 담 밑에 이 사람이 알몸으로 거의 얼어붙은 채 기대앉아 있었단 말이오. 글쎄, 여름도 다 갔는데 벌거숭이가 아니겠소! 마침 하늘이 도와서 내가 그리로 지나오게 됐으니 망정이지, 그렇지 않았더라면 얼어 죽고 말았을 거요. 살아가다 보면 언제 무슨 일을 당할지 누가 알겠소! 그래 외투를 입혀 데리고 왔지. 마트료나, 당신도 그만하고 마음을 가라앉혀요. 누구든 한 번은 죽는 법이니까."

마트료나는 다시 욕설을 퍼부으려고 하다가 문득 낯선 사나이를 쳐다보자 말문이 막혔다. 사나이는 죽은 듯이 의자 끝에 걸터앉은 채 꼼짝도 하지 않았다. 두 손을 무릎 위에 올려놓고, 고개를 떨어뜨리고서 눈을 뜨는 일도 없이 무엇인가가 목을 조르기라도 하는 듯 얼굴을 일그러뜨리고 있었다. 마트료나가 입을 다물고 있자 세몬은 이렇게 말했다.

"마트료나, 당신에겐 하느님도 없소?"

이 말을 듣고 마트료나는 다시 한 번 낯선 사나이를 쳐다보았다. 차츰 마트료나의 기분이 가라앉았다. 그녀는 문 앞에서 발길을 돌려 난로 한쪽 구석으로 가서 저녁 준비를 하기 시작했다. 컵을 탁자 위에 놓고 크바스(귀리와 엿기름으로 만든 맥주의 일종 – 역주)를 따르고, 남은 빵을 잘라 내 놓았다. 그리고 나이프와 스푼을 놓으면서 말했다.

"식사하세요."

세몬은 낯선 사나이를 식탁으로 데리고 갔다.

"앉아요, 젊은이."

세몬은 빵을 잘게 자른 다음, 둘이서 먹기 시작했다. 마트료나는 테이블 한쪽 끝에 앉아서 턱을 괸 채 낯선 젊은이를 바라보았다. 갑자기 가엾어 보이면서 돌봐 주고 싶은 생각이 들었다. 그러자 낯선 사나이는 기쁜 표정이 되더니 찡그렸던 눈썹을 폈다. 마트료나는 테이블을 치우고 낯선 사나

이에게 물었다.

"도대체 당신은 어디 사는 사람이죠?"

"나는 이 고장 사람이 아닙니다."

"그런데 왜 그곳에 있었죠?"

"그건 말할 수 없습니다."

"강도라도 만났나요?"

"나는 하느님의 벌을 받았습니다."

"그래서 벌거숭이가 되어 자고 있었단 말예요?"

"네, 그래서 알몸뚱이로 자다가 얼어 죽을 뻔했던 겁니다. 그것을 세몬이 보고 가엾게 생각하여 입고 있던 외투를 벗어서 내게 입히고, 집으로 같이 가자고 했던 거죠. 또 여기 오니까 아주머니가 나를 불쌍히 여기고 먹고 마시게 해 주셨습니다. 당신들에게는 신이 은총을 내리실 겁니다."

마트료나는 금방 기워 놓았던 세몬의 낡은 셔츠를 창가에서 가져다가 낯선 사나이에게 건네주었다. 그리고 속바지도 찾아내서 주었다.

"셔츠도 없다니. 자, 이걸 입고 어디든 마음에 드는 자리에 누워서 자요. 침대 위나 페치카 옆에서나."

낯선 사나이는 외투를 벗고 셔츠를 입은 다음 침대 위에 몸을 뉘었다. 마트료나는 등불을 들고 외투를 집어 남편 옆으로 갔다. 마트료나는 외투 자락을 덮고 누웠으나 통 잠이 오지 않았다. 낯선 사나이의 일이 머릿속에서 떠나지 않는 것이었다. 그 사나이가 조금 남았던 빵을 다 먹어 버려 내일 먹을 빵이 없다는 것과 셔츠랑 속바지를 전부 준 일을 생각하자 아쉬운 생각도 들었지만, 젊은이가 싱긋 웃던 것을 생각하니 마음이 밝아지는 것 같았다. 오래도록 마트료나는 잠을 이루지 못했다. 세몬 역시 잠들지 못하고, 연신 외투 자락을 잡아당기곤 했다.

마트료나가 말했다.

"남은 빵을 다 먹어 버린데다 반죽도 해 두지 않았으니 내일은 어떻게 한담. 세몬! 이웃 마라냐네 가서 좀 뀌 달랠까요?"

"산 입에 거미줄이야 치려구."

마트료나는 한참 동안 가만히 누워 있었다.

"그런데 저 사람 나쁜 사람은 아닌 것 같은데, 왜 신상 이야기를 하지 않을까요?"

"아마 말 못할 사정이 있겠지."

"세몬!"

"응?"

"우리는 남을 도와주는데, 왜 아무도 우리를 도와주지 않는지 몰라요."

"아무려면 어때."

세몬은 뭐라고 대답해야 좋을지 몰라 휙 돌아누워 그냥 잠들고 말았다.

5

이튿날 아침, 세몬은 잠에서 깨었다. 마트료나는 아이들이 일어나기 전에 이웃집에 빵을 꾸러 가고 없었다. 어제의 그 낯선 사나이는 낡은 셔츠를 입고, 속바지를 입은 채 걸상에 앉아 천장을 바라보고 있었다. 그 얼굴은 어제보다 밝았다.

"어때 젊은이, 뱃속에선 빵을 요구하고 알몸뚱이는 옷을 원하니 무언가 벌이를 해야 하지 않겠나? 자네 무슨 일을 할 줄 아나?"

"나는 아무것도 할 줄 모릅니다."

세몬은 깜짝 놀라 이렇게 말했다.

"하려는 마음만 있으면 되는 거야. 사람은 뭐든지 배워서 익히면 돼."

"모두 일하는데 나도 일을 해야지요."

"자네 이름을 뭐라 부르지?"

"미하일입니다."

"이봐, 미하일. 자네는 신상 이야기를 하고 싶지 않은 모양인데 그건 아무래도 좋아. 군이 듣고 싶은 것도 아니니까. 하지만

밥벌이는 해야 해. 내가 시키는 대로 일을
하면 우리 집에 머물러도 좋네."

"고맙습니다. 열심히 배우고 익히겠습
니다. 뭐든지 가르쳐 주십시오."

세몬은 실을 집어 손가락에 감고 꼬기 시작했다.

"그다지 어려운 건 아냐. 자, 보라구……"

미하일은 그것을 들여다보더니 금방 배워 그와 마찬가지
로 손가락에 감아 실을 꼬았다. 이번에는 실을 찌는 법을 가
르쳤는데 미하일은 그 일도 여간 잘하지 않았다. 세몬이 돼
지털을 바늘에 꿰어 꿰매는 일을 해 보이자 그것도 미하일
은 금방 배웠다.

미하일은 세몬이 어떤 일을 가르쳐도 금방 배웠다. 사흘
후에는 일을 시작하게 되었는데, 마치 이제까지 구두를 꿰
매 온 것 같은 솜씨였다. 미하일은 허리를 펼 사이도 없이
부지런히 일만 하고 식사는 조금밖에 하지 않았다. 한가할
때는 잠자코 천장만 쳐다보았다. 밖으로 나가지도 않았고,
싱긋 웃는 것은 처음 왔던 날 마트료나가 저녁 준비를 했을
때뿐이었다.

6

하루하루가 지나 일주일이 지나고 일 년이라는 세월이
흘렀다. 미하일은 여전히 세몬의 집에 살면서 일했는데, 세몬
의 보조공으로 소문이 자자했다. 세몬의 보조공 미하일만큼
모양 좋고, 튼튼한 구두를 짓는 사람은 없다고 하여 이웃마을
에서까지 주문이 밀려들어 세몬의 수입은 점점 늘어갔다.

어느 겨울날의 일이었다. 세몬이 미하일과 마주 앉아서
일을 하고 있는데, 방울을 잔뜩 단 마차 소리가 요란하게 들
렸다. 창문으로 내다보니 그 마차는 바로 가게 앞에 섰다.
그리고 젊은 사람이 마부석에서 뛰어내려 마차 문을 열어
주자 마차 안에서 모피 외투를 입은 신사가 나왔다. 그는 세
몬의 집으로 올라왔다. 마트료나는 뛰어나가 문을 활짝 열
었다. 몸을 굽히고 안으로 들어온 신사가 허리를 쭉 폈는데
머리는 거의 천장에 닿을 지경이었고, 온 방 안은 신사의 몸
으로 꽉 들어차다시피 했다.

세몬은 일어서서 인사했는데, 신사의 큰 몸집을 보고 벌
린 입을 다물지 못했다. 지금까지 이렇게 큰 사람은 본 일이
없었기 때문이다. 세몬도 살집이 없는 편이고, 미하일도 깡

마른 편이며 마트료나조차도 마치 마른 잎사귀처럼 살이 없는데 이 신사는 다른 나라에서 왔는지 얼굴은 불그스름하니 윤이 나고, 목은 황소처럼 굵어서 마치 몸뚱이 전체가 무쇠로 된 것 같았다. 신사는 후욱 숨을 크게 내쉬더니 모피 외투를 벗으며 의자에 앉아 말했다.

"이 구두 가게 주인은 누군가?"

세몬이 나서며 말했다.

"제가 주인인뎁쇼. 나리."

그러자 신사는 자기가 데리고 온 젊은이에게 큰 소리로 명령했다.

"페지카, 그걸 이리 가져와!"

젊은이가 달려가더니 무슨 꾸러미를 가지고 왔다. 신사는 꾸러미를 받아 테이블 위에 놓더니 "끌러라" 하고 그 젊은이에게 명령했다.

"주인, 이 가죽이 무슨 가죽인지 알고 있나?"

세몬은 가죽을 만져 보고 나서 대답했다.

"꽤 좋은 가죽입니다."

"그야 물론 틀림없이 좋은 가죽이지, 바보 같으니라고. 자네는 이제까지 이런 가죽을 구경조차 못했을 거야. 독일산이거든. 20루블이나 줬다구."

세몬은 겁먹은 듯 말했다.

"저 같은 사람이 어찌 구경이나 했겠습니까?"

"그야 당연하지. 어디 이 가죽으로 내 발에 꼭 맞는 장화를 지을 수 있겠나?"

"지을 수 있구 말굽쇼. 나리."

신사는 느닷없이 소리 질렀다.

"지을 수 있구 말굽쇼라구? 너는 누구의 장화를 짓는지, 무슨 가죽으로 짓는지를 명심해야 해. 나는 일 년을 신어도 찢어지지 않고, 모양이 변치 않는 장화를 원해. 그렇게 만들 수 있으면 일에 착수하여 가죽을 재단해. 하지만 안 될 것 같으면 손도 대지 마라. 미리 말해 두겠는데, 만약 장화가 일 년도 채 되지 않아 찢어지거나 모양이 변한다면 네놈을 감옥에 넣어 버릴 테다. 만약 일 년이 넘도록 모양이 변하지도 않고 찢어지지도 않으면 삯으로 10루블을 주겠다."

세몬은 더럭 겁이 나서 대답도 못하고 미하일 쪽을 돌아다보았다. 그러고는 팔꿈치로 미하일을 쿡 찌르면서 작은 목소리로 물었다.

"이봐, 어떻게 하지?"

미하일은 '그 일을 받으십시오' 하는 듯이 고개를 슬쩍 끄덕였다. 세몬은 미하일의 고갯짓을 보고, 일 년 동안 일그러지지도 찢어지지도 않을 장화를 주문 받았다. 신사는 젊은이를 불러 왼쪽 구두를 벗기게 하고 다리를 쭉 폈다.

"치수를 재라!"

세몬은 10베르쉬오크(1베르쉬오크는 약 4~5센티미터 — 역주) 종이를 꿰매 붙여 자리에 펴고, 무릎을 꿇고서 신사의 양말을 더럽힐세라 앞치마에 손을 잘 닦은 다음 치수를 재기 시작했다. 바닥을 재고 발등 높이를 재고 종아리를 잴 차례가 되었는데 종이 끈이 마주 닿지 않았다. 신사의 종아리가 통나무만큼이나 굵었던 것이다.

"정신 차려서 해. 종아리가 꽉 끼게 해서는 안 된다."

세몬은 다시 종이를 덧붙였다. 신사는 의젓하게 앉아 양말 속의 발가락을 꼼질꼼질 놀리면서 방 안 사람들을 둘러보고 있다가 미하일을 보고 물었다.

"저건 누구냐?"

"이 가게 직공인데 그가 장화를 지을 겁니다."

"똑똑히 알아둬라. 일 년간은 끄떡도 않게 지어야 한다."

신사가 미하일에게 말했다. 세몬도 미하일을 돌아다보았다. 그런데 미하일은 나리의 얼굴은 보지 않고 그 뒤의 구석을 응시하고 있었다. 마치 누군가 있어 그가 누구인지를 알아내려고 하는 듯한 표정이었다. 물끄러미 응시하고 있던 미하일은 갑자기 싱긋 웃더니 얼굴이 활짝 밝아졌다.

"넌 뭘 싱글거리고 있는 거냐? 바보처럼. 정신 차려서 기한 내에 만들어 낼 생각이나 하지 않고."

그러자 미하일은 말했다.

"네, 그렇게 하겠습니다."

"좋아. 좋아."

신사는 구두를 신고 모피 외투를 입자 문간 쪽으로 걸음을 옮겼다. 그런데 허리 굽히는 것을 잊어 그만 문에 이마를 세게 부딪혔다. 신사는 욕설을 퍼붓더니 이마를 문지르며 마차를 타고 가 버렸다. 신사가 나가자 세몬이 말했다.

"정말 대단한 나리야. 그 어른은 큰 도끼로도 죽이지 못할걸. 방이 흔들거리도록 이마를 부딪혔는데 별로 아프지도 않은 모양인가 봐."

그러자 마트료나도 말했다.

"저렇게 부유한 생활을 하는데 체격들이 왜 좋지 않겠어요? 저렇게 튼튼한 사람에게는 염라대왕도 감히 접근하지 못할걸요."

7

세몬은 미하일에게 말했다.

"일을 맡긴 했지만, 이거 까딱 잘못하는 날엔 감옥살이야. 가죽도 비싼데다 나리는 성깔이 대단하시고, 절대 실수하면 안 되는데……. 자, 자네는 눈도 밝고 솜씨도 나보다 나으니 여기 이 치수 본을 주겠네. 나는 겉가죽을 꿰맬 테니까."

미하일은 시키는 대로 가죽을 탁자 위에 펼쳐 놓은 다음 칼을 들어 재단하기 시작했다. 마트료나는 미하일 옆으로 다가가 재단하는 것을 보고 깜짝 놀랐다. 마트료나도 이제 구두 만드는 일에는 익숙한 터인데 가만히 보니 미하일은 장화 모양과는 전혀 다르게 가죽을 둥글게 자르는 것이 아닌가? 마트료나는 주의를 줄까 하다가 생각했다.

'아마 내가 잘못 들은 건지도 몰라. 미하일이 더 잘 알고 있을 테니 참견하지 말아야지.'

미하일은 가죽 재단을 마치고 실을 바늘에 꿰어 꿰매기 시작했는데, 그것은 장화를 꿰매는 두 겹 실이 아니라 슬리퍼를 꿰매는 한 겹 실이 아닌가? 그것을 보고 마트료나는 또 크게 놀랐으나 역시 참견하지 않았다. 미하일은 열심히 꿰매고 있었다. 점심때가 되어 세몬이 일어나 보니, 미하일이 신사의 가죽으로 슬리퍼를 만들어 놓은 것이 보였다. 세몬은 "앗!" 하고 크게 소리 질렀다.

'미하일은 일 년이나 우리와 같이 지냈지만 한 번도 실수한 적이 없는데 하필이면 지금 이런 잘못을 저지르다니. 나리는 굽이 있는 장화를 주문했는데 미하일은 평평한 슬리퍼를 만들어 버렸으니 가죽을 영 버리지 않았나. 나리에겐 뭐라고 변명을 해야 한단 말인가? 이런 가죽은 구할 수도 없는

데……'

세몬은 미하일에게 말했다.

"아니 여보게, 이 무슨 짓인가? 자넨 나를 죽이려는 거나 마찬가지야! 나리는 장화를 주문했는데, 자넨 도대체 뭘 만든 건가?"

세몬이 미하일에게 말을 거는데 바깥문의 고리쇠가 덜컹거리는 소리가 났다. 창문으로 내다보니 누군가 타고 온 말을 비끄러매고 있는 참이었다. 그 나리의 하인이었다.

"안녕하십니까?"

"어서 와요. 무슨 볼일이라도?"

"구두 일로 마님의 심부름을 왔지요."

"구두 일로?"

"구둔지 뭔지, 하여간 장화는 이제 필요 없게 되었어요. 나리는 돌아가셨으니까요."

"아니 뭐라고요?"

"여기서 저택으로 돌아가시는 도중 마차 안에서 돌아가셨어요. 마차가 저택에 닿아 내리는 걸 도와 드리려고 보니까 나리는 짐짝처럼 뒹굴고 있지 않겠습니까? 돌아가신 거예요. 간신히 마차에서 끌어내렸죠. 마님께서는 저에게 '넌 구둣방에 가서 이렇게 전해라. 아까 나리가 주문하신 장화는 이제 필요 없게 되었으니 그 가죽으로 죽은 사람에게 신기는 슬리퍼를 지어 달라고 말이야. 그리고 다 만들기를 기다

렸다가 가지고 와야겠다.' 이렇게 말씀하셨습니다. 그래서
제가 왔지요."

미하일은 테이블 위에서 마름질하고 남은 가죽을 접어 둘
둘 뭉치고, 다 된 슬리퍼를 꺼내어 탁탁 소리 내어 털고는
앞치마로 곱게 닦아 하인에게 내밀었다. 젊은이는 슬리퍼를
받자 인사했다.

"안녕히 계십시오, 여러분! 그럼 전 갑니다!"

다시 일 년이 지나고, 이 년이 지나 미하일이 세몬의 집
으로 온 지도 이제 육 년이 되었다. 여전히 처음과 마찬가지
로 아무 데도 가지 않고, 쓸데없는 말은 단 한마디도 지껄이
지 않았다. 그동안 싱긋 웃는 것은 마트료나가 저녁 식사 준
비를 했을 때와 구두를 맞추러 온 신사를 보았을 때 단 두
번뿐이었다. 세몬은 자기 제자가 대견해서 견딜 수가 없었
다. 이제는 어디서 왔는지 묻지도 않고, 다만 미하일이 나가
면 어쩌나 그것만을 걱정하게 되었다.

하루는 온 식구가 함께 모여 앉아 있었다. 마트료나는 화
덕에 냄비를 올려놓고 있었고, 아이들은 의자 사이를 뛰어
다니며 창 밖을 내다보고 있었다. 세몬은 창가에서 구두를
꿰매고 있었고, 미하일은 다른 창가에서 구두 뒤꿈치를 붙
이고 있었다. 그러자 사내아이 하나가 의자를 넘어 미하일
곁으로 다가오더니 그의 어깨를 흔들면서 물끄러미 창 밖을
내다보았다.

"미하일 아저씨, 저것 좀 봐요. 모르는 아주머니가 계집애
둘을 데리고 우리 집으로 오는 것 같아. 계집아이 하나는 절

름발이인데?"

사내아이의 말이 떨어지자마자 미하일은 하던 일을 멈추고 고개를 돌려 창 밖을 내다보았다. 세몬은 놀랐다. 이제까지 미하일이 밖을 본 적이라고는 한 번도 없었는데 지금은 창에 얼굴을 붙이고 무엇인가에 눈길을 쏟고 있었기 때문이다.

그래서 세몬도 일을 멈추고 창 밖을 내다보니 정말 깨끗한 옷차림을 한 부인이 자기 집 쪽을 향해 오고 있었다. 부인은 모피 외투를 입고 긴 목도리를 두른 두 계집아이의 손을 잡고 있었다. 계집아이들은 얼굴이 서로 닮아 누가 누군지 모를 지경이었다. 다만 한 아이는 다리를 가볍게 절룩거리며 걷고 있었다.

여인은 현관 계단을 올라와 문을 열더니 먼저 두 계집아이를 안으로 들여보낸 다음 자기도 안으로 들어왔다.

"안녕하십니까!"

"어서 오십시오. 무슨 볼일이신지."

여인은 테이블 곁에 앉았다. 두 계집아이는 그 여인의 무릎에 안기듯이 기댔는데 낯설어하는 모양이었다.

"저어, 이 아이들이 봄에 신을 가죽 구두를 맞출까 해서요."

"아, 그렇습니까? 우리는 그런 작은 구두를 지어 본 적은 없지만 할 수 있습니다. 가장자리에 장식이 달린 걸로 할까요? 안에 천을 대어 접는 것으로 할까요? 우리 미하일의 솜씨가 여간 좋지 않습니다."

세몬이 미하일을 돌아다보니 미하일은 우두커니 앉아 두 계집아이에게서 눈길을 떼지 않고 있었다. 세몬은 그런 그의 모습을 보고 깜짝 놀랐다. 하긴 두 아이가 모두 귀여운 얼굴이었다. 눈이 까맣고, 뺨이 통통하고 발그레하며 입고 있는 모피 외투도 목에 두른 목도리도 질이 좋은 것이긴 했다. 그렇더라도 무슨 이유로 미하일이 저렇게 열심히 바라보고 있는지 의문스러웠다. 마치 두 계집아이를 알고 있기라도 한 듯했다.

세몬은 의아스럽게 여기면서도 여인에게 돌아앉아 값을 흥정했다. 가격을 정하고 치수를 잴 차례가 되었다. 여자는 절름발이 계집아이를 안아 올려 무릎에 앉혔다.

"어렵겠지만, 이 아이로 두 아이의 치수를 재 주세요. 불편한 발쪽은 한 짝만 하고, 이쪽 발에 맞춰서 세 짝을 지어 주세요."

세몬은 발 치수를 재고 절름발이 아이 쪽을 가리키며 말했다.

"이 귀여운 아이는 어쩌다가 이렇게 됐습니까? 날 때부터 그런가요?"

부인이 대답했다.

"아니에요, 그 애 엄마가 그랬어요."

그때 마트료나가 말참견을 하고 나섰다. 어디에 사는 누구의 아이인지 알고 싶어 이렇게 물은 것이다.

"그럼, 부인께선 이 아이들의 친엄마가 아니신가요?"

"나는 엄마도 아니고, 친척도 아니지요. 아무 상관없는 남인데 그냥 맡아서 기르는 거예요."

"자기가 낳은 아이가 아니더라도 키우면 자연 정이 들게 마련 아닌가요?"

"그야 물론 정이 들고말고요. 나는 두 아일 다 내 젖으로 키웠어요. 내 아이도 있었지만 하느님께서 데려가셨어요. 그 아이는 그다지 불쌍한 마음이 들지 않았는데, 이 애들은 정말 애처로워서……."

"그런데 대관절 누구의 애들인가요?"

여인은 다음과 같은 이야기를 했다.

"벌써 육 년 전 일입니다. 이 두 아이는 일주일도 못 되어 천애고아가 돼 버렸던 거예요. 아버지는 두 아이가 태어나기 사흘 전에 죽고, 어머니는 아기를 낳고 하루도 못 살았으니까요.

전 그 당시 제 남편과 농사를 지으며 살았는데, 이 아이의 부모와는 이웃 간이었지요. 우린 늘 뒷문으로 왕래했지요. 이 애들의 아버지는 거들어 주는 사람도 없이 혼자 숲에서 일하고 있었는데, 어느 날 큰 나무가 쓰러지면서 그 나무에 허리를 세게 맞아 쓰러지지 않았겠어요. 집에까지 간신히 옮겨다 놓았지만, 곧 저 세상으로 가 버렸지요.

그런데 그 아내는 며칠 후에 쌍둥이를 낳았던 거예요. 이 아이들이 바로 그 애들이지요. 가난한데다가 일가친척도 없고, 일을 봐줄 만한 늙은이나 아주머니 하나 없이 그야말로 외톨이여서 혼자 해산을 하고 죽어간 거죠.

내가 그 이튿날 아침에 궁금해서 뒷문으로 그 집에 들어가 보았더니 가엾게도 벌써 숨이 끊어져 있었지요. 게다가 숨이 넘어가는 순간 바로 이 아이에게 쓰러져 버렸기 때문에 몸의 무게에 눌려 다리를 못 쓰게 되었던 거예요.

마을 사람들이 모여 시체를 목욕시키고 수의를 입히고 관을 짜고 해서 장례식을 마쳤지요. 모두들 친절한 사람들이거든요.

그런데 갓난아이 둘만 남았으니 정말로 큰일이지 뭡니까. 거기 모인 여자 중에 젖먹이가 있는 사람은 나뿐이었어요. 나는 그때 낳은 지 겨우 8주밖에 안 되는 첫아들에게 젖을 주고 있었죠. 그래서 내가 임시로 두 계집아이를 맡기로 했지요. 마을 사람들이 모여 이 아기들을 어떻게 해야 할지 여러 가지로 의논한 끝에 이렇게 말했습니다.

'마리아 아줌마가 이 아기들을 한동안 맡아 주지 않겠어요? 조금만 돌봐 주면 우리가 곧 다른 방법을 찾을 테니까요.'

저는 다리가 온전한 애에게만 젖을 물렸습니다. 이쪽 절름발이 애에게는 줄 생각도 안 했죠. 도저히 살지 못하리라고 생각했기 때문이었어요. 그러다가 어느 날 갑자기 그 애가 측은한 생각이 들었지요. 그 뒤부터는 똑같이 젖을 물려 주기 시작했어요. 그래서 내 아이와 두 계집아이, 말하자면 세 아이에게 동시에 젖을 먹였던 것입니다. 그나마 다행히도 내 나이가 젊어 기운도 좋았으니까 그럴 수가 있었죠.

두 아이에게 젖을 물리고 있으면 다음 애가 기다리고 있어서 하나가 젖꼭지를 놓는 대로 기다리는 애에게 젖을 주고 그랬었지요. 그런데 하느님의 뜻으로 이 두 아이는 잘 키워갔지만, 내가 낳은 애는 이 년이 되던 해에 죽어 버리고 그 뒤로 나는 아이를 낳지 못했죠.

한편 살림살이는 차차 나아져서 지금은 이 마을에서 어떤 상인의 방앗간을 맡아 보고 있답니다. 급료도 넉넉해서 유복한 살림을 꾸려 가기는 합니다만 좀처럼 아이가 생기지 않는군요. 그러니 이 두 아이들을 귀여워하는 것은 당연하지요. 이 두 아이들은 내게 있어서 촛불과도 같아요."

여인이 한쪽 손으로 절름발이 계집아이를 끌어당기며 다른 한쪽 손으로 뺨에 흐르는 눈물을 닦았다. 마트료나도 길

게 한숨지으며 말하였다.

"부모 없이는 살아갈 수 있지만, 하느님 없이는 살아가지 못한다고 흔히들 말하는데 정말로 그런 것 같군요!"

세 사람은 이런 말들을 주거니 받거니 하고 있었는데, 갑자기 미하일이 앉아 있는 쪽 구석에서 섬광이 비쳐와 온 방 안이 환하게 밝아졌다. 모두가 놀라 그쪽을 돌아다보니 미하일은 두 손을 무릎 위에 얹고 위를 쳐다보면서 싱긋 웃고 있었다.

10

여인이 두 계집아이를 데리고 나가자 미하일은 의자에서 일어나 일감을 테이블 위에 올려놓고 앞치마를 벗으며 주인 내외에게 허리를 굽혀 인사했다.

"안녕히 계십시오, 주인아저씨, 아주머님. 하느님께서 용서해 주셨으니 당신들도 제발 용서해 주십시오."

주인 내외는 미하일에게서 빛이 비치고 있는 것을 보았

다. 세몬은 미하일에게 고맙다고 인사말을 했다.

"미하일. 자네는 보통 인간은 아닌 모양이니 자네를 붙잡을 수도 없고, 꼬치꼬치 캐물을 수도 없네. 하지만 꼭 한 가지만 알고 싶은 것이 있네. 자네를 이끌고 집으로 돌아왔을 때 자네는 몹시 침울한 얼굴을 하고 있었으나 내 아내가 저녁 준비를 하기 시작하자 싱긋 웃으며 밝은 표정을 지었는데 어찌된 까닭인가?

또 나리가 장화를 주문했을 때도 자네는 웃으면서 표정이 밝아졌었네. 지금 또 부인이 아이들 둘을 데리고 왔을 때 자네는 세 번째로 빙그레 웃었네. 그리고 몸에서는 후광이 비쳤네. 미하일, 어떻게 자네 몸에서 그런 빛이 비치는지, 그리고 왜 세 번 싱긋 웃었는지 그 까닭을 좀 말해 주게나."

미하일은 말했다.

"제 몸에서 빛이 나는 것은 다름이 아니라 제가 하느님의 벌을 받고 있는 중이었는데, 방금 용서받았기 때문입니다. 또 제가 세 번 싱긋 웃은 것은 하느님의 세 가지 말씀의 뜻을 알아냈기 때문입니다. 한 가지 말씀은 아주머니가 저를 생각하셨을 때 깨달았고, 또 한 가지는 부자 나리가 장화를 주문할 때 알게 되어 웃었습니다. 그런데 지금 두 계집아이를 보고 마지막 세 번째 말씀을 알게 되어 또다시 웃은 것입니다."

이 말을 듣고 세몬이 말했다.

"그럼, 내게 들려주지 않겠나? 자네가 알지 않으면 안 되었던 세 가지 말씀이란 대체 무엇인가?"

그러자 미하일은 대답했다.

"제가 벌을 받은 것은 하느님의 말씀을 거역했기 때문입니다. 저는 천사였는데, 하느님의 말씀을 거역했습니다. 어느 날 하느님은 한 여자에게서 영을 빼앗도록 제게 명령하셨습니다. 그 여자는 쌍둥이 딸을 낳았습니다. 갓난아기는 어머니 곁에서 꼬무락거리고 있었으나 어머니는 젖을 줄 기운도 없었던 것입니다. 여인은 제 모습을 발견하자 하느님이 보내신 줄 짐작하고 매우 슬프게 흐느끼며 말했습니다.

'아아, 천사님. 남편은 숲에서 나무에 깔려 죽어 바로 며칠 전에 장례식을 치른 참입니다. 내게는 형제자매도, 큰어머니, 작은어머니, 할머니도 없기 때문에 이 갓난애들을 거두어 줄 사람이 없습니다. 제발 제 영혼을 가져가지 마시고, 이 아이들을 내 손으로 키우게 해 주세요! 어린아이는 부모 없이는 살지 못합니다!'

저는 그녀가 하는 말을 듣고 한 아이를 안아 젖꼭지를 물려 주고, 다른 아이는 팔에 안겨 준 다음 하늘나라에 돌아갔습니다. 하느님 곁으로 날아가서 말했습니다.

'저는 도저히 산모의 혼을 빼앗아 올 수가 없었습니다. 남편은 나무에 깔려 죽고, 부인은 방금 쌍둥이를 낳고서 제발 혼을 거두어 가지 말아 달라고 애원했습니다. 제발 자기 손으로 아이들을 키우게 해 달라면서 어린아이는 부모 없이는

살지 못한다는 것이었습니다. 그래서 저는 산모의 혼을 빼내지 않았습니다.'

그러자 하느님께서는 이렇게 말씀하셨습니다.

'다시 내려가 산모의 혼을 거두어라. 그러면 세 가지 뜻을 깨닫게 되리라. 즉 사람의 내부에는 무엇이 있는가, 사람에게 허락되지 않은 것은 무엇인가, 사람은 무엇으로 사는가를. 그것을 알게 되면 하늘나라로 돌아올 수 있으리라.'

그래서 저는 다시 지상으로 내려가 산모의 혼을 데려갔습니다. 두 아기는 어머니의 가슴에서 떨어져 있었으나 주검이 침상 위에서 쓰러지는 바람에 한 아이를 덮쳐 눌러 한 쪽 다리를 못 쓰게 만들고 만 것입니다. 저는 그 마을에서 하늘로 날아올라가 여자의 혼을 하느님께 바치려고 했는데 갑자기 거센 바람이 휘몰아치면서 제 두 날개를 부러뜨렸습니다. 그래서 그 여자의 혼만 하느님께로 가고, 저는 지상에 떨어져서 길바닥에 쓰러졌던 것입니다."

11

그때 세묜과 마트료나는 자기들이 먹이고 입혔던 사람이 누구인지, 자기들과 같이 살면서 일해 온 사람이 누구인지를 알고 두려움과 기쁨으로 눈물을 흘렸다. 그러자 천사는 말했다.

"저는 홀로 알몸인 채 들판에 버려졌습니다. 저는 인간의 부자유라는 것도 추위도 배고픔도 모르고 있었는데, 그런 제가 갑자기 인간이 돼 버린 것입니다. 배고픔도 극한에 달했고, 몸도 얼어붙어 어떻게 해야 좋을지 몰랐습니다. 그때 들 한가운데 하느님을 모시는 교회가 눈에 띄어 몸을 의지하려고 그곳으로 갔으나 문이 잠겨 있어 안으로 들어갈 수가 없었습니다.

저는 바람을 피하려고 교회 뒤로 돌아가 앉았습니다. 이윽고 날이 저물자 배고픔은 더욱 심해지고, 몸은 얼 대로 얼어 거의 죽기 직전이었습니다.

그때 어떤 사람이 장화를 들고 걸어오면서 혼잣말을 하는 소리가 들려왔습니다. 저는 인간이 되어서 맨 처음, 언젠가는 죽을 인간의 얼굴을 보았습니다. 저는 그 얼굴이 무서워

돌아앉았습니다. 그런데 자세히 들으니 그 사나이는 이 추운 겨울에 몸을 감쌀 옷을 어떻게 마련해야 할 것인가 고민하고 있었습니다. 거기서 나는 생각했습니다.

'나는 추위와 배고픔에 거의 죽어 가고 있다. 마침 저기 사람이 오고 있지만, 그는 자기들 내외의 모피 외투를 어떻게 마련하나, 어떻게 살아가야 하나 그것만을 생각하고 있다. 그러니까 이 사나이에게는 나를 도와줄 만한 힘이 없다.'

그는 저를 발견하자 얼굴을 찡그리고, 먼저보다 더 무서운 몰골이 되어 터덜터덜 제 곁을 지나갔습니다. 그나마 한 줄기 희망마저도 사라져 버린 느낌이었는데 이때 갑자기 사나이가 되돌아오는 발소리가 들렸습니다. 다시 그 얼굴을 쳐다보았을 때는 방금 지나간 사나이가 아니구나 생각했을 정도였습니다. 좀 전의 죽음의 기운이 서려 있었던 그 얼굴에는 생기가 돌고, 신의 그림자가 어리어 있었습니다. 사나이는 제 곁으로 다가와 옷을 입혀 주고, 저를 데리고 집으로 갔습니다.

집에 이르니 한 여자가 나와서 말을 늘어놓기 시작했는데 그 여자는 사나이보다 더 무서웠습니다. 그 입에서는 죽음의 입김이 뿜어 나와 저는 그 독기 때문에 숨을 제대로 쉴 수가 없었습니다. 여자는 저를 추운 밖으로 몰아내려고 했습니다. 만약 그대로 나를 내쫓았더라면 여자는 죽고 말았을 것입니다. 그것을 저는 잘 알고 있었으니까요. 그러나 그때 남편이 갑자기 하느님 얘기를 꺼내자 여자는 금방 태도가 누그러졌습니다.

여자가 저녁밥을 권하면서 제 얼굴을 흘끗 쳐다보았을 때 그 얼굴에는 죽음의 그림자가 이미 자취도 없이 사라지고 생기가 넘쳐 있었습니다. 저는 거기서 신의 얼굴을 발견한 것입니다.

그때 저는 '인간 안에는 무엇이 있는지 그것을 알게 되리라' 라고 하신 하느님의 첫 번째 말씀을 생각해 냈습니다. 나는 인간 안에 있는 것은 바로 사랑이라는 것을 깨달았습니다. '하느님께서는 약속하신 일을 이렇게 내게 계시해 주시는구나' 하고 생각하니 저는 그만 너무 기뻐서 싱긋 웃고 말았습니다.

그러나 아직도 그 전부를 알 수는 없었습니다. '인간에게 무엇이 허락되어 있지 않은가, 사람은 무엇으로 사는가' 라는 것을 몰랐던 것입니다. 당신들과 같이 살면서 일 년이 지났습니다.

그러던 어느 날 한 사나이가 찾아와서 일 년 동안 닳지도 찢어지지도 일그러지지도 않을 장화를 만들어 달라고 했습니다. 제가 문득 그 사나이를 쳐다보니 뜻밖에도 그 사나이의 등 뒤에 나의 동료였던 죽음의 천사가 서 있는 것을 발견했습니다. 저 이외에는 아무도 그 천사를 보지 못했고, 저는 알고 있었죠. 날이 저물기도 전에 그의 영혼은 그에게서 떠나 버린다는 것을 알았습니다.

저는 생각했습니다.

'사나이는 일 년을 신어도 끄떡없는 구두를 만들라고 하지만, 자기가 오늘 저녁 안으로 죽는다는 것은 모른다.'

그래서 '인간에게 허락되지 않은 것은 무엇인가?' 라는 하느님의 두 번째 말씀을 생각해 냈습니다. 인간 안에는 무엇이 있는가는 이미 알아냈습니다.

그런데 이번에는 인간에게 주어지지 않은 것이 무엇인지를 알아냈습니다. 그것은 '자기 몸에 무엇이 필요한가' 하는 지식입니다. 그래서 저는 두 번째로 싱긋 웃었습니다. 친구였던 천사를 만난 일도 기뻤으며 하느님께서 두 번째 말씀을 계시해 주신 것도 기뻤습니다.

그렇지만 아직 전부는 깨닫지 못했습니다. 저는 언제까지나 여기 있으면서 하느님께서 최후의 말씀을 계시해 주실 때를 기다렸습니다. 육 년째 되는 오늘, 엄마가 없어도 두 쌍둥이는 잘 자라고 있다는 것을 알았습니다. 저는 생각했습니다.

'어머니가 자식을 봐서 살려 달라고 부탁했을 때 나는 그 말을 정말이라고 믿고 아이들은 부모 없이 살아가지 못한다고 생각했는데 다른 사람이 엄연히 두 아이를 잘 기르고 있지 않은가.'

또한 저는 그 부인이 타인의 아이로 인해 눈물을 흘렸을 때 거기에서 살아 계신 신의 그림자를 발견했고, 사람은 무엇으로써 사는가를 깨달았습니다. 하느님께서 최후의 말씀을 계시하여 저를 용서해 주셨다는 것을 알았으므로 세 번째로 싱긋 웃었던 것입니다."

12

그러자 천사가 나타났는데 온몸이 빛으로 둘러싸여서 눈을 똑바로 뜨고 볼 수조차 없었다. 그 천사는 커다란 목소리로 이야기하기 시작했다. 그것은 그가 스스로 말하는 것이 아니라 하늘에서 울려오는 목소리 같았다. 천사는 이렇게 말했다.

"나는 이런 것을 깨달았다. 모든 사람은 자신을 살피는 마음에 의하여 살아가는 것이 아니라 사랑으로써 살아가는 것이다. 어머니는 자기 아이의 생명을 위해서 무엇이 필요한가를 아는 것이 허락되지 않았었다.

또 부자는 자기에게 무엇이 필요한지를 알지 못했다. 저녁때까지 무엇이 필요한지, 산 자가 신을 장화일지, 죽은 자에게 신기는 슬리퍼일지를 아는 것은 어떤 사람에게도 허락되지 않았다.

내가 인간이 되고 나서 무사히 살아갈 수 있었던 것은 내가 내 자신의 일을 여러 가지로 걱정했기 때문이 아니라 지나가던 사람과 그 아내에게 사랑이 있어 나를 불쌍하게 여기고 나를 사랑해 주었기 때문이다.

고아가 잘 자라고 있는 것은 모두가 두 아이의 생계를 걱정해 주었기 때문이 아니라 타인인 한 여인에게 사랑의 마음이 있어 그 애들을 가엾게 생각하고 사랑해 주었기 때문이다. 모든 인간이 살아가고 있는 것도 모두가 각자 자신의 일을 걱정하고 있기 때문이 아니라 그들 속에 사랑이 있기 때문이다.

나는 이전에 하느님께서 인간에게 생명을 내려 주시고 모두가 함께 살아가도록 바라고 계신다는 것을 알았지만, 이번에는 한 가지 일을 더 깨달았다. 하느님께서는 인간이 뿔뿔이 떨어져 사는 것을 원하지 않으신다. 그렇기 때문에 인간 각자에게 무엇이 필요한가를 계시하지 않았던 것이다. 인간이 하나로 뭉쳐 사는 것을 원하시기 때문에 우리들에게 모든 인간은 자신을 위해서 또 만인을 위해서 무엇이 필요한가를 계시하신 것이다.

이제야말로 나는 깨달았다. 모두가 자신을 걱정함으로써 살아갈 수 있다고 생각하는 것은 다만 인간들이 그렇게 생

각하는 것일 뿐, 사실은 사랑에 의해 살아가는 것이다. 사랑 속에 사는 자는 하느님 안에 살고 있다. 하느님은 사랑이시므로."

그렇게 말하고 천사는 하느님을 찬송했다. 그러자 그 목소리로 인하여 집이 울리는 것 같았다. 그리고 천장이 두 갈래로 쫙 갈라지면서 땅에서 하늘까지 불기둥이 뻗쳤다. 세몬 내외도 아이들도 모두 땅바닥에 엎드렸다. 미하일의 등에서 날개가 활짝 펼쳐지더니 천사가 된 그는 하늘로 날아 올라갔다.

세몬이 정신을 차렸을 때는 집은 예전 그대로였지만, 거기에 가족 외엔 아무도 없었다.

사랑이 있는 곳에 신도 있다

어떤 거리에 마르틴 아브제이치라는 구두장이가 살고 있었다.

창문이 하나밖에 없는 지하실의 작은 방이 그의 거처였다. 창문은 길 쪽으로 뚫려 있었는데, 그 창 너머로 사람들이 오가는 것이 보였다. 그렇지만 보이는 것은 전부 발뿐이었다.

마르틴은 그곳에 오래 살았기 때문에 친구가 많았다. 이 근처에서 구두 일로 한두 번가량 마르틴의 신세를 지지 않은 사람은 거의 없다고 해도 과언이 아닐 정도였다. 구두창을 갈아댄 것도 있고, 해진 데를 기운 것도 있고, 둘레를 다시 꿰맨 것도 있으며 그중에는 가죽을 완전히 새로 간 것도 있었다. 그래서 마르틴은 종종 창 너머로 자기가 한 일감을 볼 때가 많았다.

주문은 많이 있었다. 마르틴은 늘 재료도 좋은 것만을 쓰고 품삯이 싼데다가 약속도 꼬박꼬박 지켰기 때문이다. 손님이 원하는 기한 안에 반드시 해내는 마르틴의 성격을 모두가 잘 알고 있었기 때문에 일감이 끊이지 않았다.

마르틴 아브제이치는 원래 착한 사람이었고, 나이를 먹으면서부터는 더욱 자신의 영혼에 대해 생각하며 한결 신에게 가까이 가고 있었다.

마르틴이 예전의 주인 밑에서 일하고 있었을 때 아내가 죽고, 세 살짜리 아들만 남아 있었다. 그들 부부에겐 어찌된 일인지 위의 아이들은 모두 죽어 버렸다. 처음에 마르틴은 이 아들을 시골 누님에게 맡기려고 생각했지만 이내 측은한 마음이 들었다.

'우리 아기 카피토슈카를 남의 집에 맡기다니 얼마나 가엾은 일이냐. 고생스럽더라도 차라리 내가 데리고 있자.'

마르틴은 주인을 떠나 아이와 둘이서 셋방살이를 했다. 그러던 어느 날 어렸던 카피토슈카도 심부름을 할 정도로 자라서 이젠 한결 안정되었다고 생각할 즈음에 그만 병으로 앓아눕더니, 일주일가량 고열로 신음한 끝에 그만 세상을 떠나고 말았다. 마르틴은 아들의 장례식을 마치고 나자 실의에 빠졌고, 어떤 때는 하느님을 원망하기도 하였다. 마르

틴은 비참한 마음이 들어 제발 자기를 죽게 해 달라고 하느님께 빈 적이 한두 번이 아니었다. 그리고 늙은 자기 대신 어린 외동아들을 데려간 하느님께 원망의 말을 하기도 했다. 그래서 마르틴은 교회에도 나가지 않게 되었다.

어느 날, 같은 고향의 노인이 마르틴을 찾아왔다. 이 노인은 벌써 팔 년째 성지순례를 하고 있는 중이었다. 마르틴은 이 노인과 세상 이야기를 주고받다가 자기 신세에 대한 푸념을 늘어놓기 시작했다.

"난 이제 사는 게 싫어졌어. 그저 죽고 싶은 마음뿐이어서 오직 그 한 가지 소원만을 하느님께 비는 형편이라네. 난 이제 아무 소망도 없는 인간이 돼 버렸으니……."

그러자 노인이 말했다.

"마르틴, 그건 잘못된 생각이야. 우리는 하느님께서 하시는 일을 이러쿵저러쿵 비판할 수 없어. 무슨 일이건 우리의 지혜가 아니라, 하느님의 재량으로 결정되는 것이니까. 비록 자네 아들은 죽었지만 자네는 살아야 하네. 그것이 하느님의 뜻이네. 그것을 절망으로 생각하는 것은, 자네가 자신의 즐거움을 위해 살려고 하기 때문이야."

"그럼, 뭣 때문에 산다는 건가?"

마르틴이 물었다. 그러자 노인은 이렇게 말했다.

"하느님을 위해 살아야 해, 마르틴. 하느님께서 허락해 주신 목숨이니까 하느님을 위해 사는 것이 도리 아니겠나? 하느님을 위해서 살면 아무 걱정이 없고, 모든 일이 편안해지네."

마르틴은 잠자코 있다가 한참 후에 입을 열었다.

"하느님을 위해 사는 것이란 도대체 어떻게 사는 건가?"

그러자 노인은 말했다.

"어떻게 하면 하느님을 위해 살 수 있느냐는 것은 그리스도께서 다 가르쳐 주시네. 자네 글 읽을 줄 알지? 성경을 사서 읽으라구. 그렇게 하면 하느님을 위해 산다는 일이 어떤 것인지 알게 될 거야. 거기엔 무엇이든 다 쓰여 있으니까."

그의 말은 마르틴의 마음을 사로잡았고 그날로 당장 커다란 활자로 찍힌 『신약성서』를 사다가 읽기 시작했다. 처음에는 일요일이나 축제일에만 읽을 생각이었지만, 한번 읽기 시작하자 완전히 빠져들어 날마다 읽게 되었다. 어떤 때는 너무나 골똘하게 읽은 나머지 램프의 석유가 다 닳은 것도 몰랐다. 읽으면 읽을수록 하느님께서 무엇을 말씀하시는지, 신을 위해 산다는 게 어떤 것인지 분명히 알게 되어 마음이 점점 가벼워지는 것이었다. 전에는 잠자리에 누워서도 꺼질 듯 한숨만 쉬며 카피토슈카의 일만 생각했으나, 지금은 오로지 "하느님이시여, 감사하옵니다! 감사하옵니다! 모든 일을 당신의 뜻에 맡기오니 주관하여 주옵소서!"라고 기도 드릴 뿐이었다.

그 뒤 마르틴의 생활은 완전히 달라졌다. 예전에는 축제일 같은 땐 빈둥빈둥 놀러 다니고, 음식점에 들어가 차를 마시거나 보드카도 사양치 않았다. 아는 사람과 한잔 들이키고 나면 별로 취하지 않았는데도 공연히 쓸데없는 잔소리를 늘어놓거나 호통을 치곤 했었다. 그런데 이제는 그런 일이 전혀 없었다. 조용하고 만족스런 나날이 흘러갔다. 아침부터 작업을 시작하여 정한 시간만큼 일하고 난 후, 램프를 걸쇠에서 벗겨 테이블 위에 놓았다. 그리고 벽장에서 성경을 꺼내 놓고 앉아서 읽기 시작하는 것이었다. 읽으면 읽을수록 그 뜻을 알게 되어 그의 마음속은 더욱 밝아지고 즐거워졌다.

여느 날과 마찬가지로 마르틴은 그날 밤도 늦게까지 책을 읽고 있었다. 마침 〈루가 복음서〉 제6장을 읽었는데, 다음과 같은 구절이 있었다.

'누가 뺨을 치거든 다른 뺨마저 대 주고 누가 겉옷을 빼앗거든 속옷마저 내어 주어라. 달라는 사람에게는 주고 빼앗는 사람에게는 되받으려고 하지 말라. 너희가 남에게 바라는 대로 남에게 해 주어라.'

다시 다음 구절을 읽었다. 거기에서 그리스도는 이렇게 말하고 있었다.

'너희는 나에게 주님, 주님 하면서 어찌하여 내 말은 실행하지 않느냐? 나에게 와서 내 말을 듣고 실행하는 사람이 어떤 사람인지 가르쳐 주겠다. 그 사람은 땅을 깊이 파고 반석 위에 기초를 놓고 집을 짓는 사람과 같다. 홍수가 나서 큰물이 집으로 들이치더라도 그 집은 튼튼하게 지었기 때문에 조금도 흔들리지 않는다. 그러나 내 말을 듣고도 실행하지 않는 사람은 기초 없이 맨땅에 집을 지은 사람과 같다. 큰물이 들이치면 그 집은 곧 여지없이 무너져 파괴되고 말 것이다.'

이 말씀을 읽은 마르틴은 마음속에 더욱 큰 즐거움을 느꼈다. 그는 안경을 벗어 책 위에 놓고 테이블 위에 팔꿈치를 괸 채 생각에 잠겼다. 그리고 자기가 이제까지 해 온 일들을 이 말씀에 견주면서 이렇게 생각했다.

'내 집은 어떤가. 반석 위에 서 있는가, 모래 위에 서 있는가. 반석 위에 서 있으면 얼마나 좋을까. 실로 홀가분한 마음으로 이렇게 혼자 앉아 있으면 얼마나 좋을까. 홀가분한 마음으로 이렇게 혼자 앉아 있으면 모든 일을 하느님의 지시대로 할 것 같은 마음이 들지만 어쩌다 그만 죄를 짓게 되니. 아니, 그래도 더욱 열심히 하자. 아아, 참으로 유쾌하다! 원하옵건대 하느님이시여, 제게 힘을 주시옵소서!'

마르틴은 그렇게 생각하고 그만 자려고 했으나 그래도 쉽사리 책을 놓을 수가 없어 다시 제7장을 읽었다. 백인 대장의 이야기를 읽고, 과부 아들의 이야기를 읽고, 요한이 제자에게 말하는 대목을 읽었다. 그리고 마침내 부자 바리새인이 그리스도를 자기 집에 초대한 데까지 읽었다. 그리고 다시 죄 많은 여자가 그리스도의 발에 향유를 바르고, 그 위에 눈물을 뿌리니 그리스도가 그 죄를 용서했다는 이야기도 읽었다. 그리고 44절까지 이르러 이런 구절을 읽었다.

'그 여자를 돌아보시며 시몬에게 말씀을 계속하셨다. 이 여자를 보아라. 내가 네 집에 들어왔을 때 너는 나에게 발 씻을 물도 주지 않았지만 이 여자는 눈물로 내 발을 적시고 머리카락으로 내 발을 닦아 주었다. 너는 내 얼굴에도 입 맞추지 않았지만 이 여자는 내가 들어왔을 때부터 줄곧 내 발에 입 맞추고 있다. 너는 내 머리에 기름을 발라 주지 않았지만 이 여자는 내 발에 향유를 발라 주었다.'

마르틴은 생각했다.

'발 씻을 물을 주지 않고 입 맞추지 않고 머리에 기름도 발라 주지 않고……'

마르틴은 다시 안경을 벗어 책 위에 올려놓고 생각에 잠겼다.

'아무래도 내가 그 바리새인과 같았던 모양이야. 오로지 내 자신만 생각해 왔어. 차를 마시고 싶다든지 따뜻하고 깨끗한 옷을 걸치고 싶다는 생각만 하고, 손님을 위한 생각은 별로 하지 않았어. 오직 내 생각만 하느라 손님의 일 같은 건 아무래도 좋았지. 그런데 손님은 누군가? 다름 아닌 하느님이시다. 만약 하느님께서 나를 찾아오시면 나는 대체 어떻게 할 것인가?'

마르틴은 턱을 괴고 생각에 잠겨 있다가 어느 사이엔가

깜빡 잠이 들어 버렸다.

"마르틴!"

문득 누군가가 등 뒤에서 부르는 소리가 들려왔다. 마르틴은 깜짝 놀라 저기 있는 사람이 누굴까 생각했다. 고개를 돌려 문 쪽을 보았으나 아무도 없었다. 도로 몸을 굽혀 엎드리자 갑자기 또렷한 말소리가 들려왔다.

"마르틴, 마르틴! 내일 길을 보아라. 내가 갈 터이니."

마르틴은 의자에서 일어나 눈을 비비기 시작했다. 꿈결에서 그 말소리를 들었는지 깨어서 들었는지 갈피를 잡을 수가 없었다. 그래서 등불을 끄고 잠자리에 들었다.

이튿날 아침, 마르틴은 미처 날이 새기도 전에 일어나 하느님께 기도를 드린 후 난로에 불을 지펴 국과 보리죽을 끓이고, 사모바르(구리나 은으로 만든 러시아 특유의 주전자 — 역주)를 준비한 후 앞치마를 두르고 창가에 앉아 일을 시작했다. 마르틴은 일을 하면서도 마음속으로는 어젯밤 일만을 생각하고 있었다. 그냥 그런 마음이 들었을 뿐이라고 생각하면서도, 한편으로는 정말로 그런 목소리가 들렸다고 생각되었다.

'뭐, 이런 일은 흔히 있는 일이니까.'

창가에 앉은 마르틴은 일을 하기보다는 창 너머로 길을 내다보는 시간이 더 많았다. 낯선 구두를 신고 지나가는 사람이 있으면 몸을 구부려 밖을 내다보면서 구두뿐 아니라 얼굴까지 보려고 애썼다. 새로 지은 장화를 신은 정원지기가 지나가는가 하면 지게를 진 일꾼도 지나갔다. 그 뒤로 여기저기를 땜질한 낡은 장화를 신은 니콜라이 1세 시대의 늙은 병사가 손에 삽을 들고 창 앞으로 다가왔다. 마르틴은 그 장화를 보고, 곧바로 그라는 것을 알았다. 이 늙은 병사는 스테파니치라고 불렸는데 옆집 상인이 인정상 데리고 있었다. 정원지기의 일을 도와주는 것이 그의 일이었다. 한참 동안 그 모습을 바라보고 있다가 마르틴은 다시 일을 하기 시작했다.

'나도 이젠 늙어서 노망이 든 모양이야.'

마르틴은 혼자 웃었다.

'스테파니치가 눈을 치고 있는데, 나는 그리스도가 내게 오신 게 아닌가 하고 생각하니 말이야. 난 아주 정신이 나갔어.'

그러나 몇 바늘 꿰맸다고 생각하자 마르틴의 마음은 다시 창 밖으로 끌리는 것이었다. 창 너머로 바라보니 스테파니치는 삽을 벽에 기대 놓고 볕을 쬐는 것 같기도 하고 쉬는 것 같기도 한 모습을 하고 있었다. 이제 늙어서 눈을 쳐 낼 만한 기력도 없는 모양이었다. 마르틴은 '그에게 차라도 대접할까? 마침 물도 끓었으니'라고 생각하고 바늘을 일감에 꽂은 후 일어났다. 사모바르를 테이블 위에 올려놓고 차를 준비한 다음 손가락으로 창문 유리를 똑똑 두드렸다. 스테파니치가 돌아보더니 창가로 다가왔다. 마르틴은 손짓을 하면서 문을 열러 갔다.

"들어와서 몸 좀 녹이지 그래."

마르틴이 말했다.

"몸이 꽤 얼었겠네."

"어이구 고맙네, 온몸의 뼈마디가 쑤시는구먼."

스테파니치는 대답했다. 스테파니치는 들어오자 눈을 털고 마룻바닥에 자국이 나지 않도록 장화에 묻은 눈을 털어 냈는데, 그러는 중에도 몸은 떨고 있었다.

"닦지 않아도 돼요. 이리 줘요. 내가 털 테니. 나야 늘 하는 일이니까. 자, 어서 이쪽으로 와서 앉게나."

마르틴은 말했다.

"자, 차나 마시게."

마르틴은 두 개의 컵에 차를 따라서 하나는 그에게 주고 또 하나는 자기가 들고 후후 불어 마시기 시작했다. 스테파니치는 차를 다 마시자 컵을 엎어 놓고 그 위에 먹던 설탕을 올려놓고는 잘 마셨다고 고마워했다. 그런데 어쩐지 아쉬운 듯한 표정이었다.

"한 잔 더 합시다."

마르틴은 자기 컵에도 그의 컵에도 다시 차를 가득히 따랐다. 하지만 차를 마시면서도 눈은 자꾸 창 밖으로 쏠리기 일쑤였다. 그러자 그가 물었다.

"자네, 기다리는 사람이라도 있나?"

"누굴 기다리느냐고? 부끄러워서 말을 못하

겠구먼. 기다리는 것도 아니고 기다리지 않는 것도 아니지만, 언뜻 들은 한마디가 기억에 남아서 말이지. 꿈인지 생시인지 잘 모르겠는데, 어제 저녁에 나는 성서를 읽었지. 그리스도가 이 세상 여러 곳을 다니며 고생한 이야기를 말이야. 물론 자네도 읽거나 들었거나 했겠지만."

"듣기는 들었어. 나야 원래 배우지 못해서 글을 읽을 줄 모르잖나."

"그런데 거기서 나는 그리스도가 이 세상을 두루 다니신 이야기를 읽었지. 잘 들어 봐. 그리스도가 말야. 바리새인에게 오셨는데 바리새인이 변변히 대접도 하지 않은 대목을 읽었거든. 한데 나는 엊저녁에 그 구절을 생각하지 않을 수 없었어. 그리스도를 대접하지 않다니 그게 될 말인가? 그렇지만 혹시 만에 하나라도 내게든 또 다른 누구에게든 오신 일이 있다면, 어떤 대접을 했을지 알게 뭐야? 하지만 그 바리새인은 대접다운 대접을 하지 않았어! 이런 일을 생각하는 동안에 나는 가물가물 잠이 들었지. 그렇게 졸고 있는데 나를 부르는 소리가 들리지 않겠나? 일어나 귀를 기울이니 분명히 누군가가 조그만 목소리로 '기다려라. 내일 갈 테니' 하지 않겠나? 그것도 두 번이나 되풀이해서 말이야. 그래, 그 말이 생생하게 되살아나서 아무리 내 자신을 타일러도 그리스도의 방문이 기다려지네 그려."

스테파니치는 고개를 갸우뚱거릴 뿐 아무 말도 하지 않고 컵에 남은 차를 마저 마시고 잔을 놓았다. 마르틴은 다시 그 컵에 차를 가득 따랐다.

"자, 기운 나게 한 잔 더 마시게나! 내가 생각하기에, 그리스도도 이 세상을 두루 돌아다니셨을 때는 이런 사람 저런 사람 가리지 않고, 신분이 낮은 사람들을 오히려 더 보살펴 주셨을 것이 틀림없어. 언제나 가난한 사람들을 상대하시고 제자도 우리네 같은 사람, 우리네같이 죄 많은 사람 가운데에서 취하셨지. 마음이 교만한 자는 오히려 아래로 떨어지며, 마음이 가난한 자는 위로 올라간다고 말씀하셨어. 너희들은 나를 주님이시여 하고 부르지만, 나는 너희들의 발을 씻어 주겠다. 우두머리가 되고 싶은 자는 모든 사람의 하인이 되라고도 말씀하셨네. 또한 마음이 가난하고 겸손하며 인정이 있는 자는 행복할지니라고도 말씀하시고 계시네."

스테파니치는 차 마시는 것도 잊었다. 가만히 듣고 있던 그의 볼에는 어느새 눈물이 흐르고 있었다.

"한 잔 더 들고 가게나."

마르틴이 이렇게 말했지만, 스테파니치는 가슴에 성호를 긋고 컵을 밀어 놓으며 일어섰다.

"고맙네, 마르틴 아브제이치. 정말 잘 마셨네. 덕분에 몸도 마음도 훈훈하게 녹았네."

"종종 들러 주게나. 나는 손님이 찾아오는 걸 좋아하니까."

스테파니치가 나갔다. 마르틴은 남은 차를 따라 마시고

찻잔을 치운 다음 일터로 돌아가 구두의 뒤꿈치를 꿰매기 시작했다. 꿰매면서도 역시 창 밖을 바라보며 연신 그리스도의 왕림을 고대하고 그리스도의 일, 그리스도의 행적만을 생각하는 것이었다. 머릿속에는 그리스도가 말씀하신 여러 가지 일들로 꽉 들어차 결코 사라지지 않았다.

창 밖으로 두 병사가 지나가고 있었다. 한 사람은 군화를, 다른 한 사람은 신사화를 신고 있었다. 그 뒤로 이웃집에 살고 있는 주인이 반짝반짝 윤이 나는 방한용 덧신을 신고 지나가고, 또 바구니를 옆에 낀 빵 가게 사람이 지나갔다. 이때 털실로 짠 긴 양말에 낡은 신발을 신은 여자가 창으로 다가왔다. 그리고 창 바로 옆까지 와서 발을 멈췄다. 마르틴이 창 너머로 내다보니, 다른 마을 사람인 듯한 허술한 차림새로 아기까지 데리고 있었다. 그녀는 바람을 등지고 벽과 마주 서서 아기가 춥지 않도록 감싸 주려 했지만 감싸 줄 덮개 하나 없었다. 여자가 입고 있는 옷은 얇은 여름옷이었다. 마르틴은 밖으로 나가 돌층계 위에서 그녀를 불렀다.

"아주머니! 아주머니!"

여자는 그 소리를 듣고 뒤를 돌아보았다.

"여보시오, 이런 추위에 왜 거기서 아기를 울리고 있소? 방으로 들어오시오. 따뜻한 방 안이 어린애 달래기에 좋을 것이오. 어서 이리로 들어오시오!"

여자는 깜짝 놀라 마르틴을 쳐다보았다. 마르틴은 그녀를
침대 쪽으로 안내했다.

"자, 아주머니 여기 앉아요. 난로 가까이 와서 몸을 좀 녹
이면서 아기에게 젖을 주도록 해요."

"젖이 나오지 않아요. 아침부터 아무것도 먹지 않아서요."

여자는 이렇게 말하면서도 아기에게 젖을 물렸다. 마르틴
은 딱한 듯 혀를 차며 테이블로 가서 빵을 준비하고 난로 뚜
껑을 열어 수프를 꺼내 그릇에 담았다. 보리죽이 든 항아리
를 열어 보았으나 아직 덜 물러 있었다. 그래서 수프만 식탁
위에 놓았다. 그리고 빵을 놓은 다음 못에 걸려 있는 수건을
가져다가 식탁 위에 놓았다.

"아주머니, 여기 앉아서 어서 먹어요. 아기는 내가 안고 있
을 테니까. 나도 예전에는 아이가 있어서 좀 볼 줄 알지요."

여자는 식탁에 앉더니 가슴에 성호를 긋고는 먹기 시작했
다. 마르틴은 아기가 있는 침대에 걸터앉았다. 아기는 자꾸
만 울어 댔다. 그래서 마르틴은 입가에 손가락을 갖다 대고
이리저리 놀려 주며 달랬다. 하지만 입 속에 손가락을 넣지
않도록 조심했다. 아교 같은 게 묻어 손이 까매져 있었기 때
문이다. 아기는 손가락을 바라보는 동안에 울음을 그치고
웃게 되었다. 마르틴도 좋아서 웃었다. 여자는 식사를 하면
서 자신의 신세를 이야기하기 시작했다.

"제 남편은 군인으로 여덟 달 전에 어디론가 멀리 전속되었는데 그 뒤로 통 소식이 없습니다. 저는 남의 집 하녀로 들어갔는데 얼마 안 돼서 이 아이를 낳았지요. 하지만 아기가 있으면 일을 하지 못한다고 벌써 석 달째 일 없이 지내고 있답니다. 입고 있는 옷까지도 다 팔아 버려 이젠 유모로라도 들어갔으면 좋겠지만 그런 자리도 없군요. 말라서 젖이 잘 나지 않을 거라는 거예요. 지금은 장사를 하는 한 주인아주머니에게 갔다 오는 길이에요. 그 집에 저희 마을 여자가 들어가 사는데 절 써 주겠다고 약속했거든요. 그래서 저는 이야기가 다 된 줄 알고 갔더니 다음 주에 다시 오라는군요. 그런데 그 집이 어찌나 멀던지 저도 지쳐서 쓰러질 지경이었지만, 갓난아이도 여간 혼이 나지 않았어요. 고맙고 다행스럽게도 지금 있는 집의 주인아주머니가 하느님을 믿고 우리 모자를 불쌍하게 여겨 주시니 망정이지 그렇지 않았더라면 어떻게 살아갈 뻔했는지……."

마르틴은 긴 한숨을 내쉬면서 말했다.

"따뜻한 옷은 없소?"

"이제 따뜻한 옷을 입어야 할 때가 되었는데, 바로 어제도 하나밖에 없는 목도리를 20코페이카에 저당 잡힌 형편이지요."

그녀는 침대로 돌아가 아기를 안았다. 마르틴은 일어나 벽 쪽으로 가 한참을 부스럭거리며 찾더니 이윽고 소매 없는 낡은 외투를 들고 왔다.

"이걸로 어떻게 안 되겠소? 다 낡았지만, 그래도 아기를 감쌀 수 있을 거요."

여자는 소매 없는 외투와 노인을 번갈아 보다가 그만 울음을 터뜨렸다. 마르틴은 얼굴을 돌렸다. 그리고 침대 밑으로 들어가 옷궤를 끌어내 놓고 그 속을 뒤졌다.

그녀가 말했다.

"할아버지 고맙습니다. 하느님께서 복을 내려 주실 겁니다. 아무래도 주님께서 저를 할아버지 집으로 보내신 모양입니다. 하마터면 이 아이가 얼어 죽을 뻔했어요. 집을 나섰을 때는 따뜻했는데 갑자기 추워지더군요. 이것은 분명 주님께서 할아버지를 창가에 앉게 하셔서 가엾은 저의 모습을 보게 하셨을 거예요."

마르틴은 빙그레 웃으며 말했다.

"아주머니, 우연히 일어난 일이 아닙니다."

마르틴은 군인의 아내에게도 주님께서 오늘 자기에게 오시겠다고 약속한 일을 들려주었다.

"그런 일이야 얼마든지 있을 수 있는 일이지요."

이렇게 말하며 여자는 소매 없는 외투를 입고, 그 속에 아기를 감싸 안고 다시 허리를 굽혀 마르틴에게 인사했다.

"자, 그리스도의 이름으로 이것을 받으시오."

마르틴은 여자에게 20코페이카를 주었다.

"이것으로 목도리를 찾아 다시 두르도록 해요."

여자는 성호를 그었다. 마르틴도 성호를 그으며 여자를 배웅했다.

여자가 가 버리자 마르틴은 스튜를 먹고 뒤치다꺼리를 한 다음 다시 일감을 붙잡았다. 일을 하면서도 창 밖을 내다보는 일은 잊지 않았다. 창문으로 그림자가 비치면 얼른 고개를 들어 누가 지나가나 하고 보는 것이었다. 아는 사람도 지나가고 모르는 사람도 지나갔으나 별다른 일은 없었다.

그러다가 문득 창 밖을 바라보니 마르틴의 창문 바로 앞에 멈춰 선 할머니가 있었다. 그 노파는 사과가 담긴 바구니를 들고 있었다. 거의 다 팔았는지 사과는 얼마 남아 있지 않았고, 대신 나무 부스러기가 든 자루를 어깨에 메고 있었다. 아마 어딘가의 공사장에서 주워 집으로 가지고 돌아가는 모양이었다. 할머니는 어깨가 아파서 다른 쪽 어깨에 바구니를 메려고 자루를 길 위에 내려놓고 사과 바구니를 말뚝에 걸어 놓은 채 자루 속의 나무 부스러기를 추스르려는 참이었다.

그런데 자루를 들어 올리려는 순간, 어디서 나타났는지 찢어진 모자를 쓴 사내아이가 불쑥 튀어나와 바구니에서 사과 한 개를 훔쳐 그대로 달아나려고 했다. 하지만 할머니는 재빨리 눈치를 채고 곧 돌아서서 아이의 옷소매를 꽉 움켜

잡았다. 사내아이는 마구 소리를 지르며 욕을 해댔다. 마르틴은 바늘을 찔러 놓을 겨를도 없이 마룻바닥에 내동댕이치고 문 밖으로 뛰어나갔다. 층계에 발이 걸려 안경을 떨어뜨렸을 정도였다. 할머니는 사내아이의 머리칼을 잡고 욕을 하면서 경찰서에 가자고 하는 참이었다. 사내아이는 죽을힘을 다해 발버둥치면서 소리쳤다.

"왜 때려요? 난 훔치지 않았어요. 이거 놔요!"

마르틴은 사내아이의 손을 잡고 할머니를 말렸다.

"할머니, 놓아주십시오. 그리스도의 이름으로 용서해 주십시오!"

"놓아주긴 하겠지만, 앞으로 다신 이런 짓을 못하게 경찰서에 끌고 가서 혼 좀 내야지!"

마르틴은 할머니를 달랬다.

"그만 놓아주세요. 다신 그러지 않겠죠. 그리스도의 이름으로 놓아주십시오!"

할머니는 손을 놓았다. 사내아이가 도망치려는 것을 마르틴이 얼른 붙잡아다 세우며 말했다.

"할머니께 잘못했다고 빌어라. 이제 두 번 다시 나쁜 짓을 해선 안 돼! 네가 사과를 꺼내는 걸 나는 다 보았으니까."

사내아이는 훌쩍훌쩍 울면서 빌었다.

"음, 이제 됐다. 자, 이 사과를 가지고 가거라."

마르틴은 바구니에서 사과 하나를 집어 사내아이에게 주

었다.

"할머니, 값은 제가 치르지요."

"공연한 짓을 해서 아이들의 버릇을 그르치지 말아요. 저런 애들은 한 일주일쯤 혼을 내줘야 하는데."

"아니에요, 할머니. 그거야 우리들의 생각이지만, 주님의 뜻은 그게 아니거든요. 사과 한 알 때문에 이 아이를 때려야 한다면, 죄 많은 우리는 도대체 어떤 벌을 받아야 하나요?"

노파는 아무 대답이 없었다. 마르틴은 할머니에게 주인은 마름(지주를 대리하여 소작권을 관리하는 사람 — 역주)이 진 빚을 용서했지만, 그 마름은 자신에게 빚진 사나이를 괴롭혔다는 이야기를 들려주었다. 할머니는 가만히 듣고 있었다. 사내아이도 그대로 서서 듣고 있었다.

"주님께서는 죄를 용서하라고 말씀하셨지요. 그렇지 않으면 우리도 죄를 용서받을 수 없는 게 아니겠어요? 어떤 사람이라도 용서해 주어야 하거늘, 하물며 철없는 어린아이는 더욱 그렇지요."

마르틴은 열심히 말했다. 이윽고 할머니는 고개를 끄덕이며 긴 한숨을 내쉬었다.

"그야 그렇지만, 이런 아이들은 너무나 버릇이 없어서……."

"그러니까 우리들이 가르쳐야겠지요."

할머니는 대꾸했다.

"그래요. 나도 일곱이나 아이들을 낳았지만, 지금은 딸 하나밖에 남지 않았어요."

그리고는 어느 마을에서 그 딸과 같이 살고 있는지, 외손자가 몇인지 등을 이야기하기 시작했다.

"나도 이제 기운이 없지만, 그래도 계속 일을 하지요. 어린 손자들이 가엾어서 말이에요. 그것들이 모두 어찌나 착한지 내가 돌아갈 때면 죽 마중을 나온답니다. 글쎄, 아크슈트 그놈은 내 곁을 떠나지 않으려고 졸졸 따라다니지 뭡니까? '할머니, 우리 할머니가 난 제일 좋아!' 하면서 말예요."

할머니의 마음은 완전히 풀어졌다.

"너도 물론 철없는 생각에 그런 짓을 했겠지."

할머니는 사내아이를 보며 말했다. 노파가 자루를 들어 올리려고 하자 사내아이가 재빨리 나서며 말했다.

"제가 들어다 드릴까요, 할머니? 어차피 가는 길이니까요."

노파는 자루를 들어 사내아이의 어깨에 올려 주었다. 이렇게 하여 두 사람은 어깨를 나란히 하고 걸어가기 시작했다. 노파는 마르틴에게 사과 값을 받는 것까지 잊어버렸다. 마르틴은 우두커니 서서 두 사람의 뒷모습을 바라보며 무엇을 이야기하는지 귀를 기울였다.

두 사람이 가 버린 후 마르틴은 집 안으로 되돌아오다가 층계에 떨어져 있는 안경을 주웠는데 깨진 데가 없었다. 바늘을 찾아 들고 다시 일감을 붙잡았다.

일을 하는 사이에 어느덧 날이 저물어 바늘구멍이 잘 보이지 않게 되었다. 벌써 점등부가 가스등을 켜느라고 돌아다니고 있었다. 마르틴은 램프에 불을 당겨 고리에 걸고 다시 일을 시작했다. 한쪽 장화 일을 끝내고 이리저리 살펴보니 상당히 잘 꿰매졌다. 도구를 치우고 가죽 조각을 쓸어 낸 다음 실과 바늘을 잘 간수하고, 램프를 떼어 테이블 위에 놓고는 벽장에서 성서를 꺼냈다. 전날 저녁에 가죽 조각을 끼워 놓은 데를 펼치려고 했는데 다른 페이지가 펼쳐졌다. 성서를 펼치자 어제 저녁의 꿈이 생각났다. 꿈이 되살아나는 동시에 무엇인가 부스럭거리는 소리가 귀에 들려왔다. 마르틴이 뒤를 돌아다보니 어두컴컴한 구석에 사람이 서 있었다. 확실히 사람은 사람인데 누군지는 알 수 없었다. 그는 다만 마르틴의 귀에 소곤 대는 것이었다.

"마르틴, 마르틴. 너는 나를 알아보지 못했지?"

"누구를요?"

마르틴은 말했다. 그러자 어두운 한구석에서 스테파니치가 앞으로 나오더니 빙그레 웃으면서 형체도 그림자도 없이 사라져 버렸다.

"그는 나였다."

목소리가 말했다. 그러자 어두운 한구석에서 아기를 안은 여자가 나타났다. 여자가 미소 짓고, 아기가 빙그레 웃다가 이내 사라져 버렸다.

"그것도 나였어."

목소리가 말했다. 그러자 할머니와 사과를 가진 사내아이가 함께 빙그레 웃으면서 마찬가지로 사라져 버렸다. 마르틴은 몹시 즐거워졌다. 성호를 긋고 안경을 끼고 성서의 펼쳐진 페이지를 읽기 시작했다. 페이지의 첫머리에는 이렇게 쓰여 있었다.

'너희는 내가 굶주렸을 때에 먹을 것을 주었고, 목말랐을 때에 마실 것을 주었으며 나그네가 되었을 때에 따뜻하게 맞이하였다. 또 헐벗었을 때에 입을 것을 주었으며……'

그리고 같은 페이지 아래쪽에는 이렇게 쓰여 있었다.

'분명히 말한다. 너희가 여기 있는 형제 중 가장 보잘것없는 사람에게 해 준 것이 바로 나에게 해 준 것이다(마태오 복음서 제25장 40절).'

마르틴은 깨달았다. 꿈은 헛되지 않아 이날 어김없이 그리스도가 마르틴에게로 왔고, 마르틴은 그를 대접했다는 것을.

불을 놓아두면 끄지 못한다

어떤 마을에 이반 쉬체르바코프라는 농부가 살고 있었다.

그는 매우 건강한 마을 제일의 일꾼이었으며, 살림도 넉넉하고 세 아들 또한 모두 성장해 있었다. 큰아들은 벌써 결혼했고, 둘째아들도 이제 결혼할 나이였으며 셋째도 부족하긴 했지만, 짐도 지고 밭일도 슬슬 하기 시작했다. 이반의 아내도 영리하여 알뜰하게 살림을 꾸려 나갔으며 며느리 역시 얌전하고 일 잘하는 여자가 들어왔다.

이반은 그들과 함께 유복하게 살아가고 있었다. 집안에서 일하지 못하는 사람이라고는 오직 늙고 병든 그의 아버지뿐이었다. 아버지는 천식으로 벌써 칠 년째 페치카 위에 누워 있었다.

이반에게는 모든 것이 다 갖춰져 있었다. 말이 세 필이나 되고, 망아지도 있었으며, 어미 소와 송아지에 양은 열세 마리나 되었다. 여자들은 남자들의 신발도 만들고, 옷도 꿰매고 틈틈이 밭일도 거들었으며 남자들은 열심히 농사를 지었다. 그래서 추수한 보리가 다음 해 새로 보리를 거둬들일 때까지도 남아돌 정도였으며, 세금이랑 그 밖의 비용은 모두 귀리로 충당하고 있었다. 그래서 이반의 식구들은 언제나 유복한 살림살이를 꾸려 나갈 수 있었다.

그러던 어느 날, 이반은 이웃에 살고 있는 고르제이 이바노프의 아들 가브릴로 고르제예프라는 사나이와 싸우게 되었다. 예전에 고르제이 노인이 살아 있고, 이반의 아버지가 살림을 맡아서 했을 무렵 두 집은 정다운 이웃이었다. 키나 물통이 필요하거나, 곡식을 넣을 포대가 필요하거나, 또 갑자기 수레바퀴를 갈아야 된다든지 하면 서로 달려가 도와주곤 했던 것이다. 간혹 송아지가 타작마당에 뛰어들더라도 그저 그것을 몰아내고 이렇게 말할 뿐이었다.

"송아지 단속 좀 해서 이리로 못 오게 해 줘. 우린 아직 짚단을 넣어 놓았으니까."

그 송아지를 타작마당에 감춰 놓거나 서로 욕을 하는 일은 전혀 없었다. 이렇게 노인들의 시절에는 오순도순 살았지만, 젊은이가 살림을 맡게 되자 상황이 달라졌다. 항상 다툼의 발단은 아주 하찮은 데서 일어났다.

이반의 며느리가 치는 닭이 이제 겨우 알을 낳게 되었을 무렵이었다. 젊은 며느리는 그 달걀을 부활제에 쓰려고 정성스레 모으고 있었다. 그녀는 매일같이 광 안에 있는 닭의 우리에 가서 알을 꺼내 보곤 했는데, 어느 날 암탉이 무엇에 놀랐는지 울타리를 넘어 이웃집 마당으로 들어가 그곳에 알을 낳았다. 젊은 며느리는 암탉이 꼬꼬댁거리는 소리를 들었으나 마음속으로 생각했다.

'지금은 알을 가지러 갈 틈이 없어. 축제일도 다가왔는데 우선 집 안을 치워야지, 알은 나중에 가서 꺼내면 되니까.'

하지만 저녁때가 되어 우리에 가 보니 달걀이 없었다. 며느리는 시어머니와 시동생에게 왜 알을 꺼내지 않았느냐고 물어보았다. 그때 막내 시동생 타라스카가 말했다.

"형수님! 암탉은 이웃집 마당에서 알을 낳고 꼬꼬댁거리던데요."

며느리의 암탉은 벌써 수탉과 나란히 홰에 올라앉아 이제 그만 자려는 듯 눈을 감고 있었다. 어디서 알을 낳았느냐고 물어보려 했지만, 어차피 대답은 없으리라 생각한 며느리는 옆집으로 갔다. 그러자 그 집 할머니가 나왔다.

"웬일인가?"

"저어 다름이 아니라 우리 집 암탉이 이리로 날아와서 이 언저리에 알을 낳은 것 같아서요."

"원, 그런 건 통 보지 못했다우. 우리 집에도 닭이 있기 때문에 남의 달걀 같은 건 필요 없어. 우리는 남의 집 마당을 어슬렁거리면서 달걀을 살피지는 않으니까."

그 말에 화가 난 며느리는 언짢은 소리를 내뱉었다. 그러자 이웃 할머니도 덤벼들었고, 두 여자는 서로 욕설을 퍼부었다. 이때 이반의 아내도 물통을 메고 오다가 한몫 끼어들었다. 가브릴로의 아내도 뛰어나와 욕설을 하며 갖가지 일을 몽땅 들추어냈다. 그렇게 해서 한바탕 큰 소동이 벌어지게 되었는데, 늘어놓는 말 한마디 한마디가 모두 거북한 말뿐이었다.

'너는 이렇다, 아니 너야말로 그렇다, 너는 도둑놈이다, 너는 몹쓸 계집이다, 너는 나이 먹은 시아버지를 못살게 군다, 너는 너무 깝죽거린다.'

"남의 키를 망가뜨려 놓고! 그리고 우리 집 멜대도 너희가 가져갔지? 어서 썩 내놔!"

그리고는 멜대를 와락 끌어 잡아당기자 물이 엎질러졌다. 이때 마침 들판에서 돌아오던 가브릴로가 달려와 이 싸움에 끼어들어 자기 아내 편을 들었고, 이반 역시 아들과 함께 뛰어와서 그야말로 치거니 받거니 큰 난장판이 벌어졌다. 건장한 사나이였던 이반은 사람들을 사방으로 밀어 제치고 가브릴로의 턱수염을 한 줌이나 뽑아 버렸다. 결국 동네 사람들이 여럿 몰려와 말리는 바람에 겨우 싸움이 끝났다. 그러나 이것이 불화의 시초였던 것이다. 가브릴로는 잔뜩 뜯긴 턱수염을 진정서와 함께 읍사무소에 가지고 가서 말했다.

"내가 턱수염을 기른 것은 곰보딱지 이반에게 뜯기기 위해서가 아니었소."

그러자 가브릴로의 아내는 머지않아 이반이 소송에 져서 시베리아로 유형을 가게 될 거라고 으름장을 놓고 다녔다. 이렇게 해서 이웃이 원수처럼 되어 버린 것이었다. 노인은 아들을 타일렀으나, 젊은 혈기에 그런 말은 들으려고도 하지 않았다. 노인은 다시 한 번 이렇게 말했다.

"너희들은 아주 어리석은 짓들을 하고 있다. 공연한 일로 싸움을 벌이다니. 잘 생각해 보아라. 일의 시초는 달걀 한 개가 아니냐? 옆집 어린아이가 알 하나를 주웠다. 그게 뭐가 나쁘냐? 달걀 하나에 얼마나 값이 나간다는 말이냐? 모두가 하느님의 자식인걸. 뭐 그리 아쉬울 게 있느냐? 저쪽에서 욕을 하거든, 그것을 고쳐 앞으로는 고운 말을 쓰게끔 가르쳐 주려무나. 설령 치고받고 싸웠다 할지라도 죄 많은 인간끼리 한 짓이니 그 누구도 탓할 필요가 없다. 자, 어서 가서 사과하고 화해하도록 해라. 그것으로 된 거지 이렇게 고집을 부리고 있으면 사이만 점점 더 나빠지느니라."

하지만 젊은이들은 노인이 하는 말은 듣지 않고, 쓸데없는 잔소리를 한다며 투덜댔다. 그러니 이반의 기세가 꺾일 리가 없지 않은가.

"나는 녀석의 턱수염을 뽑은 일이 없어. 절대로! 놈이 제

손으로 뜯어 놓고선. 그렇지만 녀석의 아들은 남의 머리카락을 마구 쥐어뜯고 외투도 찢었잖아. 자, 이렇게 말야."

그리고는 그 역시 가브릴로를 고소했다. 두 사람은 중재 재판소에서도, 마을 재판소에서도 다퉜다. 그 소동이 벌어지고 있는 동안 가브릴로네 수레바퀴의 바퀴통이 없어졌다. 가브릴로의 어머니도, 그의 아내도 모두 이반의 짓이라고 주장했다.

"우리는 다 보고 있었어요. 그놈이 한밤중에 짐수레가 있는 쪽으로 갔으니까. 그리고 옆집 할머니 말씀이 녀석이 훔친 바퀴통을 주막에 가서 억지로 팔려고 했다잖아요."

그리하여 또다시 소송이 벌어졌다. 날마다 입씨름이 아니면 들러붙어 싸우기가 일쑤였다. 어린아이들까지 어른들이 하는 대로 서로 욕을 해 댔고, 며느리들은 개울에서 만나면 빨랫방망이보다 혓바닥을 더 열심히 놀리는 지경이었다. 처음에는 서로 트집을 잡는 정도였지만, 나중에는 점점 심해져 서로의 물건을 훔치기까지 하였다. 아낙네들이 아이들에게 시켰던 것이다. 그렇게 두 집의 살림은 자꾸만 기울어져 갈 뿐이었다.

이반과 가브릴로는 마을의 모임에서도 마을 재판소에서도 중재 재판소에서도 소송을 벌여 왔기 때문에 중재하는 쪽에서도 이젠 포기할 정도였다. 가브릴로가 이반에게 벌금을 물리거나 유치장 신세를 지게 하면, 다음번에는 이반이

가브릴로를 그렇게 만드는 것이다. 그러면 그럴수록 두 사람은 더욱더 고집불통이 되어 버렸다. 개들도 싸울 때는 점점 더 사나워져서, 한쪽 개가 뒤에서 살짝 건드리기만 해도 상대방 개는 물었다고 생각하고 더욱 달려드는 법이다. 두 농부도 이와 마찬가지로, 소송을 걸어 둘 중 어느 쪽인가가 벌금이나 구류처분을 받으면, 그로 인해 더욱 복수심에 불타는 것이었다.

이리하여 소송은 육 년이나 계속되었다. 오직 노인만이 페치카 위에서 언제나 같은 말을 되풀이하고 있었다.

"너희들은 도대체 무슨 짓을 하고 있느냐? 그런 부질없는 싸움은 그만 집어치워라. 일을 등한시해서는 안 되느니라. 남을 골릴 생각만 하다간 너 역시 골탕을 먹게 된다. 화를 내면 낼수록 점점 더 악화될 뿐이다."

그러나 아무도 노인의 말을 들으려 하지 않았다.

칠 년째 되는 해, 한 잔치에서 이반의 아내가 가브릴로에게, 당신은 말을 훔치다가 들키지 않았느냐고 여러 사람 앞에서 크게 망신을 주었다. 이에 화가 치민 가브릴로는 마침 취기가 거나하게 올라 이반의 아내에게 덤벼들었다. 하지만 공교롭게도 이반의 아내는 그 일로 일주일이나 앓게 되었다. 더구나 그녀는 임신중이었던 것이다. 이반은 화가 머리끝까지 나서 곧바로 고소장을 갖고 예심 판사에게 달려갔다.

'이번에야말로 된통 혼 좀 날걸, 시베리아행은 어김없으렷다!'

그러나 이번에도 이반의 고소장은 아무런 힘도 발휘하지 못했다. 예심 판사가 소송을 받아들이지 않았던 이유는, 아내의 몸에 아무런 상처도 없었기 때문이었다. 그러나 이반은 이리저리 다니며 서기와 배심원들에게 술을 대접했고, 가브릴로는 태형을 받게 되었다. 가브릴로는 재판소에서 판결문을 낭독하는 것을 들었다.

"당 재판소는 다음과 같이 판결한다. 농부 가브릴로 고르제예프에게 태형 20대를 선고한다."

이반은 그 판결을 들으면서 아주 흡족한 표정을 지으며 가브릴로가 있는 쪽을 흘끗 바라보았다. 가브릴로는 판결문 낭독이 끝나자 얼굴이 창백해지더니 홱 돌아서서 복도로 나가 버렸다. 이반도 그 뒤를 따라 말이 매어져 있는 곳으로 가려는데 가브릴로의 말소리가 들렸다.

"내 등에 매가 내려지게 하고도 무사할 줄 아느냐! 네 등이 불에 데지 않게 조심하라구."

이 말을 들은 이반은 그 길로 재판관에게 달려갔다.

"공평무사한 판사님! 녀석이 제 집에 불을 지른다고 협박합니다. 잘 물어보십시오. 증인들 앞에서 한 말이니까요."

판사는 가브릴로를 불러내어 물었다.

"사실인가, 자네가 했다는 말이?"

"저는 아무 말도 하지 않았습니다. 판사님의 권한으로 어서 절 때리시죠. 그놈은 죄도 없는 저를 매 맞게 하고도 무사할 줄 아는 모양입니다."

가브릴로는 계속해서 말하려 했으나 입술과 뺨이 떨려서 그만 돌아서 버렸다. 판사들도 그의 모습을 보고는 흠칫 놀랐다. 자칫 잘못하다간 옆집 사나이와 그들 자신에게 어떤 무모한 짓을 할지도 모르겠다고 생각했던 것이다. 나이 많은 판사가 말했다.

"어떤가, 자네들. 이제 이 자리에서 화해하는 것이 좋지 않겠는가? 이봐 가브릴로, 자네도 그렇지, 임신한 여자를 치다니. 그래서야 되겠나? 하느님 덕분에 무사했기 망정이지 어떤 큰 죄를 저질렀을지 모르지 않는가? 대체 이것이 좋은 일인가? 자네는 이반에게 사과하게. 이반도 용서해 주겠지. 그렇게 하면 나도 이 판결문을 다시 쓸 테니까."

그것을 듣고 서기가 말했다.

"그것은 안 됩니다. 형법 제117조에 의한 쌍방의 화해가 성립되지 않았고, 재판소의 판결이 성립되었으니 그 판결은 실행되어야 합니다."

그러나 판사는 서기의 말은 들은 체도 않고 말했다.

"쓸데없는 참견은 마라. 제1조는 하느님을 잊어버리지 않는 일이다. 알겠나? 그리고 하느님께서는 언제나 화목하라고 하셨다."

판사는 그렇게 말하고 다시 그들을 타일렀으나 막무가내였다. 가브릴로는 아예 들으려고도 하지 않았다.

"저는 일 년 뒤엔 쉰 살이 됩니다. 아들도 며느리도 있습니다. 저는 태어나서 아직 단 한 번도 남에게 매를 맞은 일이 없는데, 이번에 이 곰보딱지 이반 놈이 저를 채찍 아래로 밀어 넣으려고 합니다. 그런데도 제가 저놈에게 빌어야 합니까? 천만의 말씀입니다. 이반, 너 이 녀석! 어디 두고 보자!"

가브릴로의 입술이 다시 떨리기 시작했다. 그리고는 더 이상 아무 말도 하지 않은 채 돌아서더니 그대로 나가 버렸다.

마을 재판소에서 집까지는 10베르스타가량 되어 이반이 돌아왔을 때는 퍽 늦은 시간이었다. 이반은 말을 마차에서 떼고 뒤처리를 한 다음 집으로 들어갔다. 집 안에는 아무도 없었다. 아들들은 아직 들에서 돌아오지 않았고, 아낙네들은 마소를 몰고 오는 중이었다. 이반은 집 안으로 들어가 의자에 앉아 생각에 잠겼다. 가브릴로가 판결문을 듣고 낯빛이 변한 채 휙 돌아섰던 일이 떠올랐다. 이반은 섬뜩한 느낌이 들었다. 만약에 자기가 태형 선고를 받으면 어떨까 생각해 보았다. 그러자 가브릴로가 측은해졌다. 그때 갑자기 페치카 위에서 늙은 아버지가 기침을 하더니 몸을 움직여 아래로 내려왔다. 간신히 내려온 노인은 의자에 앉았다. 그는 의자에까지 오는데도 힘이 드는지 기침을 했다. 이윽고 기침이 가라앉자 테이블에 턱을 괴고 입을 열었다.

"어떻게 됐느냐, 판결은 났겠지?"

"태형 20대입니다."

노인은 머리를 저으면서 말했다.

"이반, 너는 좋지 못한 짓을 하고 있다. 아아, 좋지 못하고 말고! 가브릴로에게가 아니라 네 자신에게 말이다. 그래, 그 사람이 채찍을 맞아 등이 찢어지면, 네가 편안하게 되는 일이라도 있느냐?"

"앞으로 그자가 나쁜 짓을 안 하게 되겠죠."

"뭘 안 한다고? 도대체 그 사람이 뭘 잘못했다는 거냐?"

"아니 그 녀석이 얼마나 행패를 부렸다구요!"

이반은 말했다.

"제 아내를 죽일 뻔한데다가 이번에는 또 불을 지르겠다고 협박하는 판이라니까요. 그런데도 고맙다고 해야 하나요?"

노인은 한숨을 지으며 말했다.

"이반, 너는 자유롭게 세상을 돌아다니고 있고, 나는 벌써 몇 년째 누워 있으니까 분명 너는 나보다 세상에 대해 잘 알고 있어. 하지만 네 눈은 증오심 때문에 흐려졌다. 남의 잘못은 눈앞에 환히 보여도 자기의 잘못은 등 뒤에 감춰져 있다. 너는 지금 뭐라고 했지? 그가 나쁜 짓을 한다고? 그 사람 혼자만 나쁜 짓을 했다면 싸움이 벌어질 리가 없어. 인간의 싸움은 혼자서 나쁜 짓을 하는 것이 아니야. 싸움은 반드시 두 사람 사이에 벌어지는 거다. 상대방의 잘못은 보여도 자기의 잘못은 눈에 들어오지 않기 마련이지. 만약 그 사람만 심술궂고, 너는 착한 사람이었다면 싸움 같은 건 애당초 일어나지 않았을 게 틀림없다.

그 사람의 턱수염을 뽑은 건 누구냐? 반타작할 느릅나무를 빼앗은 건 누구냐? 그 사람을 이 재판소에서 저 재판소로 끌고 다닌 자는 누구냐? 그런데도 너는 모든 책임을 그 사람에게 돌리고 있다. 너의 그릇된 행동으로 모든 것이 이 지경이 되었다. 이반, 나는 그런 짓은 결코 하지 않았고, 너희들에게도 그렇게 가르치지 않았다. 나나 그 사람의 아버지인 옆집 노인 모두 그런 방식으로 살진 않았다. 우리들 사이는 어땠는지 아느냐? 그야말로 진짜 다정한 이웃이었지. 그 집에 밀가루가 떨어지면 아낙네가 와서 '프롤 아저씨, 밀가루가 떨어졌는데요' 했고, 그럼 난 '광에 가서 쓸 만큼 가져가시죠'라고 했다. 옆집에서 말을 몰고 갈 사람이 없으면, '야! 바냐트카, 말을 좀 몰아 주겠니?' 했다. 그리고 우리가 부족한 것이 있으면, 서슴없이 '고르제이, 이러이러한 게 없는데' 했고, 그러면 '가져가요, 프롤' 했지.

우리는 그렇게 지내왔다. 우리가 그렇게 지낼 때에는 살림도 넉넉했는데 요즘은 형편이 어떠냐? 바로 전에도 어떤 군인이 플레부나(1877년의 발칸전쟁에서 터키 때문에 고전한 싸움 — 역주)의 이야기를 하는 걸 들었지만, 지금 너희가 하는 싸움은 그 플레부나보다 한결 더 나쁘다고 생각지 않느냐? 도대체 이

것이 인간의 생활이라고 할 수 있겠느냐? 아니 그건 죄라고 할 수밖에 없어! 너는 남자고, 한 집안의 주인이니까 네가 책임지지 않으면 안 된다. 너는 아내와 자식들에게 무얼 가르치고 있느냐? 그건 도저히 사람으로서 할 수 없는 일이다.

며칠 전에도 타라스카, 그 코흘리개 녀석이 아리나 아줌마에게 어처구니없는 말을 하고 있는데도 어미는 그걸 보고 웃고 있지 않겠니? 도대체 이래도 괜찮다고 생각하느냐? 이 모두가 네 책임이다! 영혼을 생각해야 하느니라. 그래, 그런 짓을 해도 좋겠니? 저쪽이 한마디 하면 이쪽은 두 마디 내뱉는다. 저쪽이 한 대 때리면 이쪽은 두 대 때린다. 그래선 안 된다, 이반. 그리스도가 이 세상을 두루 다니면서 우리들에게 가르쳐 주신 것은 그런 것이 아니다. 상대방이 뭐라 해도 잠자코 있으면 저쪽도 양심의 가책을 받는다고 그리스도는 가르쳐 주셨다. 상대방이 뺨을 때리면 한쪽 뺨도 마저 내밀고, '때릴 만한 이유가 있으면 이쪽 뺨도 때리시오'라고 말할 수 있어야 한다. 그러면 저쪽도 양심이 있어 그렇겐 못할 게다. 그리스도께서 가르치신 것은 바로 이런 것이지 고집이 아니다. 왜 잠자코 있느냐, 내 말이 틀렸느냐?"

이반은 조용히 듣고 있었다. 노인은 한참 쿨룩거리다가 간신히 기침을 멈추고 말을 이었다.

"너는 그리스도가 우리에게 나쁜 일을 가르치셨다고 생각하느냐? 아니다. 그리스도는 모든 것을 우리를 위해 가르치셨다. 지금 현재의 네 살림살이를 생각해 보아라. 그 플레부나가 시작된 이래로 살림 형편이 좋아졌는지 나빠졌는지, 소송으로 돈을 얼마나 버렸는지. 마차 삯, 음식값은 또 어떻고. 아이들이 자라 일을 하게 되었으니 오히려 형편이 차차 나아져 재산도 불어나야 할 텐데 오히려 줄어들지 않았느냐? 원인이 뭐라고 생각하느냐? 모든 게 다 네 고집 때문이다. 너는 자식들과 함께 밭을 갈고 씨를 뿌려야 할 때 악마의 부추김에 넘어가 재판소다, 예심이다 하고 돌아다니기만 했으니······. 밭을 가는 것도 씨를 뿌리는 것도 때를 맞추지 못하면 땅은 아무것도 낳아 주지 않아. 왜 올해는 귀리가 흉작이지? 도대체 네가 귀리를 언제 갈았느냐? 거리에서 돌아온 후였다. 그래 재판에 이겨서 무슨 덕을 보았느냐? 쓸데없는 짐만 짊어졌을 뿐이 아니냐 말이다. 자기의 생업을 잊어서는 안 된다. 들일도 집안일도 아이들과 같이 땀 흘려가며 하고, 혹시 누가 화나는 소리를 하더라도 하느님의 말씀대로 용서해 주어라. 그렇게 하면 일은 순조롭게 잘되어 나가고, 마음도 편안하기 그지없을 것이다."

이반은 잠자코 있었다.

"자, 어떠냐, 이반! 이 늙은 아비의 말을 들어주지 않겠니? 지금 바로 마차를 몰아온 길을 되돌아가서 소송을 취하하고 오너라. 그리고 내일 아침에는 기브릴로에게 가서 하느님의 가르침대로 화해하고 집으로 데리고 오너라. 내일은 마침 축제일이니까 보드카라도 한잔 마시면서 이제까지의 잘못을 말끔하게 씻어 버리는 게 좋겠다. 이제 앞으로는 그런 일이 없도록 여자들에게나 젊은 아이들에게도 잘 타일러 주고 말이다."

이반도 긴 한숨을 내쉬며 과연 아버님이 하시는 말씀이 옳다고 생각했다. 그러자 가슴속의 무거운 짐이 금방 거뜬해지는 것 같았다. 하지만 어떻게 화해해야 좋을지 망설여졌다. 그러자 노인은 아들의 마음을 알아차렸다는 듯이 이렇게 말했다.

"이반, 어서 가거라. 결코 미뤄서는 안 된다. 불은 처음에 잡지 않으면 나중에는 손을 쓸 수조차 없게 되느니라."

노인은 아직도 할 말이 남은 모양이었으나 끝까지 다 할 수가 없었다. 아낙네들이 들어와서 참새 떼처럼 떠들어 대기 시작했기 때문이다. 아낙네들은 가브릴로에게 태형 판결이 내렸다는 것도, 가브릴로가 불을 지르겠다고 한 것도 모두 알고 있었다. 게다가 그녀들은 저 혼자 생각해 낸 일까지 덧붙여 이미 목장에서 옆집 여인네들과 입씨름까지 벌이고 오는 참이었다. 가브릴로의 아내가 예심 판사에게 뭔가를 쳐들며 협박까지 했다는 말도 나왔다. 분명치는 않으나 예심 판사가 가브릴로의 역성을 들고 있으므로 머지않아 상황이 뒤바뀐다는 얘기도 있었다. 또 학교 선생님이 직접 황제 폐하에게 이반의 일로 소장을 냈는데, 그 소장에는 바퀴통에 관한 일도 채마밭 일도 낱낱이 썼기 때문에 이반의 토지가 이제 금방 옆집 차지가 되어 버릴 거라는 것이었다. 그이야기를 듣는 동안 이반의 마음은 다시 돌같이 굳어져 가브릴로와 화해하려던 마음이 싹 사라져 버렸다.

농가의 주인은 언제나 밖에서 돌봐야 할 일이 많은 법이다. 이반은 아낙네들을 상대로 할 이야기가 없어 훌쩍 일어나 밖으로 나가 탈곡장을 지나 곳간 쪽으로 갔다. 그쪽을 대강 치우고 뒷마당으로 돌아왔다. 젊은이들이 들일을 마치고 돌아오고 있었다. 봄보리 씨를 뿌리기 위해 밭을 갈았던 것이다. 이반은 그들에게 들일에 관해 이것저것 물어보고, 그들의 일을 거들어 주려고 했으나 이미 날이 저물어 있었다. 이반은 통나무는 다음 날 아침까지 놓아두기로 하고, 마소에게 짚을 넣어 준 후 타라스카가 밤일을 하러 갈 때 타고 갈 말을 밖으로 끌고 나온 다음, 마구간의 문을 닫고 밑으로 널빤지를 대어 틈을 막았다.

'이제 저녁을 먹고 자야겠군.'

이반은 말의 망가진 목걸이를 들고 집 쪽을 향해 걸음을 옮겼다. 그러는 동안에 가브릴로의 일도, 아버지가 하신 말씀도 다 잊을 수 있었다. 그런데 문고리를 잡아당겨 입구의 복도로 들어선 순간 울타리 저쪽에서 옆집 주인의 욕하는 목쉰 소리가 들려왔다.

'빌어먹을 녀석! 그런 녀석은 실컷 두들겨 줘야 해!"

가브릴로가 누군가를 욕하고 있었다. 이것을 들은 이반의 마음속에는 또다시 그에 대한 증오심이 불같이 일어났다. 가브릴로가 욕설을 퍼붓는 동안 이반은 가만히 서서 들었다. 그리고 그의 목소리가 들리지 않게 되었을 때에야 집 안으로 들어갔다. 며느리가 한쪽 구석의 등불 아래에서 물레를 돌려 실을 잣고, 아내는 저녁 준비를 하고, 장남은 목피신 가장자리를 꿰매고 있고, 둘째아들은 테이블에 앉아서 책을 읽고 있었다. 타라스카는 밤일 나갈 채비를 하고 있었다. 집 안은 평온하여 심술쟁이 가브릴로만 아니면 더할 나위 없이 즐거울 것 같았다. 이반은 화난 듯한 얼굴로 의자에 앉아 있는 고양이를 집어 던지고, 대야를 놓아둔 자리가 다르다고 여자들을 꾸짖었다. 한바탕 그러고 나자 이반은 어쩐지 모든 것이 시들해졌다. 자리에 앉아 쓸쓸한 얼굴로 말의 목걸이를 손보기 시작했으나 가브릴로가 하던 말이 머리에서 떠나지 않았다. 재판소에서 하던 얘기, 그리고 방금 누군가를 욕하는 소리, "두들겨서 죽여 버려야지" 하던 목쉰 소리…….

늙은 아내가 타라스카에게 저녁밥을 차려 주었다. 타라스카는 식사를 마치자 짧은 겉옷 위에 긴 외투를 걸치고 허리띠로 질끈 동여맨 다음, 빵을 가지고 말들이 기다리고 있는 길로 나갔다. 큰아들이 아우를 배웅하려고 했으나 이반은 자신이 직접 일어나 층계로 나갔다. 망아지를 몰아세운 다음 한참 동안 서서 주위를 바라봤다. 타라스카는 마을의 큰 길로 내려가다 동행하는 젊은이들과 만난 모양이었으나 아무 소리도 들리지 않았다. 이반은 문간에 계속 서 있었다. "너도 조심해야 할 걸. 언제 어떤 것이 홀랑 타 버릴지 누가 알아" 하던 가브릴로의 말이 머릿속에서 끊임없이 생각나는 것이었다.

'고약한 놈이라 자기 몸이 다친다는 생각은 하지 않을 거야.' 이반은 생각했다.

'가물었겠다, 바람도 있겠다, 울타리 뒤로 슬쩍 기어들어 와서 불을 지르고 그냥 도망쳐 버린다면, 아무 죄도 되지 않을 게 아닌가! 어떻게 해서라도 놈을 꼼짝없이 붙잡아야지. 아무렴 놓쳐서는 안 돼!'

이렇게 생각한 이반은 층계 쪽으로 되돌아가지 않고, 곧장 길로 나가 대문 뒤에서 모퉁이로 돌아왔다. 놈이 무슨 짓을 할지 모른다고 생각한 그는 마당을 한 바퀴 돌아보기로 작정하고 살금살금 문을 따라 걷기 시작했다. 모퉁이를 돌아 울타리에 붙어서 올려다보니 저쪽 모퉁이에서 무엇인가 움직이는 듯했다. 마치 누군가 몰래 엿보다가 울타리 모퉁이에 도로 숨어 버린 것 같았다. 이반은 발길을 멈추고 숨을 죽였다. 온 정신을 모았으나 주위는 쥐 죽은 듯이 고요했다. 다만 바람이 버드나무 가지를 떨게 하고 밀짚을 버스럭거리게 할 뿐, 눈을 뽑아 가도 모를 정도로 온통 캄캄하기만 했다. 그의 눈은 점차 어둠에 익숙해졌고 기둥, 추녀 그 밖의 것이 하나씩 보이게 되었다. 그렇게 한참을 서서 보았으나 아무도 없었다.

'내가 잘못 본 모양이군.'

이반은 생각했다.

'그래도 한바퀴 돌아봐야지.'

이반은 발자국 소리가 나지 않도록 곳간을 따라 걷기 시작했다. 아주 조심스럽게 걸었으므로 자신의 발소리조차 들리지 않을 정도였다. 모퉁이까지 왔을 때 저쪽 끄트머리 기둥 옆에서 무엇인가 번쩍 빛났다고 생각하는 순간 다시 꺼졌다. 이반은 자기도 모르게 가슴이 철렁 내려앉아 걸음을 멈췄다. 그런데 걸음을 멈출 겨를도 없이 다시 같은 자리에서 먼저보다 밝은 빛이 타올랐다. 모자를 쓴 한 사나이가 이쪽으로 등을 꾸부정하게 돌린 채 손에 든 짚단에 불을 붙이고 있는 것이 아닌가. 이반의 가슴은 무섭게 뛰기 시작했다. 이반은 아랫배에 힘을 주고 성큼 걸음은 떼어 놓았으나 발이 땅을 밟는지 허공을 나는지 모를 정도였다.

'현장을 붙잡을 테다!'

하지만 이반이 두 개의 차양이 마주 닿은 데까지 미처 가기도 전에, 갑자기 그 언저리가 눈부실 정도로 밝아지더니 순간 차양 밑의 밀짚이 확 타올라 지붕으로 뻗치고 있었다. 그곳에는 가브릴로가 서 있었고, 그의 온몸은 완연히 불빛

에 드러나 보였다.

'이놈, 이번엔 안 놓친다.'

그때 호로모이(절름발이란 뜻, 가브릴로의 별명)도 발소리를 들었는지 휙 돌아보고는 어디서 그런 힘이 나오는지 절름거리는 발을 용케 끌며 토끼처럼 깡충깡충 도망쳤다.

"게 섰거라!"

이반은 이렇게 외치며 가브릴로를 뒤쫓았다. 이반이 그의 멱살을 잡으려는 순간에 가브릴로는 가까스로 빠져나갔다. 다시 이반이 외투자락을 붙잡았으나 그만 찢어지는 바람에 넘어지고 말았다. 이반은 벌떡 일어나 다시 뛰기 시작했다.

"야아! 저놈 잡아라!"

이반이 넘어지는 사이에 가브릴로는 벌써 자기 집 마당으로 들어갔다. 하지만 이반은 거기까지 쫓아갔다. 그리고 와락 붙잡으려고 하자 갑자기 무언가가 머리를 세게 내리쳤다. 가브릴로가 마당에 뒹구는 떡갈나무 막대기를 주워 들고 힘껏 내리쳤던 것이다.

순간 이반은 정신이 멍해졌다. 눈에서 불이 번쩍 났다고 생각하자 이내 주위가 깜깜해져 버렸다. 정신이 아찔하며 머리가 핑 돌았다. 겨우 정신을 차렸을 때는 이미 가브릴로가 사라진 뒤였다. 온 세상은 대낮같이 환하고, 자기 집 쪽에서는 기계 소리 같은 덜커덩거리는 소리와 무엇인가 탁탁 튕기는 소리가 났다. 이반이 돌아다보니 뒷마당의 곳간이 온통 불덩이가 되어 다른 쪽 곳간으로 옮겨 붙는 중이었다.

"아니, 이게 어떻게 된 일인가? 아이구!"

이반은 양 주먹을 쳐들어 가슴을 마구 쳤다.

"아아, 그때 차양 밑에 불붙는 짚단을 끌어내어 껐으면 괜찮았을 텐데! 아니 이게 웬일이냐!"

그는 이 말만 되풀이하였다. 그러나 힘껏 소리를 질러도 다리가 말을 듣지 않았다. 천천히 걸음을 떼어 놓았지만, 이리 비틀 저리 비틀하더니 다시 숨이 턱 막혔다. 잠깐 멈춰서서 숨을 돌리고 다시 걷기 시작했다. 겨우 곳간을 한바퀴 돌아 불이 난 곳에 닿았을 때는 불길이 뿜어져 나오는 바람에 마당을 지나갈 수도 없는 형편이었다.

많은 사람이 모여들었으나 손을 쓸 방도가 없었다. 근처 마을 사람들은 가재도구를 끌어내기도 하고, 가축들을 딴데로 몰아내기도 했다. 이반의 집도 타기 시작했다. 게다가 바람까지 불어왔기 때문에 마을이 절반이나 타 버렸다. 이반의 식구들은 겨우 옷만 입은 채 뛰쳐나왔을 뿐 다른 건 몽땅 타 버리고 말았다. 가축들도 밤일을 나간 말을 빼놓고는 전부 찜이 되었고, 닭도 홰에 앉은 채 타 죽었으며 가래도, 써레도, 여자들의 옷궤도, 뒤주에 간수한 곡식도 모조리 타

버렸다. 가브릴로의 집에서는 그나마 가축들을 몰아냈고, 이것저것 더러 꺼낼 수도 있었다.

불은 밤새도록 타올랐다. 이반은 한쪽 구석에 서서 멀거니 자기 집을 바라보며 중얼거렸다.

"아, 이게 웬일이란 말인가! 그냥 짚단을 끌어내어 비벼 껐더라면 됐을 텐데……."

그러나 안채의 천장이 무너져 내려앉았을 때, 이반은 그곳 한가운데로 뛰어들어 그을린 재목을 끌어내려고 했다. 여자들이 깜짝 놀라 말렸지만, 이반은 재목을 끌어내고, 또다시 들어가 하나를 끌어안으려고 했다. 그러다가 그는 그대로 비틀비틀 몸을 가누지 못하고 불더미 속에 쓰러졌다. 그때 아들이 뛰어들어 가 쓰러진 아버지를 구했다. 이반은 턱수염과 머리칼은 물론, 옷까지 타서 여기저기 구멍이 나고 두 손에는 화상을 입었으나 정작 아무것도 깨닫지 못하는 모양이었다.

"저 사람, 아주 정신 나간 게 아냐?" 하고 사람들이 말했다. 불길은 차차 사그라졌으나 이반은 언제까지나 멀거니 서서 "여보시오, 이게 어떻게 된 일인가요? 그냥 끌어내기만 했으면 됐을 텐데……"라고 되풀이할 뿐이었다.

아침이 되어 마을 반장이 이반을 부르러 아들을 보냈다.

"이반 아저씨, 할아버지가 돌아가시게 됐어요. 아저씨를 보시겠대요. 어서 가세요!"

이반은 아버지 생각은 까맣게 잊고 있었는지, 알아듣지 못하는 모양이었다.

"아저씨를 부르고 있어요. 죽기 전에 한 번 보신다구요, 이반 아저씨."

반장의 아들이 그의 팔을 끌었다. 이반은 그의 뒤를 따라갔다. 노인은 업혀서 나올 때 불이 붙은 짚이 떨어져 화상을 입었다. 그래서 멀리 떨어진 부락에 있는 반장 집으로 옮겨 갔던 것이다. 이반이 아버지에게 갔을 때 집 안에는 늙은 반장의 아내와 페치카 위의 아이들밖에 없었다. 모두 불구경을 하러 갔던 것이다. 노인은 촛불을 손에 들고 침대에 누워 문 쪽을 보고 있었다. 아들이 들어왔을 때 노인은 조금 몸을 움직였다. 노파가 다가가 아들이 왔다고 하자, 곁으로 가까이 오도록 해 달라고 부탁했다. 이반이 곁으로 다가가자 노인은 말했다.

"어떠냐, 이반. 내가 네게 말하지 않았더냐? 누가 마을을 태웠느냐?"

"그놈이에요, 아버지."

이반은 말했다.

"그놈이에요. 제가 이 두 눈으로 보았거든요. 제가 보는 앞에서 불이 붙은 짚을 지붕 밑에 넣었어요. 하지만 제가 그냥 불붙은 짚단을 끌어내어 비벼 껐으면 되는 일이었어요. 그렇게 했더라면 아무 일 없었을 거예요."

"이반! 나는 이제 죽을 때가 왔지만, 너 역시 언젠가는 죽는다. 도대체 이건 누구의 죄냐?"

이반은 멀거니 아버지를 바라보며 잠자코 있었다. 한마디도 할 말이 없는 것 같았다.

"하느님 앞에 섰다고 생각하고 말을 해라. 도대체 누구의 죄냐? 내가 네게 뭐라고 했느냐?"

그때 비로소 이반은 잠에서 깨어난 듯 모든 일을 이해할 수 있었다.

"이건 제 잘못입니다, 아버지!"

이반은 아버지 앞에 쓰러져 흐느껴 울기 시작했다.

"아버지, 용서해 주십시오. 저는 아버지께도, 하느님께도 할 말이 없습니다!"

노인은 양손을 움직여 촛불을 왼손에 들고 오른손을 이마로 올려 성호를 그으려고 했으나 거기까지 손이 닿지 않아 단념했다.

"주께 영광이 있으라! 주께 영광이 있으라!"

노인은 다시 아들을 바라보았다.

"이반, 이반!"

"왜요, 아버지?"

"앞으로 어떻게 할 테냐?"

이반은 계속 울기만 했다.

"모르겠어요, 아버지. 이제 앞으로 어떻게 살아가야 합니까?"

노인은 눈을 감은 채 온 힘을 집중하려는 듯 입술을 옴실거리다가 이윽고 눈을 뜨더니 말했다.

"살아갈 수 있다. 하느님과 같이 산다면 능히 살아간다."

노인은 잠시 입을 다물었다가 빙그레 웃으며 다시 말을 이었다.

"알았느냐, 이반. 누가 불을 질렀는지 말해서는 안 돼. 남의 죄를 하나 감싸 주면 하느님께서는 두 개의 죄를 용서해 주신다."

노인은 촛불을 양손으로 받쳐 들고 그것을 가슴께에 갖다 대면서 후욱 숨을 내쉬었다. 그리고 그대로 세상을 떠났다.

이반이 가브릴로의 소행을 발설하지 않았기 때문에 어떻게 해서 불이 일어났는지는 끝내 아무도 알지 못했다. 이반은 더 이상 가브릴로를 미워하지 않았다.

한편 가브릴로는 왜 이반이 자기의 악행을 말하지 않는지 내심 놀라고 있었다. 그래서 한동안 가브릴로는 이반을 두려워했으나 차차 그런 마음이 없어졌다. 양쪽 주인들이 싸움을 하지 않자 나머지 식구들도 서로 싸우지 않게 되었다. 집이 다 지어질 때까지 그들은 한 지붕 밑에 살았다. 그리고 온 마을의 집이 새로 지어졌을 때 이반과 가브릴로는 다시 예전 자리로 돌아가 이웃이 되었다. 이반과 가브릴로는 아버지 대에서와 마찬가지로 정답게 지냈다.

이반 쉬체르바코프는 노부의 교훈이기도 하고 하느님의 가르침이기도 한, "불은 애초에 *끄*지 않으면 안 된다"는 말을 마음속 깊이 새겨 두고 잊지 않았다. 이반은 혹시 누가 자기에게 나쁜 장난을 걸어와도 맞서 싸우지 않았고, 오히려 좋은 방향으로 이끌려고 애썼다. 또 누가 자신을 욕해도 똑같이 욕하려 들지 않고, 그런 나쁜 말을 하지 않도록 일깨워 주려고 노력했다.

그리하여 이반 쉬체르바코프는 새로운 사람이 되어 더욱 풍족한 가정을 이루게 되었다.

두 노인

두 노인이 예루살렘으로 순례를 떠났다. 한 노인은 예핌 타라스이치 쉐베료프라는 부자 농부였고, 다른 노인은 돈이 그다지 많지 않은 예리세이 보드료프라는 사나이였다.

예핌은 고지식한 농부로 보드카도 마시지 않았고, 담배도 피우지 않았으며 코담배조차 쓰지 않았다. 그는 태어나서 욕을 한 적이 없었고, 매사에 엄격하고 야무진 성격이었다. 예핌은 두 번이나 마을의 반장을 지냈는데, 두 번 다 1코페이카의 오차도 없이 완벽하게 일을 처리했다. 그에게는 식구가 많았는데 두 아들 외에도 장가든 손자까지 함께 살고 있었다. 그는 얼핏 보기만 해도 건강한 사나이임을 알 수 있었다.

일흔의 나이에도 불구하고 등도 구부러지지 않았고 이제야 커다란 턱수염에 흰 서리가 내리기 시작한 정도였다.

예리세이는 부유하지도 가난하지도 않은 노인으로 젊어서는 목수 일을 하러 다녔으나, 나이를 먹은 뒤로는 집에 있으면서 꿀벌을 치기 시작했다. 큰아들은 벌이를 하러 멀리떠나 있었고, 둘째아들이 집에서 일하고 있었다. 예리세이는 성품이 착하고 명랑한 사나이로 보드카도 마시고 담배도피웠다. 예리세이는 노래 부르기를 좋아했으며 얌전한 성미여서 집안 식구들이나 이웃 사람들과도 사이좋게 지냈다. 그는 키가 작달막하고 거무스름한 얼굴빛의 농군으로 곱슬한 턱수염을 기르고, 자신과 같은 이름의 옛 예언자 예리세이와 마찬가지로 머리가 훌떡 벗겨졌다.

두 노인은 벌써 오래전부터 함께 성지순례를 떠날 약속을 하고 있었으나 예핌 노인 쪽은 언제나 분주하여 일이 끝이 없었다. 한 가지가 끝났다 싶으면 곧 다른 일이 생기곤 했다. 손자의 혼인 잔치가 끝났나 했더니 막내아들이 군대에서 돌아왔다. 그런가 하면 이번에는 새로 집을 지어야 할 판이다.

어느 축제일에 두 노인은 우연히 만나 통나무 위에 나란히 걸터앉았다. 예리세이가 말했다.

"언제 성지순례를 떠날 건가?"

예핌은 얼굴을 찡그리며 말했다.

"조금만 더 기다려 줘야겠어. 올해는 일이 자꾸 꼬인단 말야. 그 공사를 시작했을 땐 100루블 정도면 될 것 같았는데 벌써 300루블이나 들였는데도 끝이 보이지 않으니, 아무래도 여름까지 끌 모양이야. 글쎄, 주님의 뜻이라면 올 여름엔 떠나게 되겠지."

"내 생각 같아선……."

예리세이는 말했다.

"그렇게 미루기만 하는 건 좋지 않아. 마음먹고 떠나야지. 지금이 봄이라 때가 아주 좋은데……."

"때도 때지만, 일을 벌여 놓고 어떻게 가나?"

"아니 그래, 자네 집엔 그렇게 일을 맡길 사람이 없나? 아들이 다 알아서 할 게 아닌가?"

"뭘 알아서 하겠나! 큰아들 놈이라고 어디 믿음직스러워야지. 엉뚱한 짓을 해 놓을 게 뻔해."

"그렇지 않아. 우리는 어차피 죽을 것이고 남은 자식들은 우리가 없어도 다 잘해 나간다구. 자네 아들도 지금부터 일을 배워서 익혀야 해."

"그야 그렇긴 하지만, 난 꼭 내 눈으로 완공을 보고 싶어."

"아이구, 난 모르겠네! 이런 일 저런 일 죄다 끝장을 보자면 한이 없어. 아암, 한이 없구 말구. 바로 얼마 전에도 우리 집 아낙네들이 축제일이 다가온다고 빨래를 한다, 집 안을 치운다, 저것을 한다, 이것을 한다, 아주 난리가 난 것 같더군. 그런데 우리 큰며느리가 아주 영리해서 이렇게 말하지 않겠나?

'축제일이 우리를 기다리지 않고 빨리 다가오니까 그래도 살겠군요. 아무리 일을 해 봐야 다 할 순 없으니까요' 라고 말이지."

예핌은 생각에 잠겼다.

"그런데 나는 그 공사에 여간 돈을 처넣었어야지. 먼 길 떠나는데 빈손으로 갈 수도 없고, 적어도 100루블은 가지고 가야지."

예리세이는 웃음을 터뜨렸다.

"자네, 그런 소리 하다간 죄받네. 자네 재산은 내게 비하면 10배는 되는데 그래, 돈 때문에 궁시렁거리다니. 그런 일은 접어놓고 언제 떠날 것인지 정하기나 하게. 내게는 돈은 없지만, 그래도 떠난다면야 그쯤 마련하지 못하겠나?"

예핌 노인도 웃으며 말했다.

"야, 대단한 부자로군. 어디서 어떻게 마련할 건가?"

"뭘, 온 집 안을 뒤지면 얼마쯤은 나올 거고, 모자라는 것은 밖에 세워 놓은 통나무 꿀벌 통 몇 개만 옆집에 팔면 될 거야. 전부터 사겠다고 해 왔으니까."

"팔아 버린 벌통이 수확이 좋아지면 속상할 텐데."

"속이 상해? 자네 그런 말은 꿈에도 말게. 이 세상에는 죄

짓는 일밖에는 속상할 일이 하나도 없어. 영혼보다 더 소중한 건 없으니까."

"그보다도 영혼의 일이 질서가 잡히지 않으면 더 편치 않을걸. 어쨌든 약속한 거니까 떠나지. 정말 떠나자니까."

이렇게 하여 예리세이는 친구를 설득시켰다. 예핌은 밤새도록 고심한 끝에 이튿날 아침, 예리세이에게 와서 말했다.

"그럼 떠나세. 과연 자네 말대로 인간이 사는 것도 죽는 것도 모두가 주님의 뜻이니 아직 살아서 기운이 있는 동안에 꼭 가기는 가야겠어."

그로부터 일주일 후 두 노인은 떠날 준비를 마쳤다. 예핌은 돈이 많았으므로 100루블을 여비로 마련하고, 200루블은 늙은 아내에게 맡겼다. 예리세이도 준비가 갖춰졌다. 바깥에 늘어놓은 통나무 꿀통 중에서 열 개를 옆집 주인에게 팔고, 거기서 생겨나는 애벌도 붙여 건네기로 약속했다. 그리하여 70루블의 돈이 마련되었다. 나머지 30루블은 온 집 안 구석구석을 뒤져서 구했고, 그 나머지는 식구들에게 조금씩 받았다. 그의 늙은 아내도 죽을 때 쓰려고 모아 두었던 돈을 모두 털어서 내놓았고, 며느리도 자기 돈을 내놓았다.

예핌 타라스이치는 뒷일을 모조리 아들에게 맡겼다. 어디서 얼마만큼의 풀을 베는지, 거름은 어디로 운반하는지 공사는 어떻게 완공시키며 지붕은 어떤 모양으로 올리는지 등 한 가지도 빠뜨리지 않고 지시했다. 그런데 예리세이는 아내에게 팔어넘긴 통나무 꿀통에서 깐 애벌은 따로 모았다가 어김없이 옆집 주인에게 건네주라고 일렀을 뿐, 가사에 대해서는 한마디도 하지 않았다. 예리세이는 일을 어떻게 하는지는, 그 당사자가 되면 저절로 알게 되므로 각자 좋을 대로 하면 된다는 생각이었다.

두 노인은 갈아 신을 짚신도 마련하고 모든 준비를 마쳤다. 식구들은 과자를 굽고 자루를 만들고 새 각반을 마름질하고 새로 장화를 마련했다. 식구들은 동구 밖까지 나와 작별을 고하고, 마침내 두 노인은 여행길에 올랐다.

예리세이는 들뜬 마음으로 첫발을 내디디며 마을에서 점점 멀어지자 집안 일 같은 건 죄다 잊어버렸다. 예리세이가 마음속으로 생각하고 있는 것은 여행 중에 부디 친구의 마음에 들도록 하자, 누구에게나 언짢은 말 같은 것은 삼가자, 만족한 마음으로 무사히 목적지에 도착하고 또 무사히 집으로 돌아오자는 것뿐이었다. 예리세이는 길을 걸으면서도 입 속으로 기도문을 외고, 자기가 알고 있는 성자의 이야기를 마음속으로 자꾸 더듬었다. 또한 그는 도중에 누군가와 동행을 하게 되거나 여인숙에 들 때는 어떻게든 남에게 살뜰한 응대를 하자, 하느님께서 가르쳐 주신 말씀을 말하도록 하자고 다짐하는 것이었다. 예리세이는 길을 걸으면서도 기뻐서 견딜 수 없을 정도였는데 한 가지, 그로서도 도저히 맘대로 안 되는 일이 있었다. 코담배를 그만 끊어 보려고 일부러 쌈지를 집에 두고 왔는데도, 그것이 아쉬워서 견딜 수 없었던 것이다. 결국 도중에 다른 사람에게 얻어 친구에게 피해를 주지 않기 위해 슬쩍 뒤처져서는 코담배 냄새를 맡곤 했다.

예핌 타라스이치도 기분이 좋은 듯 기운차게 걸어갔다. 나쁜 짓을 하나도 하지 않고, 쓸데없는 말도 지껄이지 않았으나 마음속은 편치가 않았다. 아들에게 일러줄 것을 잊어버리지는 않았는지, 아들이 지시한 대로 잘하고 있을지 걱정되는 것이었다. 그만 당장에라도 돌아가서 모든 것을 자기 손으로 해 버리고 싶은 충동이 일어나는 것이었다.

3

두 노인은 오 주일 동안이나 계속해서 걸었기 때문에 집에서 가지고 온 짚신도 다 떨어져 새 신을 사야 할 무렵 마침 소러시아로 들어갔다. 집을 떠나니 자는 것도 식사도 전부가 돈이었는데, 소러시아로 접어들자 모두 다투어 두 노인을 자기 집으로 데려가려고 했다. 그들은 잠을 재워 주고 대접을 하고도 돈을 받지 않았을 뿐더러, 가는 도중에 먹으라고 자루 속에 빵이랑 과자를 넣어 주는 것이었다.

이렇게 두 노인은 홀가분한 마음으로 700베르스타의 길을 걸어 다시 마을을 지나 흉년이 든 고장에 당도했다. 사람들의 이야기를 들으니 지난해 곡식이 하나도 영글지 않았다고 한다. 부자도 먹을 것이 없어 가진 물건들을 팔아 버렸고, 중산층 생활을 하던 자는 빈털터리가 되었으며 가난뱅이는 다른 지방으로 가든가 동냥을 나서든가 아니면 마을에서 그럭저럭 하루하루를 버티고 있는 형편이었다. 겨울 동안은 밀기울과 명아주로 끼니를 이었다고 한다.

어느 날 두 노인은 작은 마을에 들어가 빵을 열다섯 근가량을 사고 하룻밤을 잔 다음, 동이 트기 전에 길을 떠났다.

날이 뜨거워지기 전에 조금이라도 더 걸으려는 것이었다. 그들은 10베르스타쯤 걸어가 어떤 개울가에 당도했다. 거기서 다리를 펴고 앉아 찻잔에 물을 떠서 빵을 축여 가며 배불리 먹은 다음 짚신을 갈아 신었다. 이렇게 앉아서 한참을 쉬는 동안 예리세이가 담배쌈지를 꺼냈다. 예핌이 그것을 보고 머리를 가로저었다.

"왜 그런 좋지 못한 버릇을 고치지 못하나?"

예리세이는 어쩔 수 없다는 듯 손을 내저으며 대답했다.

"나는 죄악에 빠졌어. 이것만은 도저히 안 되는군."

두 사람은 일어나 다시 길을 재촉했다. 거기서 다시 10베르스타쯤 걸어가니 커다란 마을이 앞을 가로막았다. 그 마을을 완전히 지났을 때는 벌써 햇볕이 여간 뜨거워지는 것이 아니었다. 예리세이는 너무나 지쳐서 잠시 쉬고 물도 한 그릇 마시고 싶었으나 예핌은 걸음을 멈추려 하지 않았다. 예리세이는 그 뒤를 따라가기조차 어려웠다.

"물을 좀 마셨으면……."

"그럼, 마시지 그래. 난 괜찮아."

예리세이는 걸음을 멈추고, 예핌에게 이렇게 말했다.

"그럼, 날 기다리지 말게나. 나는 잠깐 저 농가에 들어가서 물을 얻어 마신 다음 곧 뒤따라 갈 테니까."

"그래, 알았어."

예핌은 혼자 신작로를 걸어갔고, 예리세이는 농가가 있는 쪽으로 돌아섰다. 예리세이가 농가에 다가가니 석회 칠을 한 자그마한 집이 있었다. 아래쪽은 까맣게 되고 윗부분만 하얀데 오래도록 손보지 않았는지 여기저기 칠이 벗겨지고, 지붕마저 한쪽이 허물어지고 없었다. 예리세이는 뒷문으로 들어갔는데 얼핏 보니 담장 밑에 사나이가 드러누워 있었다. 그 사나이는 마른 체구에 턱수염도 없었으며 외투 자락은 소러시아식으로 바지 속에 넣고 있었다. 짐작컨대 이 사나이는 시원한 그늘을 찾아서 누워 있었던 모양이었으나 지금은 볕이 똑바로 그에게 내리쬐고 있었다. 그런데 사나이는 드러누운 채 잠들어 있지도 않았다. 예리세이는 물을 좀 마실 수 없겠냐고 말을 걸었으나 사나이는 대답도 하지 않았다.

'병을 앓고 있거나 아니면 꽤 무뚝뚝한 사나이인 모양이군.'

예리세이는 문가로 다가갔다. 그러자 집 안에서 어린아이의 우는 소리가 들려왔다. 예리세이는 문의 쇠고리로 덜컹덜컹 소리를 내면서 말했다.

"실례합니다."

아무런 대답이 없었다.

"안녕하십니까! 아무도 안 계십니까?"

그러나 아무리 소리쳐도 안에서는 목소리조차 들리지 않았다. 예리세이는 그만 돌아서려고 하는데 이때 문 앞에서 누군가가 신음하고 있는 듯한 소리가 들렸다.

'무슨 변고가 생긴 게 아닐까? 어디 한번 들여다보자.'

그렇게 예리세이는 집 안으로 들어가기로 마음먹었다.

4

예리세이가 손잡이를 돌려 보니 문은 잠겨 있지 않았다.
문을 열고 복도에 들어서니 방으로 통하는 문이 열렸다. 오
른편에는 난로가 있고, 정면의 한쪽 구석에는 성상과 테이
블이 놓여 있고, 테이블 저쪽에는 의자가 놓여 있었다. 의자
에는 머리에 두건도 쓰지 않은 속옷 바람의 할머니가 걸터
앉아 테이블에 머리를 올려놓고 있었다. 그 곁에는 비쩍 말
라 커다란 밀랍 같은 얼굴빛의 사내아이가 앉아서 할머니의
옷소매를 잡아당기며 칭얼대고 있었다.

방 안에서는 숨이 막힐 듯 고약한 냄새가 났다. 자세히 보
니 페치카 저쪽 마룻바닥 위에 한 여자가 쓰러져 있는 것이
아닌가. 엎어진 채 이쪽을 보려고도 하지 않고, 그저 가래

끓는 소리만 내면서 한쪽 다리를 오므렸다 폈다 할 뿐이었다. 괴로운 듯 이리저리 뒤척이고 있는 그녀의 몸에서는 코를 찌르는 악취가 배어 나오고 있었다. 틀림없이 여자는 대소변을 가리지 못하는데, 아무도 그 뒤치다꺼리를 해 주지 못하는 모양이었다. 할머니가 문득 눈을 들어 낯선 침입자를 바라보았다.

"누구요, 당신을 무슨 볼일이오? 뭐가 필요하오? 누군지 모르지만, 여긴 아무것도 없으니……."

예리세이는 가까이 다가가서 말했다.

"할머니, 물을 좀 얻어 마시려고 그래요."

"아무것도 없다고 그랬잖우. 물을 떠 올 사람이 아무도 없어요. 가서 손수 떠 마셔요."

"어떻게 된 겁니까? 할머니. 당신네 집엔 성한 사람이라곤 하나도 없나요? 이 아주머닐 돌봐 줄 사람도 없나요?"

예리세이가 물었다.

"아무도, 아무도 없어요. 뒷문에선 사람이 하나 죽어 가고 있지. 우린 여기서 이렇게……."

사내아이는 낯선 사람을 보고 잠시 입을 다물고 있었으나 할머니가 말하는 것을 보자 다시 그 소매를 잡아당기며 "빵 줘, 할머니 빵!" 하면서 울기 시작했다.

예리세이가 할머니에게 다시 물어보려는데 밖에 있던 사나이가 비틀거리며 안으로 들어왔다. 벽을 의지하여 걸음을 옮겨 의자에 앉으려고 하는 모양이었으나 그러지도 못하고 출입문 어귀의 한쪽 구석에 기대듯 쓰러졌다. 그리고는 일어나려고도 하지 않고 말하기 시작했다. 한마디 하고는 말을 끊고 숨을 몰아쉬면서 다음 말을 이어갔다.

"전염병에 걸렸는데, 흉년까지 들어 저놈도 굶어 죽게 되었소."

농부는 턱짓으로 사내아이를 가리키며 울기 시작했다. 예리세이는 등에 짊어진 자루를 치켜 올려 두 팔을 멜빵에서 빼고, 자루를 바닥에 내려놓았다가 다시 의자 위에 올려놓은 뒤 자루를 끄르기 시작했다. 자루를 열고 안에서 빵과 나이프를 꺼내 한 조각 잘라 농부에게 주었다. 농부는 그것을 받으려 하지 않고 사내아이와 여자를 가리켰다. 사내아이가 냄새를 맡고 손을 뻗쳐 두 손으로 빵을 움켜쥐더니 입과 코를 거기에 처박았다. 그러자 페치카가 있는 쪽 구석에서 여자아이가 기어 나와 물끄러미 빵을 바라보았다. 예리세이는 그 아이에게도 한 조각 주었다. 그리고 또 한 조각을 잘라 할머니에게도 주었다. 할머니는 그것을 받아들자 우물우물 먹기 시작했다.

"물을 한 그릇 떠 왔으면 좋겠는데, 모두가 목이 타는데…… 내가 언젠가 물을 뜨러 갔었는데 다 오기도 전에 쓰러져 버렸지. 물통이 거기 있긴 할 텐데, 혹시 누가 가져갔을지도 모르지만······."

예리세이는 우물이 어디 있는지 물어보았다. 할머니가 자세히 가르쳐 준 대로 갔더니 그곳에 물통이 있었다. 예리세이는 물을 떠다 식구들에게 먹였다. 아이들과 할머니는 물을 마셔 가며 빵을 먹었으나 남자는 위가 나빠져 아예 입에 대려 하지도 않았다. 여자는 숫제 일어나려고도 하지 않고, 전혀 정신을 차리지 못한 채 그냥 나무 침대 위에서 몸부림칠 뿐이었다. 예리세이는 가게에 가서 옥수수랑 소금, 밀가루, 버터 등을 사 왔다. 그리고 도끼를 찾아 장작을 패서 그걸로 페치카에 불을 지폈다. 여자아이가 거들었다. 이렇게 예리세이는 수프와 보리죽을 만들어 온 식구에게 먹였다.

주인 남자는 물론, 할머니도 수프와 보리죽을 먹었고, 아이들은 그릇 바닥까지 싹싹 핥아먹고 나서 서로 껴안은 채 잠들어 버렸다. 농부와 할머니는 왜 이렇게까지 되었는지 이야기하기 시작했다.

"우리는 그다지 넉넉한 살림살이도 아닌데다가 지난해엔 추수한 것이 아무것도 없어 기근이 든 가을부터는 내내 전에 남았던 것을 털어 먹었습니다. 마침내 먹을 게 바닥나자 이웃 사람들과 친절한 분들의 신세를 지게 되었습니다. 그들도 처음엔 흔쾌히 꿔 주기도 했지만, 점점 거절하더군요. 어떤 사람은 꿔 주고 싶은 마음은 태산 같지만, 아무것도 없다고 하더군요. 또 저희도 한두 번이 아니어서 매번 손을 벌리기가 여간 민망한 게 아니었습니다. 이 사람 저 사람에게서 돈과 밀가루와 빵을 온통 꿔 썼으니 말입니다."

농부는 계속 말했다.

"저는 일을 찾아 돌아다녔으나 마땅한 일이 없었습니다. 모두가 입에 풀칠하기 위해 일을 찾아다니는 형편이니 어쩌다 하루 일을 했다 해도 그 다음 이틀은 또 일을 찾아 헤매지 않으면 안 되었습니다. 그래서 할머니와 계집아이가 이웃 마을로 동냥하러 떠나게 되었는데 모두들 빵이 없으니까 어디 변변한 먹을거리가 얻어지나요? 그래도 그때는 굶어 죽지는 않을 정도로 입에 풀칠을 했습니다. 그래서 그럭저럭 햇보리가 날 때까지 연명해 가겠다고 생각했는데, 글쎄 이 봄부터는 동냥을 주는 집이 하나도 없게 된데다 이렇게 열병까지 퍼지지 않았겠습니까? 형편은 날로 심해져서 하루 먹으면 이틀은 굶게 되었죠. 마침내 이름모를 풀까지 뜯어 먹게 되었는데 그 풀 때문인지 아니면 무슨 다른 이유가 있었는지 아내가 병으로 쓰러졌습니다. 아내는 앓아누웠죠. 내겐 힘이 없으니 암담한 형편입니다."

할머니가 말을 이었다.

"나 혼자 정신없이 구걸하러 돌아다니는데 아무리 돌아다녀도 먹을 게 나와야 말이죠. 지치고 힘도 다해서 그만 주저앉아 버렸어요. 손녀딸도 몸이 잔뜩 약해진데다가 이젠 겁까지 집어먹고 근처에 심부름을 보내도 가려고 하질 않아요. 구석에 처박혀서 꼼짝도 않고 있어요. 어제는 이웃집 아주머니가 무슨 볼일인지 왔다가 온통 굶어서 쓰러져 있는 것을 보더니 깜짝 놀라 돌아서서 나가 버리지 뭡니까? 그 아주머니도 남편은 집을 나갔고, 어린아이들하고 굶주리는 판이라 그럴 만도 하죠. 그래서 마냥 이렇게 드러누워 하느님의 부르심을 기다리고 있었습니다."

두 사람의 이야기를 들은 예리세이는 그날로 친구를 따라가야 한다는 생각은 버리고 그 집에 머물렀다.

이튿날 아침, 예리세이는 일어나자마자 마치 자기가 이집의 주인이라도 된 듯이 서둘러 일하기 시작했다. 할머니와 둘이서 밀가루를 반죽하고 페치카에 불을 지피고, 여자아이와 같이 쓸 만한 물건을 찾아 근처를 돌아다녔지만 아무것도 없었다. 모조리 먹을 것과 바꿨던 것이다. 연장도 없고, 입을 옷가지도 없는 형편이었다. 그래서 예리세이는 꼭 있어야 할 물건을 마련하기 시작했다. 손수 만들기도 하고, 밖에 나가서 사 오기도 했다.

이렇게 하여 예리세이는 그곳에서 사흘을 묵게 되었다. 어느새 사내아이는 기운을 찾아 가게에 심부름도 가고 예리세이를 잘 따랐다. 여자아이는 아주 명랑해져서 무슨 일이든 거들려고 나섰다. 줄곧 "아저씨, 아저씨!" 하며 예리세이의 뒤를 졸졸 따라다녔다. 할머니도 일어나 이웃집에도 드나들게 되었다. 주인 남자도 벽을 짚고 걷게 되었고, 드러누워 있는 사람은 그의 아내뿐이었으나, 그녀도 사흘째 되는 날에는 정신을 차리고 뭘 좀 먹었으면 좋겠다고 했다. 예리세이는 생각했다.

'이렇게 오래 묵으려고 생각하지 않았는데…… 이제 그만 떠나야지.'

나흘째 되는 날은 바로 축제일 전날이었다. 예리세이는 혼자 마음속으로 생각했다.

'그래, 이 집 식구들과 다같이 축제 전야를 축하하고, 축제일 선물로 뭘 좀 사 준 다음 저녁때는 떠나야지.'

예리세이는 또다시 마을에 내려가 우유랑 밀가루랑 기름을 사다가 할머니와 둘이서 음식장만을 했다.

이튿날 아침에는 교회 기도식에 참례하고, 집으로 돌아와서 식구들과 같이 맛있는 요리를 먹었다. 이 날은 그 집 여자도 일어나 집 안에서 슬슬 거닐었다. 남자는 수염을 만지고 깨끗한 외투를 입고, 마을에서 부자 소리를 듣는 집주인을 찾아갔다. 왜냐하면 그 부잣집 주인에게 쌀보리밭과 풀밭을 저당 잡혔기 때문에 햇보리가 나기까지 그 쌀보리밭과 풀밭을 좀 쓸 수 없는지 청하러 갔던 것이다. 저녁때 남자는 어깨를 늘어뜨리고 돌아와 눈물을 흘렸다. 부잣집 주인이 인정사정도 없이 돈을 갖고 오라고 했다는 것이다. 예리세이는 다시 생각에 잠겨 중얼거렸다.

'이 사람들은 장차 어떻게 살아가야 하는가? 다른 사람들은 모두 풀을 베러 가는데, 이 사람들은 풀밭이 저당 잡혀 있어 멀거니 앉아 있어야 한다. 쌀보리가 익으면 남들은 추수를 할 텐데 이 사람들은 아무런 낙도 없다. 밭은 이미 부잣집에 넘겼다고 했으니까. 내가 가 버리면 이 사람들은 전처럼 또 길에서 헤매야 한다.'

예리세이는 이런 여러 가지 생각에 그날 저녁에도 출발하지 못하고, 이튿날 아침까지 미루게 되었다. 마당에 나가 기도를 마친 다음 잠을 자려고 누웠으나 좀처럼 잠이 오지 않았다. 돈도 이미 많이 써 버리고 시간도 많이 허비했기 때문에 한시라도 빨리 떠나야 했지만, 가엾은 사람들을 두고 차마 떠날 수 없었기 때문이었다.

처음부터 끝까지 도와준다는 것은 불가능한 일이었다. 처음에는 물이나 길어다 주고, 빵이나 한 조각씩 먹일 셈이었는데 이렇게까지 되었다. 밭을 되찾아 주고 나면 다음에는 아이들에게 우유를 먹이도록 젖소도 사 주어야 되겠고, 주인 남자에게는 보릿단을 운반할 말도 사 주어야 하지 않겠는가.

'야, 예리세이. 너 제대로 말려든 모양이구나. 닻을 던져 놓고는 도대체 뭐가 뭔지 모르게 된 모양이군.'

예리세이는 일어나 베개로 삼았던 긴 외투를 더듬어 담배 쌈지를 꺼내고 담배를 한 줌 쥐어 머리를 개운하게 해 보려 했으나, 어찌 된 일인지 아무리 생각에 생각을 거듭해도 이

렇다 할 묘책이 떠오르지 않았다. 출발하지 않으면 안 되었지만, 이 집 사람들이 가여워서 견딜 수 없으니 도리가 없었다. 그는 다시 외투를 둘둘 말아 베개로 삼고 벌렁 드러누웠다. 가만히 그렇게 누워 있는 동안 어느 사이에 닭이 울고, 이윽고 깊은 잠에 빠져 버렸다. 그때 갑자기 누군가 부르는 것 같은 기분이 들었다. 일어나 보니 떠날 채비를 한 자신이 등에는 자루를 짊어지고, 손에는 지팡이를 들고서 문을 나서려는 참이었다. 문은 활짝 열려 있으므로 그냥 걸어서 나가기만 하면 되는 것이었다. 그런데 이게 웬일인가. 여자아이가 붙잡고 "아저씨, 아저씨, 빵 좀 주세요!"라며 애원하고 있는 것이 아닌가. 발을 보니 사내아이가 신발을 움켜쥐고 있었고, 창문으로는 할머니와 주인 남자가 이쪽을 바라보고 있었다. 예리세이는 잠에서 깨어 혼잣말로 말했다.

"내일은 쌀보리밭과 풀밭을 도로 사 주자. 그리고 말도 사고, 햇보리가 나기까지 먹을 밀가루와 아이들에게 우유를 먹일 젖소도 사 줘야겠다. 그렇지 않으면 일껏 바다를 건너서 그리스도님을 찾아간다고 해도 자신 안에 있는 그리스도님을 잃어버리게 된다. 어려운 사람을 도와야지."

예리세이는 이렇게 마음을 굳히고는 아침까지 단잠을 잤다. 그는 아침 일찍 일어나 곧장 부자 농가를 찾아가서 쌀보리밭을 도로 사고 풀밭 대금도 치렀다. 집으로 돌아가는 길에는 낫을 샀다. 주인 남자에게 풀을 베도록 하고, 자기는 마을 농가를 돌아다니다가 주막집 주인이 수레를 붙여서 말을 판다는 얘기를 듣고 값을 홍정하여 샀다. 예리세이는 밀가루도 한 포대 사서 짐수레에 실은 다음, 이번에는 젖소를 사러 갔다. 가는 동안 두 사람의 소러시아 여인들의 뒤를 따르게 되었다. 이 여인들은 걸으면서도 열심히 이야기를 주고받았다. 소러시아어로 말하고 있었으나 예리세이는 그것을 대강 알아들을 수 있었다. 그런데 그녀들은 바로 예리세이의 이야기를 하는 것이 아닌가.

"하긴 처음에는 어떤 사람인지 전혀 몰랐다는 거예요. 그냥 순례자라고 생각했대요. 물을 얻어 마시러 들어왔다가 그대로 눌러앉아 버렸다는군요. 오늘도 주막집에서 짐수레하고 말을 샀어요. 요즘 세상에 그런 사람이 다 있다니. 우리 가서 구경하지 않을래요?"

예리세이는 여자들이 자기를 칭찬하고 있다는 것을 알고는 젖소를 사는 일을 포기하고, 주막으로 들어가 말 값을 치렀다. 그리고는 말에 수레를 맨 다음, 밀가루를 싣고 집으로 돌아왔다. 문 앞에 당도하자 말을 세우고 마차에서 내렸다. 식구들은 모두 깜짝 놀랐다. 주인 남자가 문을 열면서 물었다.

"아니, 그 말은 도대체 어떻게 된 겁니까?"

"샀어. 마침 싼 걸 만났거든. 오늘 하룻밤 잘 먹도록 풀을 좀 베어 넣어 주게. 그리고 이 자루 좀 끌어내려 주겠나?"

주인 남자는 말을 풀고 밀가루 포대를 광에 갖다 놓은 후,

풀을 한아름 베어다가 말구유에 넣어 주었다.

이윽고 모두들 잠자리에 들었다. 예리세이는 집 밖에서 자기로 했다. 벌써 저녁 전에 자신의 행낭을 내다 놓았던 것이다. 모두 잠들자 예리세이는 자루를 짊어지고, 나막신을 신고 긴 외투를 걸친 다음 예핌의 뒤를 쫓아 나섰다.

7

예리세이가 5베르스타쯤 갔을 때 날이 밝았다. 예리세이는 나무 밑에 앉아 자루를 열고 남은 돈을 세어 보았다. 17루블 20코페이카가 남아 있었다.

'이 돈으로는 바다를 건너 긴 여행을 할 수 없다. 주님을 위한답시고 공연히 구걸하다 자칫 죄라도 지으면 큰일 아닌가. 예핌 영감이 내 대신 촛불을 밝혀 주겠지. 아무래도 나는 죽기 전에는 성지순례를 못할 모양이군. 하지만 감사하게도 주님께서는 모든 것을 굽어 살피시니까 이것도 용서해 주실 것이 틀림없어.'

예리세이는 일어나서 자루를 짊어지고, 가던 길을 되돌아섰다. 다만 그 마을만은 사람들의 눈에 띨세라 멀리 돌아서 지나갔다. 이렇게 하여 예리세이는 얼마 후 무사히 집에 도착했다. 목적지를 향해 걸을 때는 힘이 들어 예픔을 뒤쫓아가는 것이 고작이었는데, 되돌아가기 시작하니 마치 하느님께서 도와주시기라도 하는 듯이 아무리 걸어도 피곤하지 않았다. 나들이를 가는 기분으로 지팡이를 내두르면 하루에 70베르스타씩 걸을 정도였다. 예리세이가 집에 돌아왔을 때 식구들은 들일을 마치고 돌아온 참이었다. 모두들 예리세이의 귀가를 기뻐하며 여행이 어땠는지, 어쩌다가 동행과 떨어졌는지, 왜 목적지까지 가지 않고 돌아왔는지 등 여러 가지를 묻기 시작했다. 그러나 예리세이는 그것에 관해 자세히 이야기하지 않았다.

"주님의 인도가 없었던 모양이다. 가는 도중에 돈은 잃어버렸지, 예픔 영감도 놓쳐 버렸지, 그래서 끝까지 갈 수가 없었어. 아무래도 내 잘못인 모양이니 너무 상심하지 마라."

그러고 나서 할멈에게 남겨 온 돈을 건네주었다. 예리세이가 집안일에 대해 여러 가지로 물어보니 만사가 순조로웠고, 일도 거침없었으며 식구들도 아무런 불평 없이 오순도순 지내고 있었다.

예픔 영감네 집에서도 예리세이가 돌아왔다는 말을 듣고서 예픔의 소식을 들으러 왔다. 그들에게도 예리세이는 비숫한 말을 일러주었다.

"자네 아버지는 아무 탈 없이 잘 가셨네. 나하고는 베드로 축제일 사흘 전에 헤어졌지. 나는 바로 뒤쫓아 가려고 했는데 그때 그만 돈을 잃어버려 돌아오게 된 거야."

식구들은 깜짝 놀랐다. 어리석지도 않은 사람이 성지순례를 떠났다가 목적지에 닿기도 전에 돈을 잃어버리고 돌아오다니, 어쩌다가 그런 바보스러운 짓을 했을까 갸우뚱했으나 차차 그 일은 잊어버렸다. 예리세이도 그 일을 잊어버리고, 다시 일을 시작했다. 아들과 함께 겨울에 쓸 땔나무를 준비하고 아낙네들과 같이 밀을 빻고, 곳간 지붕을 새로 얹고, 꿀벌의 월동 준비를 해 주고, 열 개의 꿀벌 통나무를 새로 깐 애벌과 함께 옆집에 넘겨 주었다. 할멈은 돈을 받고 판 통나무에서 애벌을 얼마나 깠는지 속이려고 했으나 예리세이가 어느 통은 소용없게 되고, 어느 통에서는 새끼를 깠는지 모두 알고 있어서 열 무더기가 아니라 열일곱 무더기를 옆집에 주었다. 가을 일이 다 끝나자 예리세이는 벌이를 위해 아들을 내보내고, 줄곧 집에 있으면서 짚신을 만들고 꿀통으로 쓸 통나무를 파내고 했다.

예리세이가 병자가 있는 농가에서 묵던 날, 예핌은 하루 종일 친구를 기다렸다. 그는 혼자 너무 많이 가지 않고, 길가에서 한참 기다린 끝에 한잠 자고 깨어나 다시 우두커니 기다렸으나 친구는 끝내 오지 않았다. 눈을 크게 뜨고 주위를 둘러보았지만, 이미 해는 저물었고 예리세이는 나타나지 않았다.

'이거 내가 잠자는 사이에 모르고 그대로 지나쳐 간 게 아닐까? 혹시 다리가 아파 남의 짐수레를 얻어 타고 지나가면서 나를 보지 못한 게 아닐까? 하지만 보이지 않았을 리가 없는데……. 여긴 허허벌판이어서 눈앞이 다 보이는 걸. 내가 다시 되돌아가면 오히려 더 크게 어긋날지도 몰라. 그냥 계속 가는 게 좋겠군. 여관에선 만나게 되겠지.'

다음 마을에 당도하자, 예핌은 혹시 이러이러한 할아버지가 이리로 오거든 자기가 있는 여관으로 데려다 달라고 반장에게 부탁해 놓았다. 그러나 예리세이는 그 여관에도 끝내 오지 않았다. 예핌은 다시 길을 떠나 한 사람 한 사람에게 이러이러한 대머리 영감을 보지 못했느냐고 물어보았나 보았다는 사람은 아무도 없었다. 예핌은 어처구니가 없어 혼자 계속 걸었다.

'그렇지, 오제사 근처가 아니면 배 안에서 만나게 될 거야.'

그는 예리세이를 더 이상 생각하지 않기로 했다. 예핌은 도중에 한 순례자와 동행하게 되었는데, 순례자는 사제복에 모자까지 쓰고 머리를 길게 기르고 있었다. 그는 아토스에도 간 일이 있고, 지금이 두 번째 예루살렘행이라고 했다. 여인숙에서 만나 여러 가지 이야기를 한 끝에 동행하게 되었던 것이다.

그들은 무사히 오제사에 도착했다. 두 사람은 사흘간 배를 기다렸다. 여기서도 예핌은 예리세이에 대해 물어보았지만, 역시나 보았다는 사람이 아무도 없었다.

예핌은 외국 여행 허가증을 받았는데 그 값은 5루블이었다. 그리고 왕복 뱃삯으로 40루블을 치른 다음 먹을 빵과 청어 등을 샀다. 이윽고 배의 선적도 끝나서 순례자들은 본선으로 옮겨 타게 되었다. 예핌과 그 순례자도 탔다.

닻이 올려지고 배는 암벽에서 떨어져 큰 바다로 나갔다. 그날은 무사히 항해했는데 저녁때가 되자 바람이 일고 비가 쏟아지면서 배가 흔들리기 시작하더니 바닷물이 갑판을 휩쓸었다. 배를 탄 사람들이 수군거리고, 여자들 중에는 큰 소리로 울부짖는 사람도 있었으며 남자들 중에서도 겁이 많은 사람은 안전한 장소를 찾아 배 안을 우왕좌왕했다. 예핌도 겁이 나지 않는 것은 아니었으나 내색하지는 않았다. 배에 오르자, 곧 탐보프의 농부들과 함께 마룻바닥에 앉아 그 자세 그대로 그날 밤과 다음날 하루 종일 앉아 있었다.

사흘째가 되자 겨우 바람이 잦아지고, 닷새째에 콘스탄티노플에 도착했다. 순례자들 중에는 그곳에서 잠깐 내려 지금은 터키에 점령되어 있는 성 소피아 대성당을 구경 가는 사람도 있었으나 예핌은 배 안에 남아 있었다. 다만 흰 빵을 조금 샀을 뿐이었다. 꼬박 하루 밤낮을 정박한 뒤에야 다시 큰 바다로 나왔다. 배는 스미르나항에 기항한 다음에 알렉산드리아 항구에 들렀다가 마침내 야파에 당도했다. 야파에서는 순례자들이 모조리 상륙했다. 예루살렘까지는 걸어서 70베르스타였다. 상륙할 때에도 사람들은 아찔함을 겪어야 했다. 기선의 높은 갑판에서 밑에 있는 보트로 뛰어내려야 했는데, 보트가 계속 흔들려서 자칫하다간 바다 속으로 빠질 위험이 있었다. 그중 두 사람이 물에 빠진 생쥐가 되었으나 어쨌든 무사히 상륙했다.

걸어서 사흘째 되는 점심때쯤 예루살렘에 도착하여 변두리의 러시아인 숙소에 여장을 풀고, 여행 허가장 뒷면에 사인을 받은 다음 식사를 마치고 순례자와 둘이서 성지 순례를 떠났다. 가장 중요한 그리스도 무덤의 참배는 아직 허가되지 않았으므로 총주교 수도원을 참배했는데, 안내하는 사람이 참배자 일동을 안으로 데리고 들어갔다. 남자와 여자

자리가 따로 구분되어 있었다. 순례자들은 신을 벗고 둥그렇게 둘러앉았다. 그러자 한 신부가 수건을 들고 나와서 사람들의 발을 닦아 주기 시작했다. 그리고는 입을 맞추며 빙 한바퀴 돌았다. 그 신부는 예핌의 발도 닦아 주고, 입도 맞춰 주었다. 예핌은 밤 기도와 아침 기도를 드리고, 촛불을 올려 돌아가신 부모님께 공양을 바쳤다. 그러고 나서 성찬이 나오고 포도주를 마셨다.

날이 새자 이집트의 마리아가 칩거했다는 암실로 가서 촛불을 바치고 기도를 드렸다. 아브라함 수도원으로 돌아가 아브라함이 신을 위해 자식을 찔러 죽이려고 한 사베크의 동산도 보았다. 다음에는 막달라 마리아에게 그리스도가 모습을 나타내셨다는 성지를 참관하고, 주님의 형제 야곱의 교회에도 들렀다.

순례자는 장소를 하나하나 안내하며 여기서는 얼마, 저기서는 얼마라고 희사하는 돈의 액수를 가르쳐 주었다. 숙소로 돌아와서 식사를 하고 잠자리에 들 채비를 하기 시작했을 때 갑자기 순례자가 놀라며 자기 옷을 이리저리 뒤지기 시작했다.

"아, 지갑을 도둑맞았구나. 분명히 23루블이 있었는데, 10루블짜리 두 장에다가 잔돈이 3루블……."

순례자는 속이 상해서 푸념을 늘어놓았지만, 어쩔 수 없는 일이었다.

예핌은 잠자리에 들었으나 문득 마음속에 의심이 생겼다.

'저 순례자는 돈을 도둑맞은 게 아닐 거야. 처음부터 돈이 없었던 게 분명해. 왜냐하면 희사하는 걸 한 번도 보지 못했으니까. 내게만 내라고 하면서 자기는 하나도 내지 않았어. 그건 고사하고 내게서 1루블까지 빌려 가지 않았나.'

하지만 예핌은 이내 그렇게 생각하는 자신을 스스로 꾸짖었다.

'내가 왜 사람을 의심하는지 모르겠군. 남을 의심한다는 건 죄야. 이런 쓸데없는 생각은 다신 하지 말아야지.'

겨우 마음을 가라앉혔다고 생각했는데, 다시 순례자가 돈에만 눈독을 들이고 있는 것과 지갑을 도둑맞았다고 허풍스럽게 떠들어 대던 모습이 자꾸 머릿속에 떠오르는 것이었다.

'정말로 돈이 없었어. 사람들 눈을 속이기 위해 연극을 하는 걸 거야.'

다음 날 사람들은 부활 대성당에서 거행되는 기도식에 참배하러 갔다. 그곳은 그리스도의 관이 있는 곳이었다. 순례자는 예핌 곁을 떠나지 않고 졸졸 따라다녔다.

성당에 도착했다. 순례하는 사람들은 러시아인 외에 그리스인, 아르메니아인, 터키인, 시리아인 등 각국 각처에서 모여든 사람들이었다. 예핌 영감도 다른 사람들과 같이 안으로 들어갔다. 한 신부가 안내역을 맡고 있었는데, 터키인이 파수 보는 곁을 지나 그리스도를 십자가에서 내려 기름을 칠했다는 아홉 개의 큰 촛대가 점화된 곳으로 안내했다. 신부는 일일이 설명하며 보여 주었다. 예핌은 거기서도 촛불을 바쳤다.

그 다음 오른쪽 층계를 올라가 그리스도가 못박혔던 십자가가 세워졌었다는 골고다로 안내되었고, 예핌은 거기서 잠시 기도를 드렸다. 그리고 대지가 지옥까지 갈라진 자리를 구경하고, 다음으로 그리스도의 손발에 못이 박혀졌다는 장소, 그 다음에 그리스도의 피가 아담의 뼈에 뿌려졌다는 아담의 관을 보았다. 또 그리스도가 가시관을 쓸 때에 걸터앉았다는 돌과 그리스도가 채찍질당할 때 묶였던 기둥도 보았다. 예핌은 그리스도의 발에 채워졌다는 두 개의 구멍 뚫린 돌도 구경했다. 안내하던 신부는 그 밖의 다른 것도 보여 주려고 했으나 다른 사람들이 앞길을 재촉하는 바람에 그리스도의 관이 있는 동굴 쪽으로 따라갔다. 그곳에서는 다른 종파의 의식이 끝나고, 러시아 정교의 기도식이 시작되고 있었다.

예핌은 어떻게든 순례자에게서 떨어지려고 했다. 자꾸만

죄스러운 의혹이 치솟았기 때문이다. 그러나 순례자는 잠시도 예핌의 곁에서 떠나려 하지 않았고, 그리스도 관 앞에서의 기도식에도 같이 참여했다. 두 사람은 되도록 관 가까이 섰으면 좋겠다고 생각했으나 때는 이미 늦었다. 수많은 군중이 몰려들어 앞으로 나가지도 뒤로 물러서지도 못할 형편이었다.

예핌은 가만히 서서 안을 바라보며 기도 드렸는데 때때로 지갑이 무사한지 더듬게 되는 것이었다. 예핌의 마음은 두 갈래로 갈라지고 있었다. 한편으로는 순례자가 자기를 속이고 있다고 생각했고, 다른 한편으로는 만약 정말로 도둑맞은 것이라면 제발 자기는 그런 꼴을 당하지 말았으면 하는 것이었다.

10

예핌은 기도를 드리면서 주님의 관이 놓인 회당 앞쪽에 서른여섯 개의 성화가 타고 있는 곳을 바라보고 있었다. 예핌은 꼼짝도 않고 사람들의 머리 너머로 바라보고 있는데, 성화가 타고 있는 등잔걸이 바로 아래 맨 앞자리에 농부들이 입는 값싼 작업용 외투를 걸친 자그마한 노인이 보이는 것이 아닌가. 그 노인은 머리가 훌떡 벗겨진 것이 예리세이 보드료프를 꼭 닮았다.

'아니, 예리세이와 똑같잖아. 하지만 예리세이일 리가 없어. 저 영감이 나보다 먼저 도착할 수는 없어. 앞의 기선은 일주일 먼저 떠났다니까 저 친구가 나를 앞지를 수가 없지. 그리고 우리가 탔던 배에도 없었어. 나는 순례자들을 하나하나 죄다 살펴보았으니까.'

예핌이 그렇게 생각하고 있는 동안 자그마한 노인은 기도를 하기 시작했고, 세 번 머리를 조아렸다. 한 번은 정면의 신을 향해서, 다음은 좌우에 있는 러시아 정교 사람들을 향해서 절했다. 노인이 오른쪽으로 얼굴을 돌렸을 때 예핌은 또렷이 그 얼굴을 알아볼 수 있었다. 예리세이임이 틀림없었다. 거무스름하고 곱슬곱슬한 턱수염, 서리가 내리기 시작한 구레나룻, 게다가 눈썹도 눈도 코도 하나에서 열까지 예리세이 보드료프임에 틀림없다. 예핌은 친구를 찾게 되어 반가운 기분이 들었지만, 어떻게 자기보다 먼저 도착했는지 궁금해서 견딜 수가 없었다.

'이 사람 보드료프, 어떻게 잘도 앞으로 나갔네 그려! 아마도 누군가 그럴 만한 사람과 친해져서 안내를 받았겠지.

가만 있자, 나가는 출구에서 저 영감을 붙
잡아 순례자를 따돌린 다음, 이제부터는
저 친구와 같이 다녀야겠군. 그러면 나도
앞쪽으로 갈 수 있을지도 몰라.'

그래서 혹시라도 예리세이를 놓치면 큰일이라고 생각한
예핌은 연방 그쪽에만 시선을 두고 있었다. 이윽고 기도식
이 끝나 군중이 술렁거리기 시작했고, 십자가에 입맞춤이
시작되어서 밀고 당기고 하다가 예핌은 그만 옆으로 밀려나
게 되었다. 예핌은 갑자기 잘못하다간 지갑을 도둑맞을지도
모른다는 걱정이 치솟았다. 예핌은 한쪽 손으로 열심히 지
갑을 더듬어 잡고 조금이라도 덜 붐비는 자리로 나가려고
사람들을 헤치기 시작했다. 덜 혼잡한 데로 빠져나온 예핌
은 그 근처를 돌아다니며 예리세이를 찾았다. 대성당 안에
있는 여러 암실에서 각 나라 사람들을 보았다. 거기에는 도
시락을 먹고 음료수를 마시며 책을 읽는 사람도 있었다. 그
런데 예리세이는 아무 데도 없었다. 숙소로 돌아가 보았으
나 거기에도 친구는 없었다. 그날 밤 순례자는 돌아오지 않
았다. 어디론가 자취를 감추었는데, 1루블도 끝내 돌려주지
않았던 것이다. 예핌은 외톨이가 되었다.

이튿날 예핌은 다시 그리스도의 관을 배례하려고 배 안에
서 동행이었던 탐보프에서 온 노인과 같이 갔다. 그곳에서
도 예핌은 역시 앞쪽으로 나가려고 해 보았으나, 조금도 나

아가지 못하고 기둥 옆에 남아서 기도 드렸다. 문득 앞을 바라보니 또다시 제일 성화 아래의 그리스도 관 옆에 예리세이가 서 있었다. 예리세이는 제단 앞에 신부처럼 두 팔을 벌리고 머리에 함빡 빛을 받고 서 있었다.

'좋아, 이번에는 놓치지 않는다.'

예핌은 사람들을 마구 헤치고 앞쪽으로 다가갔다. 겨우 앞으로 나섰다고 생각했지만, 예리세이의 모습은 보이지 않았다. 그 사이에 어디론가 가 버린 모양이었다.

사흘째 되는 날, 그리스도 관 옆을 보니 가장 눈에 잘 띄는 특별 상좌에 예리세이가 서서 두 팔을 벌린 채 머리 위에 무엇이 보이기라도 하는 듯이 위를 우러러보고 있었다. 이번에도 그의 머리는 함빡 빛을 받고 있었다.

'됐어! 이번엔 절대 놓치지 않겠어. 미리 출구에 가서 서 있자. 거기라면 어긋날 리 없지.'

예핌은 밖으로 나가서 오랫동안 우두커니 서 있었다. 반 나절을 지키고 서 있었으나 흩어지는 군중 속에서 예리세이의 모습은 좀처럼 보이지 않았다.

예핌은 예루살렘에 육 주간 묵으면서 베들레헴, 베다니, 요단강 그리고 그 밖의 여러 곳을 가 보았다. 그리고 그리스도 관 옆에서는 새 외투에 도장을 찍어 받기도 하고 — 그것은 죽어서 수의로 입게 된다 — 요단강의 물을 조그만 병에 담기도 하고, 예루살렘의 흙을 간수하고 성화가 타고 있던 초를 얻기도 하고, 여덟 군데서 연미사에 이름을 써넣고 하느라고 돈을 모조리 써 버려 간신히 집으로 돌아갈 여비만 남게 되었다. 거기서 예핌은 귀로에 올랐다. 야파에 당도하여 기선을 타고 오제사까지 와서 그 다음부터는 걸어서 집으로 향했다.

11

예핌은 혼자서 가던 길을 걸어 돌아오는데, 집이 가까워짐에 따라 또다시 자신이 집을 비운 사이에 가족들이 어떻게 살고 있을지 걱정이 되기 시작했다.

'일 년이나 지났으니 퍽이나 달라졌겠지. 한 집안을 살 만하게 만드는 것은 평생이 걸리는 일이지만, 재산을 없애는 것은 눈 깜짝할 사이거든. 내가 없는 동안 아들놈은 어떻게 집안일을 처리했을까? 봄에 농사일은 시작했을까? 소와 말은 겨울을 무사히 넘겼을까? 새로 지은 집은 내 지시대로 완공되었을까?'

이윽고 예핌은 지난해에 예리세이와 헤어진 마을 근처에 이르렀다. 그 근처 사람들은 몰라볼 만큼 달라져 있었는데 모두들 아무런 불편 없이 살아가고 있었다. 밭의 곡식도 풍성했다. 사람들은 모두 넉넉한 살림살이를 하며 이전의 어려웠던 일 같은 것은 잊어버리고 있는 것 같았다. 저녁이 되자 예리세이가 물을 마시러 들어갔던 마을에 이르렀다. 마을에 발을 들여놓기가 무섭게 흰 외투를 입은 소녀가 어떤 집에서 뛰어나왔다.

"아저씨! 아저씨! 우리 집에 들렀다 가세요!"

예핌이 그냥 지나치려고 하자, 소녀는 생글거리며 옷자락을 붙잡고 마구 집 쪽으로 끌었다. 또 입구 층계에서는 사내아이를 데리고 나온 여자가 역시 손짓해 부르는 것이다.

"아저씨, 들르셔서 저녁이나 드시고 가세요. 주무셔도 좋아요."

예핌은 안으로 들어갔다.

'들어온 김에 예리세이 영감의 일이나 물어볼까? 그때 그 영감이 물을 마신다고 들른 집이 아무래도 이쯤 될 거야.'

예핌이 방 안으로 들어가자 여자는 예핌의 어깨에 멘 자루를 내려 주고, 몸을 씻을 물까지 따라 주며 테이블로 안내했다. 그리고는 죽과 우유, 보리단지를 내놓았다. 예핌은 순례자를 이렇게 접대하니 정말 고마운 일이라고 그 가족들을 칭찬했다. 그러자 여자는 고개를 가로저으며 이렇게 말했다.

"우리는 순례하시는 분들을 대접하지 않을 수 없습니다. 어떤 순례자께서 우리들에게 이 세상이라는 걸 가르쳐 주셨으니까요. 우리는 예전에 하느님을 잊은 채 멋대로 살았기 때문에 하느님의 벌을 받아서 모두가 죽을 날만을 기다리고 있었습니다. 끝내 지난 여름에는 모두 병들었고 먹을 것조차 없게 되었지요. 우리 식구들은 다 죽을 판이었는데 하느님께서 아저씨와 비슷한 분을 저희 집으로 보내 주셨어요. 한낮에 물을 얻어 마시려고 들어오셨다가 우리들을 가엾게 생각하시고 집에 머무르셨습니다. 굶고 병들어 드러누운 우리에게 먹고 마시게 하여 마침내 우리들이 기운
을 차리게 만드신 후 밭과 짐수레와 말을 사 주
신 다음 훌쩍 떠나 버리셨던 거예요."

이때 할머니가 들어오면서 여자의 말을 가
로챘다.

"우리들은 그분이 인간이었는지 천사였는지 모를 정도입
니다. 온 식구들을 살뜰히 여기고 불쌍하게 여기다가 끝내
는 아무 말 없이 떠나 버렸으니 도대체 누굴 위해 하느님께
기도 드려야 할지도 모르겠습니다. 지금도 눈에 선합니다.
나는 드러누운 채 무작정 하느님의 부르심만을 기다리고 있
었는데, 어느 날 지극히 평범한 대머리 할아버지가 물을 마
시러 들어오지 않겠습니까? 그런데 이 죄 많은 늙은이는 어
떤 사람이 저렇게 공연히 남의 집에 들어와서 어물거리나
의아하게 생각했었죠. 그런데 그분은 지금 말한 일을 기꺼
이 해 주셨던 겁니다! 우리들의 몰골을 보자 조금도 망설이
지 않고 등에 짊어졌던 자루를 내리고는 '자, 여기예요' 하
고 바로 여기다 놓고 끄르지 않겠습니까?"

이때 소녀도 말참견을 했다.

"아이, 할머니도. 처음에는 방 한가운데에 자루를 내려 놓
았다가 다시 의자 위에 올려놓았는데……."

이렇게 식구들은 서로의 말을 가로채면서 그 사나이가 한
말과 일들을 낱낱이 들려주었다. 어디에 앉았는지 어디서

잤는지 무엇을 어떻게 했는지 누구에게 무슨 말을 했는지 그들의 말은 끝이 없었다. 밤이 되어 말을 타고 돌아온 주인 남자도 역시 예리세이에 대한 말을 꺼내고, 자기 집에서 어떻게 도와주면서 지냈는지 이야기했다.

"만약 그분이 오시지 않았더라면, 우린 모두 죄를 지은 채 죽어 버렸을 겁니다. 모두가 아무 소망도 없이 하느님과 인간을 원망하면서 죽음을 기다리고 있던 참에 그분이 오셔서 우리를 살려 주셨기 때문에 비로소 하느님도 알게 되고 친절한 사람을 믿게 되었습니다.

하늘에 계신 우리 예수 그리스도여, 원하옵건대 부디 그분을 지켜주시옵소서! 짐승과 다름없는 생활을 하고 있던 우리를 인간으로 만들어 주셨으니까요."

그들은 예핌에게 먹고 마실 것을 대접한 다음 잠자리를 마련해 주었다. 예핌은 자리에 드러눕기는 했으나 잠이 오지 않았다. 예리세이의 일과 예루살렘에서 세 번이나 예리세이를 특별 상좌에서 보았던 일이 머릿속에서 떠나지 않았다.

'그렇구나, 그 영감은 여기서 나를 앞질렀던 것이다. 내 정성을 하느님께서 받아들이셨는지는 알 수 없지만, 그 친구는 하느님께서 쾌히 받아들이신 것이다.'

이튿날 아침, 식구들은 예핌과 작별을 고하면서 도중에 먹으라고 자루 속에 고기만두를 넣어 준 뒤 일을 하러 나갔다. 그리고 예핌은 집을 향해서 길을 떠났다.

12

예핌은 꼭 일 년이 지난 봄에 집으로 돌아왔다. 집에 당도한 것은 저녁때였다. 아들은 집에 있지 않았다. 술집에 갔던 것이다. 거나하게 취해서 돌아온 아들에게 예핌은 여러 가지를 물어보았는데, 그가 집을 비운 사이 아들이 돈을 헤프게 썼다는 것이 어느 모로 보나 확실했다. 돈을 모두 나쁜 짓으로 써 버리고, 일도 엉망으로 만들어 놓고 있었다. 아버지가 책망하자 아들은 도리어 반항조로 나왔다.

"아버지께서 아무 데도 가지 않았으면 좋았을 것 아니에요. 아버지는 성지순례를 한답시고 돈을 잔뜩 가지고 갔으면서 내가 조금 쓴 걸 가지고선……."

예핌은 화가 나서 그만 아들을 때렸다. 이튿날 아침, 예핌 타라스이치는 아들의 일을 의논하러 반장에게 가던 중에 예리세이의 집 앞을 지나게 되었다. 그러자 예리세이의 아내가 입구 층계에 서서 인사를 했다.

"안녕하세요, 영감님? 무사히 돌아오셨군요!"

예핌은 발길을 멈추고 말했다.

"덕분에 무사히 다녀왔습니다. 도중에 댁의 영감님과 헤어졌는데, 듣자니 벌써 돌아왔다구요?"

그러자 할머니는 이야기를 떠벌려 대기 시작했다. 그 여자는 좀 수다스러운 편이었다.

"돌아오고 말구요. 영감님. 벌써 옛날에 돌아왔는 걸요. 성모승천제(러시아 구력의 8월15일 — 역주)가 지난 뒤 금방 왔지 뭡니까? 하느님 덕택으로 무사히 돌아와서 온 식구가 경사가 난 듯이 좋아했었죠. 그이가 없으면 온 집안이 쓸쓸해서요. 이제는 나이가 나이인지라 대단한 일은 하지 못하지만, 한 집안의 주인이니까 모두가 의지하는 거죠. 글쎄 아들이 어찌나 반가워하는지 원! 아버지가 안 계시니까 눈 속의 빛이 꺼진 것 같다면서 말예요. 그이가 어디 가면 정말 쓸쓸해요. 우린 모두 그이를 의지하고 소중하게 생각하니까요."

"그래, 지금 집에 있나요?"

"있지요. 영감님은 꿀벌 집에서 애벌을 나누고 있어요. 올해는 아주 썩 좋은 애벌을 깠대요. 모두가 하느님 덕택이지요. 할아버지도 그렇게 기운이 좋은 벌은 아직 한 번도 보지 못하셨다나 봐요. 어서 영감님, 들어오셨다가 가세요. 퍽 반가워하실 텐데요."

예핌은 복도를 지나 뒷문으로 나가서 꿀벌집을 돌보고 있는 예리세이에게 갔다. 예리세이는 머리에 그물도 쓰지 않고 장갑도 끼지 않은 채 긴 회색 외투를 입고서 자작나무 밑에 서서 양팔을 벌리고 위를 쳐다보고 있었는데, 마치 예루살렘의 그리스도 관 곁에서와 마찬가지로 대머리 전체가 온통 빛나고 있었다. 그 머리 위에서는 역시 예루살렘에서처럼 햇빛이 자작나무 잎사귀 너머로 비쳐 꼭 불타고 있는 것 같았다. 머리 둘레에는 금빛 꿀벌이 관 모양으로 떼 지어 날아다니고 있었으나 쏘려고 하지 않았다. 예리세이 할머니는 남편을 불렀다.

"예핌 영감님이 오셨어요!"

돌아선 예리세이가 예핌을 보자 반가워서 예핌에게로 달려오며 턱수염 속에 기어든 꿀벌을 살그머니 끄집어냈다.

"어서 오게나. 그래, 무사히 잘 다녀왔나?"

"몸만 갔다 왔지. 자네에게 줄 선물로 요단강 물을 가지고 왔네. 이따가 우리 집에 와서 가져가게나. 한데 하느님께서 내 정성을 받아들이셨는지 어쩐지……."

"아무튼 경사스러운 일이야. 하느님의 가호가 있기를!"

예핌은 한참 동안 잠자코 있다가 말했다.

"몸은 갔다 왔지만, 영혼이 갔다 왔는지 누가 알겠나. 정작 다른 사람이 갔다 왔는지도 알 수 없는 일이야."

"무슨 일이든 모두가 하느님의 뜻이네. 예핌 영감, 하느님의 뜻이라니까."

"그리고 돌아오다가 자네가 물 마시러 들어갔던 그 집에 들렀었지."

예리세이는 허둥지둥 손을 내저었다.

"만사가 하느님의 뜻이야. 예픔 영감. 하느님의 뜻이구 말구. 자, 안으로 들어가세나. 내 꿀을 가지고 갈 테니……."

예리세이는 그 이야기를 더 못하게 하고, 살림 이야기로 말머리를 돌렸다. 예픔은 후욱 한숨을 내쉬고 그 농가 식구들의 이야기도 예루살렘에서 보았던 이야기도 하지 않았다.

그는 깨달았던 것이다. 이 세상에서는 한 사람 한 사람이 죽는 날까지 자기의 의무를 사랑과 선행으로 다하지 않으면 안 되며 그것이 하느님의 분부라는 것을.

촛불

아직 농노가 해방되지 않았을 때의 일이다. 그 무렵 지주 중에는 별별 사람이 다 있었다. 자신도 언젠가는 죽을 거라는 사실을 잊지 않고 하느님을 공경하며 농노를 불쌍히 여기는 자가 있는가 하면, 누구보다 형편없는 자도 있었다. 그중에서도 농노 출신으로 단번에 귀족이 된 지주, 말하자면 개천에서 나와 높은 사람들 틈에 끼인 무리들만큼 나쁜 자도 없었다. 그같은 자들 때문에 농민들의 살림은 더욱 궁핍해지고 있었다. 농군들은 부역을 잡히고 있었는데, 땅은 충분하겠다, 토질도 좋겠다, 물도, 풀밭도, 숲도, 모든 것이 남아돌 정도로 넉넉하여 아무런 문제가 없었다. 그런데 지주는 다른 소유지에 있던 농군 출신 하인을 그 토지의 마름으로 앉혔다. 마름은 권력을 잡자 농민을 학대하기 시작했다. 자신도 한 가정의 가장으로 아내와 이미 출가한 딸이 둘이나 되고, 돈도 벌 만큼 벌었으므로 그렇게 야박하게 굴지 않아도 안락하게 살아갈 수 있었는데, 욕심이 너무 많다 보니 나쁜 길로 빠져 버린 것이었다.

그는 우선 농민들에게 정해진 기일 이상으로 일을 시켰다. 기와 공장을 세워 남자, 여자 할 것 없이 끌어다가 일을 시켰고, 만들어 낸 기와를 팔아먹기 시작했다. 농민들은 모스크바에 있는 지주를 직접 찾아가 호소했으나 뜻대로 되지 않았다. 지주는 농군들을 쫓아 돌려보낼 뿐, 마름의 권력을 빼앗으려고 하지 않았다.

마름은 농민들이 지주에게 갔었다는 것을 알고, 그 앙갚음을 하기 시작했다. 그로 인해 농민들의 살림살이는 한층 어렵게 되었다. 게다가 농민 중에도 좋지 못한 자들이 있어 동료의 일을 마름에게 밀고하여 서로가 서로를 함정에 빠뜨리려고 하였다. 이리하여 농민들의 단결은 엉망이 돼 버렸다.

날이 갈수록 마름의 횡포는 심해졌고 결국 농민들은 마름을 사나운 짐승보다 더 무서워하게 되었다. 마름이 마차를 타고 마을을 지나갈 때면, 모두 높은 나리라도 온 것처럼 어떤 곳에든 재빨리 몸을 숨겨 눈에 띄지 않으려고 했다. 마름은 그런 모습을 보고, "놈들이 날 무서워한단 말야" 하며 더욱 화를 내고 때리고 노역을 시키고 괴롭혔다. 그렇게 농민들은 쓰라린 꼴을 당해야 했다.

그 무렵 그런 좋지 못한 악인을 슬그머니 죽이는 경우도 많이 있었다. 그러자 마을 농민들도 그런 논의를 하기 시작했고 개중에 그래도 배짱이 있다는 자가 먼저 말을 꺼냈다.

"도대체 언제까지 저 악당을 내버려 둬야 하나? 어차피 죽기는 매일반이니 저런 놈은 차라리 죽여 없애자."

그러던 부활제 전날, 농민들이 숲속에 모였다. 마름이 지주의 숲을 말끔하게 손질하라고 분부했던 것이다. 그들은 점심을 먹으러 모였을 때 의논을 하기 시작했다.

"이래 가지고서야 어떻게 살아가겠나? 저놈은 우리를 송두리째 말려 죽이려나 봐. 과중한 노동으로 지쳐 쓰러질 정도로 쉴 겨를이 없지 않은가? 게다가 조금이라도 제 맘에 들지 않으면 무조건 두들겨 패지 않나? 세몬은 얻어맞아 죽었고, 아니심은 족쇄에 채워져 곤욕을 당했어.

도대체 우리는 더 이상 무얼 기다리는가? 오늘 저녁, 여기 와서 또 몹쓸 짓을 하기 시작하거든, 놈을 말에서 끌어내려 도끼로 한 대 쾅 치면 그것으로 일은 끝나네. 그리고 어딘가에 개처럼 파묻어 버리면 발각될 리가 없어. 다만 한 가지 중요한 것은 모두가 마음을 합해서 발설하지 않기로 약속해야 해!"

바실리 미나예프가 말했다. 그는 누구보다도 심하게 마름에게 원한을 품고 있었다. 마름은 일주일이 멀다 하고 바실리를 때리는가 하면, 그의 아내마저 빼앗아 자기 집 하녀로 만들어 버렸던 것이다.

저녁이 되자, 마름이 말을 타고 오더니 느닷없이 나무 베는 방식이 틀린다면서 야단이었다. 잘라 놓은 나뭇더미 속에서 잘려진 보리수 한 그루를 발견했던 것이다.

"나는 보리수를 베라고 하지 않았다. 누가 베었나? 어서 나서지 못할까! 어디 보자, 모조리 두들겨 줄 테니!"

그러자 누군가가 그것은 시도르의 구역이라고 말했다. 마름은 피가 나도록 시도르의 얼굴을 때렸다. 또 바실리 역시 나무를 적게 베었다고 가죽 채찍으로 실컷 두들긴 다음 자기 집으로 돌아갔다. 그날 밤, 다시 농민들이 모였다. 바실리가 입을 열었다.

"아니, 당신네들도 사람이란 말이오? 날짐승만도 못해. 해치운다고 입으로만 말하면서 막상 코앞에서는 잔뜩 움츠린 참새 떼 같단 말야. '동료를 배반해서는 안 된다. 기운을 내서 해치우자!' 라고 염불 외듯 하면서 막상 매가 날아오면 풀숲에 흩어져 버리니……. 그러니까 매는 자기가 눈독들였던 자를 붙잡아다가 요절을 내는 것이오. 매가 날아가고 나서야 참새들이 짹짹거리며 기어 나와 살펴보더니 한 마리가 모자라자 '대체 누가 없어졌나? 바니카구나. 아아, 그놈은 그런 꼴을 당할 만해. 그만한 까닭이 있어' 하는 식이오.

당신네들이 꼭 그렇소. 배신하지 않겠다고 약속했으면 정말
로 배신하지 말아야지! 놈이 시도르에게 손찌검을 했을 때
당신네들이 한 덩어리가 되어 놈을 요절냈어야 했단 말이
오. '배신하지 않겠다, 해치우자!' 라고 하다가도 매가 덤벼
들면 혼비백산하여 숲으로 도망쳐 버리니……."

　농민들은 다시 의논을 한 후, 마침내 마름을 죽이기로 결
정을 내렸다. 마름은 부활제가 시작되면 쌀보리를 뿌릴 준
비로 지주의 밭을 갈아야 한다고 명령했다. 농민들은, 사람
을 어떻게 알고 하는 수작이냐고 분개하며 바실리의 집 뒤
꼍에 모여 다시 의논했다.

　"놈이 하늘 무서운 줄 모르고 아무 거리낌 없이 이런 짓을
하려 들다니 정말 때려죽여야 해. 어차피 언젠가는 죽을 목
숨 아닌가!"

　그때 페트로시카 미헤예프가 왔다. 그는 온화한 사나이로
이제까지 농민들의 모임에 한 번도 나오지 않았는데, 이날
처음으로 와서 사람들의 이야기를 듣더니 이렇게 말했다.

　"당신네들은 정말 엄청난 일을 생각하고 있군요. 사람을
죽이는 것은 엄청난 일이라오. 목숨 하나 죽이는 것은 수월
하겠지만, 죽인 사람의 영혼은 어떻게 될 것 같소? 놈이 나
쁜 짓을 했다면 우리가 손을 쓰지 않더라도 천벌이 기다리
고 있을 것이오. 여러분들은 참아야 하오."

　그 말을 들은 바실리는 화가 머리끝까지 치밀었다.

"뭐야, 잘난 체하기는. 사람을 죽이는 게 죄라고? 그래, 죄라는 건 잘 알고 있지만, 우리는 반드시 그를 죽이겠다. 그놈도 인간인가? 정말 착한 사람을 죽이는 것은 죄임에 틀림없지만, 그런 개만도 못한 놈을 죽이는 건 하느님의 분부다. 인간을 불쌍하게 여긴다면 미친개는 죽어야 해. 죽이지 않으면 더욱 큰 죄를 거듭할 뿐이야.

놈이 사람을 때린 생각을 하면 이가 갈려. 우리가 놈을 죽이는 것은 다른 사람들을 위해서야. 모두가 감사할 게 틀림없어. 그런 걸 우리가 안됐다는 둥 어떻다는 둥 하며 결단을 내리지 못하고 있으면, 놈은 우리를 모조리 패 죽이고 말 거야. 자넨 당치도 않은 걱정을 하고 있어. 페트로시카, 도대체 뭔가? 그렇다면 그리스도의 축제일에 일하러 가는 것이 죄가 되지 않는다는 말인가? 그렇게 말하는 자네부터도 일하러 가지 않을걸."

"안 가긴 왜 안 가나? 가라면 밭을 갈러 가야지. 가고 싶으면 가고, 싫으면 안 가는 게 아니니까. 누가 나쁜지는 하느님께서 다 알고 계시네. 우린 오직 하느님을 잊지 말아야 돼.

여보게들. 나는 말이지, 내 생각을 말하고 있는 것이 아니라네. 만약에 악을 악으로 뿌리 뽑을 수 있었다면, 하느님께서 그와 같은 본을 보여 주셨을 테지만 우리에게 가르치신 건 그게 아니야. 우리가 악을 악으로 다스리려 할수록, 그 악은 이쪽으로 옮겨오네. 사람을 죽이는 것은 수월한 일이지만, 그 피는 자신의 영혼에 달라붙네. 사람을 죽인다는 것은 자신의 영혼을 피투성이로 만드는 일일세. 그것은 결국 자기 자신의 마음을 나쁘게 만드는 것이라네. 재난에는 지고 들어가야 하네. 그러면 재난 쪽에서도 져 줄 걸세."

이렇게 하여 농민들은 선뜻 결정을 보지 못했다. 의견이 분분하여 바실리처럼 생각하는 자가 있는가 하면, 죄를 짓지 말고 견뎌 내는 편이 좋다고 생각하는 자도 있었기 때문이다.

농민들이 부활제 전야 축하 행사를 끝마치고 나자, 반장은 마름 미하일 세묘니치의 명령으로, 내일은 농민들 모두 쌀보리 씨를 뿌릴 밭을 갈라고 공고하였다. 그렇게 해서 이튿날 아침 농민들은 모두 가래와 삽을 들고 나가 밭을 갈기 시작했다. 교회에서는 아침 기도 시간을 알리는 종이 울리고, 사람들은 여기저기에서 축제일을 축하하고 있었지만, 이곳 농민들은 밭일을 해야 했다.

미하일은 늦게 잠에서 깨어 농원을 둘러보러 나갔다. 그의 아내와 과부가 된 딸은 곱게 차려입고 하인에게 마차를 준비시켜 기도식에 참례했다가 돌아왔다. 미하일은 집으로 돌아와 차를 마신 다음 담배 연기를 내뿜으면서 반장을 불렀다.

"그래, 농민들을 밭으로 내보냈나?"

"네, 미하일 세묘니치님."

"어때, 다들 나왔던가?"

"모두 나왔습니다. 제가 장소도 전부 지정해 주었습니다."

"장소를 정해 준 건 좋은데 제대로 잘하고 있는지 모르겠군. 지금 가서 살펴보게. 점심때 내가 직접 나가 볼 테니까 둘씩 짝을 지어 3,000평씩 일구도록, 아주 잘 일구라고 일러! 만약 소홀한 점이 발견되면 축제일이라고 해서 용서하지는 않을 테니까!"

"잘 알았습니다!"

그렇게 말하고 나가는 반장을 미하일은 다시 불러들였다. 그리고는 가던 사람을 불러들이기는 했으나 무슨 곤란한 말이라도 하려는 것인지 머뭇거리는 것이었다. 그는 한참을 망설인 뒤 이렇게 말했다.

"그리고 또 한 가지, 그 도둑놈들이 내 말을 어떻게 하는지 자네가 슬쩍 들어 보게. 욕하고 흉본 이야기는 모두 내게 들려줘. 나는 그놈들을 너무나 잘 알고 있지. 일하기는 싫어하고, 그냥 놀고만 싶어하는 족속이니까. 먹고 마시고 노는 일만 좋아하고, 밭 갈 때를 놓치면 일을 그르친다는 생각은 하지 않는단 말이야. 그러니까 누가 뭐라고 했는지, 놈들이 지껄이는 말을 모조리 내게 보고하도록 하게. 나는 그걸 알아두지 않으면 안 되니까. 자, 어서 가 보라구. 그리고 숨김 없이 내게 말해 줘야 해, 알았나?"

반장은 발길을 돌려 말을 타고 농민들이 일하는 밭을 향해 갔다. 미하일의 아내는 남편이 반장과 이야기하는 것을 듣고는 제발 그만두면 어떻겠느냐고 간청했다. 마름의 아내는 온순하고 착한 마음씨를 가진 여자였는데, 되도록 남편의 마음을 가라앉혀 농민들을 감싸려 했다.

"여보, 그리스도의 대축제일이니 제발 죄스러운 짓은 하지 말고 농민들을 쉬게 해 주세요."

미하일은 아내의 말을 들으려고도 하지 않고 웃음으로 넘겨 버렸다.

"한동안 따끔한 맛을 보여 주지 않았더니 당신, 아주 건방져졌군. 별 참견을 다하고 나서다니."

"당신에 관해 좋지 않은 꿈을 꾸었어요. 제발, 내 말대로 농민들에게 오늘만은 일을 시키지 마세요!"

"안 된다니까 자꾸만 그러는군. 맛있는 음식을 배불리 먹고 지내니까 채찍이 어떻게 생긴지 모르는 모양이군. 당신도 조심해!"

미하일은 벌컥 화를 내면서 불이 남아 있는 파이프로 아내의 입을 쿡 찌르고는 식사 준비나 하라며 내쫓았다. 미하일은 어묵, 고기만두, 돼지고기 수프, 통돼지구이와 우유에다 볶은 국수를 먹고, 버찌로 빚은 술을 마시고 달콤한 케이크를 먹은 다음, 하녀를 불러 노래를 부르게 하고 자기도 기타를 가져다가 퉁기기 시작했다. 미하일은 거나한 기분으로 트림을 하면서 하녀와 함께 킬킬거리고 있을 때 반장이 들어왔다. 그는 허리를 굽혀 인사를 하고 난 후 들에서 있었던 일을 보고하기 시작했다.

"그래, 어떤가, 잘하고 있던가? 오늘 할 당해 준 일을 다 마치겠던가?"

"벌써 절반 이상 갈았습니다."

"그래, 잘못된 곳은 없던가?"

"그런 건 없습니다. 모두 겁쟁이라 시키는 대로 일하고 있습니다."

"그래, 흙도 곱게 다지고?"

"잘 다져져서 아주 고운 겨자씨 같습니다."

마름은 잠자코 듣다가 이윽고 물었다.

"그런데 나에 대해 뭐라고들 하지? 욕을 하던가?"

반장이 머뭇거리고 있자, 미하일 세묘니치는 들은 대로 죄다 털어놓으라고 다그쳤다.

"숨김없이 그대로 말해. 괜히 딴 말로 꾸며 대지 말고 놈들이 말한 대로 털어놓으란 말이야. 곧이곧대로 말하면 상을 주지만, 놈들을 감쌌다간 매로 대신할 테니 알아서 하게나. 야! 카추사, 이 사람에게 보드카 한 잔 주어라. 기운 좀 내게."

하녀가 반장에게 술을 가져다 주었다. 반장은 쭉 들이킨 다음 입 언저리를 닦았다.

'어차피 마찬가지 아닌가. 이 사람을 욕한 게 내 탓은 아

니잖아. 그냥 들은 대로 말해 버리자.'

그렇게 생각하고 반장은 용기를 내어 말문을 열기 시작했다.

"모두들 불평을 하고 있더군요. 미하일 세묘니치님, 아주 수군수군 말하더군요."

"그래? 도대체 뭐라고 하던가? 어서 얘기해 보게."

"모두 같은 말을 하고 있었습니다. 마름 양반은 하느님을 공경하지 않는다나요."

마름은 웃음을 터뜨렸다.

"누가 그런 말을 했지? 하나하나 말해 주게. 바실리는 뭐라고 했나?"

반장은 동료들을 나쁘게 말하고 싶지는 않았으나 바실리와는 예전부터 사이가 좋지 않았기 때문에 서슴없이 말했다.

"바실리는 누구보다도 가장 욕을 많이 하고 있었습니다."

"대체 뭐라고 하던가? 어서 말해 보게."

"입에 담기조차 무서울 정도인데, '그 작자는 필시 개처럼 죽을 게 틀림없다'고 말하고 있었습니다."

"흥, 장하군! 그러면서 왜 진작 날 죽이지 않은 거지? 아무래도 미처 손이 돌아가지 않았던 모양이군. 좋아, 좋아, 바실리, 네놈과는 당장 계산을 할 테니까. 다음에 치슈카는? 그놈도 역시 뭐라고 했겠지?"

"네, 모두 고약한 말들을 하고 있습니다."

"그러니까 뭐라고 했느냔 말야?"

"이거 원, 입에 올리기조차 지저분해서 어디……."

"도대체 뭐가 지저분한가? 겁낼 것 없어. 말하라니까!"

"그 작자의 배가 툭 터져서 창자가 튀어나왔으면 좋겠다고 했습니다."

미하일 세묘니치는 그만 껄껄 웃었다.

"흥, 어느 쪽이 먼저 터질지 어디 두고보자. 그건 누구였나? 치슈카인가?"

"네에, 모두 좋은 말은 하지 않았고, 욕을 하거나 협박조의 말을 하고 있습니다."

"흐음, 그렇다면 페트로시카 미헤예프는 어때? 놈은 뭐랬지? 틀림없이 그 빌어먹을 놈도 욕지거릴 했으렷다."

"아닙니다. 미하일 세묘니치님, 페트로시카는 욕 같은 건 하지 않았습니다. 농군들 중에서도 그 사나이만은 아무 말도 하지 않았습니다. 좀 색다른 놈이어서 저도 깜짝 놀랐습니다."

"어떻다는 말인가? 도대체 무슨 짓을 했길래?"

"아니, 그저 모른다고밖에 할 말이 없습니다. 제가 곁으로 갔을 때 그는 쿠르킨 언덕의 경사지를 갈고 있었습니다. 가까이 다가가자, 누군가의 노랫소리가 들렸습니다. 아주 가늘고 고운 목소리였죠. 게다가 가래 손잡이 사이에는 뭔가 반짝이는 게 보였습니다."

"그래서?"

"조그만 불빛 같아 보였습니다. 그래 바싹 다가가서 자세히 보니 저 교회에서 5코페이카에 파는 초를 가래의 가로대에 세워 놓았지 뭡니까? 그런데 그게 바람이 불어도 꺼지지 않는 것이었습니다. 그는 새 외투를 입고 부지런히 밭을 갈면서 부활제 노래를 부르고 있었습니다. 가래를 홱 돌려도 힘껏 잡아당겨도 촛불은 꺼지지 않았습니다. 제가 보고 있는 앞에서 가래를 홱 돌리고, 손잡이를 꺾으면서 마구 밀고 나갔지만 촛불은 여전히 꺼지지 않고 타고 있었습니다!"

"그래, 뭐라고 하던가?"

"아무 말도 없었습니다. 그냥 저를 보더니 부활제 인사를 하고 다시 노래를 불렀습니다."

"자넨 그에게 뭐라고 했나?"

"저도 아무 말도 하지 않았습니다. 그때 농민들이 몰려와 페트로시카는 부활제에 들일을 했으니까 아무리 기도를 드려도 죄를 용서받을 수 없다면서 놀렸습니다."

"그래, 그는 뭐라 하던가?"

"뭘요, 그는 그냥 '땅에는 평화, 사람에게는 선한 마음이 있을지어다!' 라고 했을 뿐, 다시 가래에 손을 얹더니 말을 몰면서 낮은 목소리로 노래를 불렀습니다. 촛불은 여전히 꺼지지 않고 그대로 타고 있더군요."

미하일은 웃음을 그치고, 기타를

내려놓은 채 생각에 잠기는 듯했다. 그리고 하녀도 반장도 물러가게 하고 커튼 뒤로 들어가 침대에 쓰러져서 한숨을 쉬며 끙끙거렸는데, 그것은 마치 보릿단을 실은 짐수레라도 끌고 가는 듯한 소리였다. 그때 아내가 들어와서 말을 걸었으나 그는 대답도 하지 않은 채, 다만 "그놈이 나를 이겼다! 이번에는 내 차례가 왔다!"라고 말할 뿐이었다. 아내가 타이르기 시작했다.

"여보, 지금이라도 가서 농군들을 돌려보내세요. 그렇게 하면 아무 일 없을 테니까요! 지금까지는 더 심한 짓을 하고도 태연하더니, 이번에는 왜 그렇게 겁을 내는지 모르겠군요."

하지만 미하일은 계속해서 중얼거렸다.

"나는 이제 틀렸어. 그놈이 이겼다!"

아내는 더욱 목소리에 힘을 주어 말했다.

"그놈이 이겼다, 그놈이 이겼다고만 하시면 무슨 소용 있어요? 그보다 어서 가서 농민들의 일손을 멈추게 하세요. 모든 일이 잘될 테니까요. 자, 가세요. 나가서 말에 안장을 놓으라고 하겠어요."

이윽고 말이 끌려 나왔다. 아내는 남편을 타일러 지금부터라도 들에 나가 농민들을 집으로 돌려보내도록 했다. 미하일은 말을 타고 들로 나갔다. 마을 입구에 이르자 어떤 아낙이 마을 문을 열어 주었다. 그의 모습을 보기가 무섭게 어떤 사람은 뒤꼍으로, 어떤 사람은 집 모퉁이로, 어떤 사람은 채마밭으로 도망치느라고 야단이었다.

미하일 세묘니치는 마을을 빠져나가는 문에 이르렀다. 문이 닫혀 있어 말에 올라앉은 채로는 문을 열 수가 없었다.

"문 열어라, 문 열어라!"

그는 소리쳤다. 그러나 아무도 대답하는 자가 없었다. 그는 말에서 내려 손수 문을 열었다. 그리고 다시 말을 타려고 한쪽 발을 등자에 걸면서 훌쩍 몸을 날려 안장에 걸터앉으려는 순간, 그만 말이 돼지에 놀라 옆의 울타리에 부딪치고 말았다. 그러자 몸이 무거운 그는 안장에서 몸을 가누지 못한 채, 말에서 떨어져 울타리에 세게 부딪쳤다. 그 울타리 중에는 한쪽 끝이 뾰족하고 다른 것보다도 길게 튀어나온 말목이 있었는데, 미하일은 그만 그 말목에 배가 걸리고 말았다. 그것을 배겨 낼 장사가 어디 있겠는가. 그는 배가 찢어지면서 땅바닥에 털썩 떨어졌다.

농군들이 밭일을 마치고 돌아오고 있는데, 문가에서 말이 콧김을 불어 대며 안으로 들어가려고 하지 않았다. 이상한 생각이 들어 주위를 살펴보니 미하일이 벌렁 나자빠져 있지 않은가. 양팔은 좌우로 벌리고 눈은 부릅뜬 채 창자는 터져 나오고, 피가 괴어 물웅덩이처럼 되어 있었다. 대지가 그를 빨아들이지 않은 것이다. 농군들은 깜짝 놀라 뒷길로 말을 몰아 달아났다. 다만 페트로시카 미헤예프만이 말에서 내려 미하일 곁으로 다가갔다. 이미 숨이 끊어져 있었다. 그는 미

하일의 눈을 감겨 주고 짐수레에 말을 매어 아들과 함께 시체를 실은 다음 지주의 저택으로 갔다. 지주는 일체의 사정 이야기를 듣고는 농민들에게 부역을 시키지 않고, 소작료만 바치게 했다.

농민들은 하느님의 힘은 악을 악으로 갚는 데 있는 것이 아니라, 착한 일 가운데 있다는 것을 깨닫게 되었다.

바보 이반

1

옛날 어느 나라 어느 마을에 부유한 농부 한 사람이 살고 있었다. 이 농부에게는 세 아들과 딸 하나가 있었는데, 무관인 세묜은 임금님을 섬기러 전쟁터에 나갔고, 배불뚝이 타라스는 장사 기술을 배우러 장사치한테 갔으며, 바보인 이반은 누이와 함께 집에 남아서 농사일을 하고 있었다. 무관인 세묜은 높은 벼슬과 땅을 얻고, 어느 귀족의 딸에게 장가를 들었다. 세묜은 수입도 좋고 땅도 많았지만 매번 수지가 들어맞지 않았다. 왜냐하면 귀족 행세를 하는 세묜의 아내가 돈을 벌기가 무섭게 물 쓰듯 써 버려 언제나 돈이 남아 있을 날이 없었다. 그래서 세묜은 도조(남의 논밭을 부치고 그 세로 매년 내는 곡식 — 역주)를 거두려고 농장으로 갔다. 그러나 마름은 이렇게 말하는 것이었다.

"도조를 드릴 수가 없습니다. 도대체 돈이 나와야 말이죠. 저희들에게 가축이고 말이고 소고 쟁기고 간에 그 어느 것 하나도 없으니 말입니다. 먼저 이런 것들이 있어야만 합니다. 그래야만 비로소 돈이라는 것이 생기는 겁니다."

그러자 세몬은 아버지에게 가서 이렇게 말했다.

"아버지! 아버지는 부자이면서도 저에게는 아무것도 주시지 않았습니다. 땅을 3분의 1만 저에게 나눠 주십시오. 제 땅으로 이전하겠습니다."

"네가 나에게 해 준 것이 한 가지라도 있느냐? 뭣 때문에 너에게 내 땅을 3분의 1이나 줘야 한단 말이냐? 그렇게 되면 이반과 네 누이가 못마땅해 할 것이다."

그러자 세몬이 말했다.

"그렇지만 그 애는 바보 아녜요? 그리고 누이도 귀머거리에다 벙어리이고 말이에요. 그런 애들한테 뭐가 필요하겠어요?"

"그렇다면 이반이 뭐라고 하는지 어디, 그 애한테 한번 물어보자."

그러자 이반은 이렇게 말했다.

"뭘요, 드리죠."

결국 세몬은 3분의 1의 땅을 자기 몫으로 받고 난 후 임금님을 섬기러 다시 길을 떠났다. 배불뚝이 타라스도 돈을 많이 모아 장사치의 딸한테 장가를 들었다. 하지만 그 역시 늘 불만에 차 있었다. 아버지를 찾아온 타라스가 말했다.

"저에게도 제 몫을 나눠 주십시오."

하지만 노인은 땅을 떼어 주고 싶지 않았다.

"너는 우리들에게 해 준 거라곤 아무것도 없다. 그리고 지금 집에 있는 것은 모두 이반이 번 것뿐이다. 나는 그 애하고 말라냐를 섭섭하게 할 수는 없다."

"저런 녀석에게 뭐가 필요합니까, 저 녀석은 바보 아니에요? 저 녀석은 시집올 사람이 아무도 없을 테니 장가도 갈 수 없습니다. 벙어리인 누이도 마찬가지고요. 필요한 것이라곤 아무것도 없을 겁니다. 그렇잖아, 이반? 나한테 곡식을 절반만 다오. 그리고 난 연장 따윈 필요 없고 가축 중에서 저 잿빛 수말이나 한 마리 갖겠다. 저 수말은 밭을 가는 데 도움이 되는 것도 아닐 테니까."

이반은 웃음을 터뜨리며 말했다.

"가지세요. 난 또 가서 잡아오지요, 뭘."

이렇게 해서 타라스도 제 몫을 받아 냈다. 타라스는 곡식을 실어 내고 수말도 데리고 갔다. 그리고 이반은 예전처럼 늙은 암말 한 마리로 농사를 지어 부모님을 봉양하게 되었다.

큰 도깨비는 이 형제들이 재산을 분배함에 있어 말다툼을 하지 않고 의좋게 헤어진 것이 화가 나서 참을 수가 없었다. 그래서 그는 작은 도깨비 셋을 큰 소리로 불렀다.

"자, 봐. 저 세상에 세 형제가 살고 있지? 세몬이란 무관과 타라스란 배불뚝이, 그리고 이반이란 바보 녀석 말이야. 나는 말이야. 저 녀석들에게 꼭 싸움을 붙여야겠는데 저 녀석들은 의좋게 살고 있지 않겠나? 서로서로가 네가 먹어라 하고 지내고 있거든. 특히 저 이반이란 바보 녀석이 아주 내일을 깡그리 망가뜨려 놓았지 뭐야. 이제부터 너희 셋이서 저 세 녀석들에게 들러붙어 서로 싸움질을 시켜서라도 형제간의 의를 끊어 놓아라. 어때, 그렇게 할 수 있겠어?"

"할 수 있다마다요."

"그럼, 어떻게 할 작정이냐?"

"먼저 저 녀석들을 먹을 게 하나도 없도록 홀랑 발가벗긴 다음 세 녀석을 한 곳에다 모으는 거죠. 그러면 틀림없이 서로 치고받고 하게 될 겁니다."

큰 도깨비가 말했다.

"그거 좋은 생각이다. 너희들이 해야 할 일들을 잘 알고 있구나. 가거라. 그리고 말이다. 저 세 녀석들의 사이를 떼 놓기 전에는 돌아와선 안 된다. 그렇지 않으면 너희 세 놈의 가죽을 몽땅 벗겨 놓고 말테니까 그리 알아라."

작은 도깨비들은 어느 숲속으로 들어가 어떻게 일을 시작할 것인지 의논하기 시작했다. 그리고 저마다 조금이라도 더 수월한 일을 맡으려고 했다. 오랫동안 궁리한 끝에 결국 제비뽑기를 해서 누가 누구를 맡을 것인지 결정하기로 했다. 그리고 먼저 일찍 일을 마치면, 반드시 도우러 와야 한다고 약속했다. 작은 도깨비들은 자신이 맡은 일을 열심히 하기로 결심하고 헤어졌다.

약속한 날이 되자, 작은 도깨비들은 다시 모여 그동안의 일들을 이야기하기 시작했다. 세몬을 맡은 첫 번째 도깨비가 입을 열었다.

"내 일은 말이야, 아주 잘되어 가고 있어. 내가 맡은 그 세몬은 내일 틀림없이 아버지한테 갈 거야."

동료 도깨비들이 물었다.

"그래, 어떻게 했는데?"

"용기를 불어넣어 주었지. 그랬더니 그 녀석은 제 임금님에게 온 세계를 정복해 보이겠다고 약속하지 않았겠어? 그러자 임금님은 세몬을 대장으로 만들어 인도 왕을 치러 보낸 거야. 모든 군사들이 모인 그날 밤 나는 세몬의 군사들이 갖고 있는 화약을 모조리 적셔 놓고는 인도 왕에게로 가서, 지푸라기로 많은 군사들을 만들어 놓았지. 세몬의 군사는 사방팔방에서 지푸라기 군사들이 몰려오는 것을 보고는 잔뜩 긴장을 한 거야. 세몬은 "쏘아라!" 하고 명령을 내렸지만, 대포고 총이고 간에 나가야 말이지. 세몬의 군사들은 사색이 되어 줄행랑을 놓을 수밖에. 마치 놀란 양 떼들처럼 말이야. 그러자 인도의 왕은 아주 쉽게 그들을 쳐부쉈지. 세몬은 톡톡히 망신을 당하고, 땅을 몽땅 몰수당한 데다 그 죄로 내일은 사형을 집행하려는 참이야. 나에겐 이제 꼭 하루 일감이 남았을 뿐이야. 말하자면, 이제 세몬이 집으로 내빼도록 그 녀석을 옥에서 꺼내는 일만 남았을 뿐이라구. 내일은 완전히 끝장이 나니까, 너희 둘 중에서 누가 내 도움이 필요한지 말해 봐."

타라스에게 갔다가 돌아온 작은 도깨비도 제 일에 대해서 얘기하기 시작했다.

"나는 말이야, 도움 따윈 필요 없어. 내 일도 잘돼 가고 있으니까. 타라스란 녀석도 이제 일주일 이상은 버티지 못할 거야. 나는 말이야. 우선 먼저 그 녀석의 배를 잔뜩 불려 욕심꾸러기로 만들어 놓았지. 그랬더니 그 녀석은 남의 재산을 턱없이 탐내게 되었고, 제가 보지도 못한 것까지 모두 사고 싶어졌지 뭐야. 돈을 있는 대로 탈탈 털어서 끝없이 물건들을 사게 되었다네. 그래도 여전히 모자라서 또 사고 있는 거야. 지금은 빚까지 얻어 사들이고 있는 형편이야. 이제는 너무 긁어모으다 보니 그것들을 어떻게 처치해야 할지 몰라 안절부절못하고 있어. 일주일 뒤에는 이것저것 사느라고 꿔다 쓴 돈을 갚아야 할 날짜가 닥치는데, 그 안에 나는 그 녀석의 물건들을 깡그리 거름으로 만들어 놓을 거야. 그러면 그 녀석은 틀림없이 갚지 못하고, 이내 제 애비한테로 달려가게 될 거야."

그리고 그들은 이반에게 갔다가 돌아온 세 번째 도깨비에게 물었다.

"네 일은 어떻게 됐지?"

"그런데 말이야, 내 일은 어쩐지 잘돼 나가질 않아. 나는 우선 배탈을 나게 할 작정으로 크바스를 담는 그 녀석의 병속에다 침을 잔뜩 뱉어 놓고는 밭으로 가서 땅바닥을 돌처럼 굳혀 놓았지. 그 녀석이 꼼짝 못하게 말이야. 그쯤 되면 녀석도 절대 밭을 갈진 못하리라 생각하고 있었는데, 그 바보 녀석은 말없이 쟁기를 가지고 와서는 아무렇지도 않게 갈지 않겠어? 배가 아파 끙끙 앓으면서도 여전히 갈아 대는 거야. 그래서 나는 쟁기를 부숴 놓았지. 그랬더니 그 녀석은 집으로 돌아가 다른 쟁기를 가져와서 또다시 갈기 시작하지 뭐야. 그래서 나는 땅 밑으로 기어들어 가 쟁기머리를 붙들어 보려고 했는데, 도무지 붙잡아져야 말이지. 그 녀석이 쟁기를 누르고 있는데다 또 쟁깃날은 날카로워서 나는 손만 마구 베이고 말았어.

그렇게 그 녀석은 밭을 거의 다 갈아 버리고, 이제는 겨우 한 두둑밖에 남지 않았어. 그러니까 여보게들, 와서 좀 도와 주게나. 우리가 그 녀석 하나를 때려잡지 못하는 날엔 모든 일이 허사가 되고 말 테니 말이야. 만약 그 바보가 끝까지 남아서 농사를 짓게 되면 그들은 별로 어렵지 않게 될 거야. 그 녀석이 두 형들을 부양하게 될 테니 말이야."

그래서 무관인 세몬을 맡고 있는 작은 도깨비가 내일 도우러 가겠다고 약속했다.

3

이반은 묵혀 두었던 밭을 다 갈고, 이제는 딱 한 두둑만 남겨 놓았다. 그는 그 한 두둑을 마저 다 갈아 버릴 생각이었다. 배가 아파서 견딜 수 없었으나 마저 갈지 않으면 안 되었다. 그래서 고삐 줄을 툭 치며 쟁기를 돌려 갈기 시작했다. 한 번 갔다가 되돌아서 다시 되짚어 오려고 하는데 마치

나무뿌리가 걸리기라도 한 것처럼 쟁기가 나가지 않았다. 그것은 바로 작은 도깨비가 두 발로 쟁기 줄에 매달려 꽉 누르고 있었기 때문이었다. 이반은 별 이상한 일도 다 있다고 생각했다.

'아까만 해도 나무뿌리 같은 건 없었는데……'

이반은 두둑 속에다 손을 집어넣었다. 그러자 무엇인가 뭉클하고 부드러운 것이 손에 닿았다. 그는 그것을 움켜잡고는 밖으로 끌어냈다. 그것은 나무뿌리 같은 새까만 것이었는데 그 위에서 무엇인가 꿈틀거렸다. 자세히 보니 살아 있는 작은 도깨비가 아닌가.

"아니, 뭐 이런 게 다 있어?"

이반은 작은 도깨비를 번쩍 치켜들고 쟁기부리에다 내리쳐 박살을 내려고 했다. 그러자 작은 도깨비가 소리를 지르면서 말했다.

"제발 목숨만 살려 주십시오. 대신 무엇이든 원하는 대로 해 드리겠습니다."

"그래, 네가 할 수 있는 일이 뭐냐?"

"그저, 무얼 원하시는지 말씀만 해 주십시오."

이반은 머리를 긁으며 말했다.

"내 배가 아픈데 말이야, 낫게 할 수 있겠나?"

"할 수 있고말고요."

작은 도깨비는 말했다.

"어디, 그럼 낫게 해 보렴."

작은 도깨비는 두둑 위에 몸을 구부리고 여기저기 손톱으로 뒤져 가며 무언가를 찾았다. 이윽고 가지가 셋인 조그만 뿌리를 쑥 뽑아 그것을 이반에게 건네며 말했다.

"여기 있습니다. 이 뿌리만 삼키시면 천하의 어떤 아픔도 이내 가셔집니다."

이반은 뿌리를 받아 가지 한쪽을 찢어서 삼켰다. 그러자 금방 복통이 가셨다. 작은 도깨비는 다시 사정하기 시작했다.

"자, 이제 놓아 주십시오. 저는 이제 땅속으로 기어 들어가 다시는 나오지 않으렵니다."

"자, 그럼 잘 가거라!"

이반이 말을 시작하기가 무섭게 작은 도깨비는 물속에 던진 돌처럼 땅속으로 금방 모습을 감추어 버리고 말았다. 그리고 작은 도깨비가 들어간 자리엔 구멍만 하나 남아 있을 뿐이었다.

이반은 가지가 두 개 남은 뿌리를 모자 속에 쑤셔 넣고는 그대로 남은 밭을 갈기 시작했다. 그리고 마지막 이랑을 다 갈고 나서 쟁기를 뒤집어엎고 집으로 돌아왔다. 말을 풀어 놓고 오두막 안으로 들어가 보니 맏형인 무관 세몬이 그의 아내와 함께 앉아 저녁을 먹고 있었다. 세몬은 전답을 몰수당한 후 가까스로 감옥에서 도망쳐 나와 여기까지 피해 온 것이었다. 세몬은 이반을 보자 이렇게 말했다.

"난 너와 함께 살려고 왔다. 새 일자리가 생길 때까지 나하고 집사람을 먹여 다오."

"아, 그렇게 하시죠. 염려말고 여기서 사세요."

그렇게 말하고 이반이 막 의자에 걸터앉았는데, 세몬의 아내는 이반에게서 나는 흙냄새가 마음에 들지 않았다. 그녀는 남편에게 투정했다.

"난 정말로 못 견디겠어요. 고약한 냄새가 나는 흙투성이와는 식사를 할 수가 없어요."

그러자 세몬이 말했다.

"네 형수가 네게서 나는 냄새가 싫다고 하니까 너는 문간에서 먹었으면 좋겠는데……."

"아, 그렇게 하죠. 그렇잖아도 바로 밤 순찰을 나갈 시간도 되고, 말에게도 먹이를 주어야 하니까요."

이반은 빵과 겉옷을 집어 들고 밤 순찰을 하러 나갔다.

4

세몬을 맡은 작은 도깨비는 그날 밤 안에 일을 마치고, 약속대로 이반을 맡은 작은 도깨비를 찾아왔다. 밭으로 와서 여기저기 한참 동료를 찾아 헤맨 그 작은 도깨비는 동료 대신 그저 뻥하니 뚫려 있는 구멍 하나를 발견했을 뿐이었다.

'이거 아무래도 무슨 불행한 일이라도 일어난 모양인데……. 좋아, 그렇다면 나라도 그 녀석을 대신할 수밖에 없지. 밭은 이제 다 갈아 제쳤으니까 어디 이번에는 풀밭에서 그 바보를 괴롭혀 볼까?'

작은 도깨비는 목장으로 가서 이반의 풀밭에 큰물이 들게 하여 온통 진흙 바닥으로 만들어 놓았다. 그러나 이 사실을 모르는 이반은 새벽에 밤 순찰에서 돌아와 이내 큰 낫을 들고 풀을 베러 다시 풀밭으로 나갔다. 이반은 진흙투성이가 된 바닥도 상관하지 않고 풀을 베기 시작했다. 그러나 이번에는 낫을 한두 번 내두르기만 해도 날이 무뎌져 다른 낫을 사용해야만 했다.

"안 되겠다. 집에 가서 숫돌을 가져와야겠다. 가는 김에 빵도 가져와야지. 비록 일주일이 걸리는 한이 있더라도 다 베기 전에는 이곳을 떠나지 않겠다."

작은 도깨비는 그 소리를 듣고 생각했다.

'제기랄, 이 녀석은 진짜 바보로군. 이 녀석에겐 이런 방법으로는 안 되겠다. 무슨 다른 수를 쓰든지 해야지.'

이반은 돌아와서 낫을 갈아 다시 베기 시작했다. 그러자 작은 도깨비는 풀 속에 몰래 기어 들어가 낫을 붙잡고, 그 낫을 흙 속에 처박기 시작했다. 이반은 힘이 들었으나 가까스로 일을 끝냈다. 이제 늪의 한 줄만 남았을 뿐이었다. 작은 도깨비는 늪 속으로 기어 들어가 이렇게 다짐했다.

'이번에는 비록 손가락이 잘리는 한이 있더라도 베지 못하게 해 주어야지.'

이반은 늪으로 왔다. 보기에는 풀이 그렇게 억세 보이지도 않았는데 이상하게도 잘 베어지지가 않았다. 이반은 바짝 약이 올라, 있는 힘껏 낫을 내두르기 시작했다. 작은 도깨비는 더 이상 배겨 내지 못하게 됐다. 뒤로 뛰어서 물러날 겨를도 없었기 때문이다. 일이 틀렸다고 생각한 작은 도깨비는 덤불 속으로 몸을 숨겼다. 이반은 큰 낫을 마구 휘둘러 덤불을 치면서 작은 도깨비의 꼬리의 절반을 잘라 버렸다. 이반은 풀을 다 베고 나서 누이에게 그것을 긁어모으라고 일러 놓고 이번에는 호밀을 베러 갔다.

이반이 갈고랑 낫을 가지고 호밀밭으로 갔을 때는 이미 꼬리 잘린 작은 도깨비가 먼저 와서 호밀을 마구 흩어 놓았기 때문에 잘 베어질 것 같지 않았다. 그래서 이반은 집으로 되돌아가서 다시 보통 낫을 가지고 와서 베기 시작하여 곧 다 베어 버렸다.

"자, 이번에는 귀리를 베어야지."

꼬리 잘린 작은 도깨비는 이 말을 듣고 생각했다.

'이번에야말로 저 녀석을 골려 주어야지. 어디, 내일 아침까지만 두고 봐라.'

그러나 이튿날 아침 작은 도깨비가 달려가 보았을 때 귀리는 벌써 다 베어져 있었다. 귀리의 낟알이 적게 떨어지게 하려고 밤사이 이반이 말끔히 베어 놓았던 것이다. 작은 도깨비는 약이 바짝 올라 중얼거렸다.

'이 바보 녀석은 내 꼬리를 잘라 놓고도 또 나를 괴롭히는 구나. 전쟁에서도 이렇게 힘든 적이 없었는데, 이 빌어먹을 놈은 밤에도 잠을 자지 않으니 도무지 당해 낼 도리가 없어.'

그리고는 호밀 가리가 있는 곳으로 가서 그 다발 사이로 기어들어 가 호밀을 썩히기 시작했다. 그런데 호밀단이 뜨면서 따뜻해지자 작은 도깨비는 그만 꾸벅꾸벅 졸기 시작했다.

한편 이반은 암말에게 수레를 끌게 하고 누이와 함께 호밀단을 나르러 왔다. 이반은 호밀 가리 앞으로 다가와 호밀단을 짐수레에 싣기 시작했다. 두어 단 가량 던져 올려놓자 잠들어 있던 작은 도깨비의 등짝이 훤히 드러났다. 그래서 이반이 그것을 찍어올려 보았더니 갈퀴 끝에 꼬리가 잘린 작은 도깨비가 걸려 버둥거리면서 도망치려고 애쓰고 있었다. 그것을 보고 이반이 말했다.

"아니, 요놈 보게, 이렇게 못된 게 있어! 너 또 나온 게로구나?"

그러자 작은 도깨비가 말했다.

"아니에요. 제가 아닙니다. 요전엔 제 친구였어요. 저는 당신의 형님이신 세몬한테 있었던 놈입니다."

"네가 어떤 놈이건 똑같이 혼내 줘야겠다."

이반이 밭두둑에 내리쳐 박살을 내려고 하자 작은 도깨비가 사정하기 시작했다.

"한 번만 놓아주세요. 이제 다시는 나오지 않겠습니다. 놓아주시기만 하면 당신이 원하는 것은 뭐든 다 해 드리겠습니다."

"그래, 무엇을 할 수 있다는 거냐?"

이반이 묻자 작은 도깨비는 말했다.

"저는 당신이 원하시면 무엇으로라도 군사를 만들어 드릴 수 있습니다."

"그렇지만 그까짓 게 무슨 소용이 있지?"

"어디에나 쓰입죠. 그들은 제 생각대로 무슨 일이든 하니까요."

"노래를 부를 수도 있단 말이지?"

"그렇고 말고요."

"어디 그럼 한번 만들어 보렴."

그러자 작은 도깨비는 말했다.

"이 호밀을 한 단 들어 땅바닥에 반듯이 세우고 흔들면서 그저 이렇게 말하기만 하면 됩니다. '내 종이 이르는 말이노라. 다발로 있을 것이 아니라 보릿짚의 수만큼 군사가 되어라.'"

이반은 호밀단을 땅바닥에 세우고 흔들면서 작은 도깨비가 일러 준 대로 했다. 그러자 호밀단이 산산이 흩어져 많은 군사가 되었고, 기수와 나팔수가 앞장서서 북을 치고 나팔을 부는 것이었다. 이반은 웃음을 터뜨렸다.

"그것 참, 네 솜씨가 여간이 아니구나! 여자애들이 이걸 보면 정말 기뻐하겠는걸."

"그럼, 이제 놓아주세요."

"아니야. 낟알도 털지 않은 호밀단으로 군사를 만들면 낟알을 버리게 되잖아. 그러니 어떻게 다시 호밀단으로 되돌려 놓을 수 있는지 가르쳐 줘야지 그 낟알을 털어 낼 게 아니냐?"

그러자 작은 도깨비는 말했다.

"이렇게 말하면 됩니다. '군사의 수만큼 보릿짚이 되어라. 또 다발이 되어라. 내 종이 이르는 말이노라!'"

이반이 그대로 말하자 다시 다발이 되었다. 작은 도깨비는 또다시 사정하기 시작했다.

"이제 놓아주세요."

"그래, 그렇게 하마."

이반은 작은 도깨비를 밭두렁에다 걸쳐 놓고 한쪽 손으로 누르면서 그를 갈퀴에서 빼 주었다.

"잘 가거라."

그런데 그가 말을 끝내기가 무섭게 작은 도깨비는 물속에 던진 돌처럼 금방 땅속으로 뛰어 들어가 버렸다. 그리고 그 자리에는 그저 퀭하니 구멍이 하나 남았을 뿐이었다.

이반이 일을 마치고 집으로 돌아왔을 때 둘째형인 타라스 가 아내와 함께 저녁을 먹고 있는 중이었다. 배불뚝이 타라 스도 돈을 갚지 못해 도망쳐 온 것이었다. 그는 이반을 보자 이렇게 말했다.

"얘, 이반. 내가 다시 장사를 시작할 때까지 집사람과 나 를 좀 먹여 살려야겠다."

"아, 그렇게 하세요."

이반은 말했다. 이반은 겉옷을 벗고 식탁 앞에 앉았다. 그 러자 타라스의 아내가 입을 열었다.

"나는 고약한 땀 냄새가 나는 저런 바보와 같이 밥을 먹을 수가 없어요!"

그러자 타라스는 이렇게 말했다.

"이반, 너에게서 나는 냄새가 좋지 않으니 저기 저 문간에 가서 먹어라."

"그럼, 그렇게 하죠."

그리고 제 몫의 빵을 들고 바깥으로 나갔다.

"그렇지 않아도 마침 밤 순찰을 나갈 시간이에요. 말에게도 먹이를 주어야 하고요."

5.

세 번째 작은 도깨비는 그날 밤 일이 끝나 약속대로 동료를 거들어 바보 이반을 괴롭히려고 왔다. 밭으로 와서 여기저기 동료들을 찾았으나 끝내 찾지 못하고, 그저 구멍 하나를 발견했을 뿐이었다. 그래서 풀밭으로 가 보았더니 늪에서 작은 도깨비의 잘린 꼬리가 눈에 띄었다. 그리고 호밀을 베어 낸 밭에서도 또 하나의 구멍을 발견했다.

'아무래도 이거, 동료들의 신상에 무언가 화가 미친 모양이다. 내가 대신 그 바보 녀석을 혼내 줘야겠다.'

작은 도깨비는 이반을 찾으러 타작마당으로 갔다. 이반은 이미 들일을 마치고 숲속에서 나무를 치고 있었다. 두 형들이 좁은 집에서 함께 사는 것이 옹색하게 느껴졌는지, 나무를 베어 자기네들이 살 새 집을 지어 달라고 바보 이반에게 이른 것이었다. 작은 도깨비는 숲으로 달려가서 나무에 기어 올라 가 이반이 나무를 베는 것을 방해하기 시작했다. 이반 은 쓰러뜨리기 좋게 나무 밑동에 홈을 파 놓으려고 했지만, 나무는 이상하게 굽으면서 쓰러져서는 안 될 곳으로 넘어가 거기 있는 나뭇가지에 걸려 버렸다. 이반은 지렛대를 만들어 방향을 이리저리 틀어 가면서 겨우 나무를 쓰러뜨렸다.

이반은 다른 나무를 베기 시작했다. 하지만 이번에도 마찬가지였다. 이반은 갖은 애를 써서 가까스로 쓰러뜨렸다. 그리고는 세 번째 나무에 달려들었지만 마찬가지였다. 이반 은 50그루쯤 벨 생각이었으나 열 그루도 베지 못했는데 벌써 해가 뉘엿뉘엿 지기 시작했다. 지칠 대로 지친 이반은, 등이 욱신욱신 쑤시기 시작하여 맥이 탁 풀리고 말았다. 그래서 도끼를 나무에다 처박아 놓고 조금 쉴 양으로 앉았다. 작은 도깨비는 이반이 잠잠해진 것을 알고 기뻐했다.

'녹초가 되어 내동댕이친 거로군. 어디 그럼 나도 이제 좀 쉬어 볼까?'

작은 도깨비는 나뭇가지 위에 올라타고 앉아 속으로 고소해하고 있었다. 그때 갑자기 이반이 벌떡 일어나 도끼를 처들어 반대쪽에서 냅다 내리쳤다. 그러자 나무는 뿌지직 빠개지면서 쓰러졌다. 작은 도깨비는 워낙 갑작스럽게 우지끈하고 가지가 꺾이는 바람에 미처 피할 겨를도 없이 그 사이에 손이 끼고 말았다. 이반은 깜짝 놀랐다.

"아니, 요 망할 게, 네 이놈! 또 나왔구나?"

그러자 작은 도깨비는 말했다.

"제가 아닙니다. 저는 당신의 형님이신 타라스한테 있었던 놈이에요."

"아니, 네가 어떤 놈이건 내가 알 바 아니다."

이반은 도끼를 번쩍 치켜들더니 내리쳐 죽이려고 했다. 작은 도깨비는 정신없이 싹싹 빌며 말했다.

"제발 치지만 마십쇼. 원하시는 것이 있으면 무엇이든 다 해 드릴 테니까요."

"그래, 도대체 네가 무엇을 할 수 있길래?"

"저는 당신이 원하는 만큼의 돈을 만들어 드릴 수 있습니다."

"어디 한번 만들어 보렴!"

작은 도깨비가 말했다.

"이 떡갈나무 잎을 들고 두 손으로 비비세요. 그러면 금화가 땅바닥에 떨어질 테니."

이반은 나뭇잎을 들고 비벼 보았다. 그랬더니 아니나 다를까 누런 금화가 우수수 쏟아졌다.

"어린애들이 갖고 놀기에 좋겠는걸."

"자, 그럼 저를 놔주세요."

작은 도깨비는 말했다.

"그래, 그렇게 하지! 잘 가거라."

이반은 지렛대를 들고 작은 도깨비를 빼내 주었다. 그런데 그가 말을 시작하기가 무섭게 작은 도깨비는 물속에 돌을 던지기라도 한 것처럼, 금방 땅속으로 기어 들어가 버렸고, 그 자리엔 그저 구멍 하나만이 퀭하니 남을 뿐이었다.

형제들은 집을 지어 따로따로 살기 시작했다. 이반은 들일을 마치고는 맥주를 담가 두 형들을 잔치에 초대했다. 그러나 형들은 이반의 초대를 무시했다.

"우리들은 농부들의 잔치란 걸 본 적이 없어."

이반은 농부와 아낙네들과 함께 즐겁게 마셨다. 그리고 취기가 올라오자 춤 놀이가 벌어진 길가로 걸어 나갔다. 이반은 춤 놀이판으로 다가가 아낙네들에게 자기를 칭찬해 달라고 말했다.

"그러면 나는 여러분들이 아직 한 번도 구경해 보지 못한 것을 보여 주겠어요."

아낙네들은 웃음을 터뜨리며 그를 칭찬해 주었다.

"자, 그럼 어서 주겠다는 걸 줘요."

"금방 가져올게."

이렇게 말하고 나서 이반은 씨앗 상자를 안고 숲 쪽으로 뛰어갔다. 아낙네들은 "어머, 저 바보 좀 보게!" 하고 비웃었다. 그리고 이내 이반에 대해서는 잊어버렸다. 잠시 후 이반은 무엇인가를 가득 채워 넣은 씨앗 상자를 들고 돌아왔다.

"어때 나눠 줄까?"

"그게 뭔데요? 어디 한번 나눠 줘요."

이반은 금화를 한 주먹 쥐어 아낙네들에게 싹 던졌다. 그러자 갑자기 소란이 일어났다. 아낙네들이 그것을 주우려고 우루루 몰려들었고, 농부들도 달려왔다. 하마터면 어떤 한 노파는 짓눌려 죽을 뻔했다. 이반은 껄껄 웃어 댔다.

"그렇게 서로들 밀치지는 말아요. 여기 더 줄 테니까."

그는 이렇게 말하고 다시 금화를 뿌리기 시작했다. 많은 사람들이 떼 지어 몰려들었다. 이반은 상자에 있는 금화를 전부 뿌려 버렸다. 그런데도 군중은 더 달라고 졸라 댔다. 그러자 이반이 말했다.

"이제 다 털어 버렸어. 다음에 또 주지. 자 이젠 춤을 춰 볼까? 좋은 노래를 불러 봐."

아낙네들은 노래를 부르기 시작했다.

"당신들의 노래는 재미없는데……."

"그럼, 어떤 노래가 좋지?"

"그렇다면, 내가 보여 주지."

이반은 헛간으로 가서 보릿단을 한 움큼 뽑아내어 낟알을 떨어 내더니 그것을 반듯이 세워 놓고는 툭 치며 말했다.

"자, 내 종이 이르는 말이노라. 다발로 있을 게 아니라 보릿짚의 수만큼 군사가 되어라."

그러자 보릿단은 산산이 흩어져 군사가 되더니 북과 나팔을 쿵작거리기 시작했다. 이반은 군사들에게 노래를 부르라고 이르고는 그들과 함께 길로 나갔다. 마을 사람들은 모두 깜짝 놀랐다. 군사들은 잠시 노래를 부르며 즐겁게 놀았다.

이윽고 이반은 사람들에게 아무도 뒤따라와서는 안 된다고 단단히 일러둔 후, 군사들을 헛간으로 데리고 가서 원래대로 다발을 지어 마른풀 더미 위에 내던졌다. 그리고는 집으로 돌아와 잠자리에 들었다.

7

이튿날 아침 맏형인 세몬이 이 일을 알고 이반을 찾아왔다.

"나한테 죄다 말하렴. 도대체 너는 그 군사를 어디서 데리고 왔다가 어디로 데려갔지?"

"그걸 물어 뭘 하시려구요?"

"뭘 하려느냐구? 군사만 있으면 뭐든 다 할 수 있단 말이야. 나라도 얻을 수 있어."

그러자 이반은 형을 헛간으로 데리고 가서 말했다.

"알겠어요. 그럼 군사를 만들어 드릴 테니 그 대신 꼭 데리고 가셔야 해요. 그렇지 않고 여기서 군사들을 먹여 살려야 하는 날에는, 그야말로 하루 만에 온 동네를 몽땅 털어먹게 될 테니까요."

세몬이 군사를 데리고 가겠다고 약속하자, 이반은 군사를 만들어 내기 시작했다. 그가 보릿단으로 타작마당을 내리치자, 그와 동시에 1개 중대의 군사가 만들어졌다. 그리고 다시 한 번 내리치자 또 1개 중대의 군사가 되었다. 이리하여 그는 온 들판을 가득 메울 만큼 많은 군사를 만들어 냈다.

"어때요. 이제 됐어요?"

"됐어. 고맙다. 이반."

세몬은 크게 기뻐하며 말했다.

"뭘요. 만일 더 필요하시거든 언제든지 오세요. 얼마든지 더 만들어 드릴 테니. 요즘은 보릿짚이 잔뜩 있으니까요."

세몬은 곧 군대를 지휘하여 싸움을 하러 나갔다. 세몬이 떠나자 이번에는 배불뚝이 타라스가 찾아왔다. 그 역시 어제의 일을 알고 있었던 것이다. 그는 아우에게 이렇게 간청하기 시작했다.

"숨기지 말고 말해 보렴. 그래, 너는 어디서 금화를 얻었지? 만일 내게 그렇게 많은 돈이 있었다면, 나는 벌써 온 세계의 돈을 긁어모았을 텐데 말이야."

"그래요? 아, 그렇다면 진작 말씀하실 일이지. 형님께서 원하시는 대로 만들어 드리죠."

타라스는 크게 기뻐했다.

"나는 씨앗 상자로 세 상자만 있으면 된다."

"그럼, 그렇게 하세요. 숲속으로 가요. 한데 말을 끌고 가셔야죠. 가져오기가 힘들 테니까."

타라스와 이반은 말을 타고 숲으로 갔다. 그리고 이반은 떡갈나무의 잎을 훑어 내어 비비기 시작했다. 금화가 쏟아져 산더미처럼 쌓였다.

"어때요. 이만하면 됐어요?"

타라스는 기뻐서 어쩔 줄 몰랐다.

"당장은 이만큼만 있으면 충분하다. 고맙다. 이반."

"뭘요. 필요하시거든 언제든지 오세요. 더 만들어 드릴 테니까. 얼마든지 만들어 드리겠어요. 잎사귀는 많으니까 말이에요."

배불뚝이 타라스는 달구지에 금화를 가득 싣고 장사를 하러 떠났다.

이리하여 두 형들은 제각기 떠났다. 세몬은 전쟁을, 타라스는 장사를 시작했다. 무관인 세몬은 두 나라를 정복하고, 배불뚝이 타라스는 큰돈을 벌었다.

어느 날 세몬과 타라스는 한자리에서 만나 서로 숨김없는 말을 주고받게 되었다. 세몬은 군대를 얻은 경위에 대해 말했고, 타라스는 어떻게 돈을 모으게 됐는지 이야기하기 시작했다. 세몬이 아우에게 말했다.

"나는 나라를 정복해서 잘 지내고 있기는 한데 돈이 넉넉하지 못해서 걱정이야. 군대를 먹여 살려야 할 돈이 부족해."

그러자 타라스가 말했다.

"그런데 나는 말이에요. 돈은 꽤 모았는데 그저 한 가지, 그것을 지키게 할 사람이 한 명도 없는 게 골칫거리예요."

그때 세몬이 말했다.

"이반에게 찾아가 보자꾸나. 나는 녀석에게 군대를 더 만들게 하여 네 돈을 지키게 할 테니, 너는 그 군대를 먹여 살릴 만큼의 돈을 만들어 주도록 부탁하는 거야."

이렇게 둘은 이반에게 찾아왔다. 세몬이 말문을 열었다.

"이봐, 이반, 내겐 아무래도 군사가 좀 모자라. 그러니까 군사를 좀더 만들어 다오. 아주 조금이라도 좋으니 말이야."

이반은 고개를 살래살래 내저었다.

"안돼요. 형님에게는 이제 더 이상 군사를 만들어 드리지 않겠습니다."

"아니, 이반, 왜 그러지? 얼마든지 만들어 주겠다고 약속했잖아?"

"그야 약속은 했었죠. 그러나 이제 더는 만들지 않겠습니다."

"아니, 어째서 만들지 않겠다는 거야, 이 바보 녀석아!"

"왜냐하면 형님의 군사가 사람을 죽였기 때문이에요. 내가 길가의 밭을 갈고 있는데, 한 아낙네가 엉엉 통곡하고 있지 않겠어요. 그래서 물어봤죠. '누가 돌아가셨어요?' 그러자 그 아낙네가 '세몬의 군사가 전쟁에서 내 남편을 죽였다오'라고 말하는 것이었어요. 나는 군대란 노래만 부르는 것으로 알고 있었는데 글쎄 사람을 죽였다잖아요. 그래서 나는 이제 더 이상 군사를 만들지 않기로 했어요."

이반은 이렇게 우겨 대며 더 이상 군사를 만들어 내려고 하지 않았다. 한편 배불뚝이 타라스도 이반에게 금화를 더 만들어 달라고 사정하기 시작했다. 이번에도 이반은 고개를

살래살래 내저었다.

"안 돼요. 이제 더는 금화를 만들지 않겠습니다."

"왜 그러니? 너는 언제든 그렇게 해 주겠다고 약속했잖아?"

"그야 약속은 했었죠. 하지만 이제 더는 만들지 않겠습니다."

"어째서 만들지 않겠다는 거냐? 이 바보 녀석!"

"형님의 금화가 미하일로프네 암소를 빼앗아 갔기 때문이에요."

"어째서 빼앗겼다든?"

"그 얘기를 자세히 할까요? 미하일로프네는 암소가 한 마리 있어서 어린애들이 그 암소에서 짜낸 우유를 마시고 있었어요. 그런데 어느 날 그 어린애들이 내게 찾아와서 우유를 달라고 졸라 대는 거예요. 그래서 나는 '너희 집 암소는 어디 있지?' 하고 물어봤죠. 그랬더니 어디론가 끌려가 버렸다는 거예요. '어떤 놈이 끌고 갔는데?' 했더니 '배불뚝이 타라스네 마름이 찾아와서 엄마에게 금화 세 닢을 주고는 가져가 버렸어요. 우리들은 이제 마실 것이라곤 하나도 없어요'라고 말하더군요. 나는 형님이 금화를 노리개로 삼고 있는 줄로만 알고 있었는데, 어린애들한테서 암소를 빼앗아가 버렸어요. 나는 이제 더 이상 금화 따윈 만들어 드리지 않겠습니다!"

바보 이반은 고집을 부리며 끝까지 군사와 금화
를 만들어 주지 않았다. 그래서 두 형제들은 허탕
을 친 채 떠났다. 그들은 돌아가면서 어떻게 이
곤경을 헤쳐 나갈 것인지 서로 상의했다. 세몬이 말했다.

"그럼, 이렇게 하자. 네가 나에게 군대를 유지할 돈을 주
면, 너에게 군사의 절반을 줄게. 네 돈을 지키도록 말이지."

타라스는 동의했다. 두 형제는 가지고 있는 것을 서로 나
누어 가졌다. 그리하여 둘 다 임금이 되고 부자가 되었다.

3

그러나 이반은 부모를 봉양하면서 벙어리 누이와 함께
들에서 일을 하고 있었다.

한번은 이반네의 늙은 개가 병이 나서 거의 죽을 지경에
이르렀다. 이반은 그것을 가엾게 여기고, 벙어리인 누이에
게 빵을 얻어 모자 속에 넣은 후 개에게 던져 주었다. 그런
데 그만 모자에 구멍이 뚫려 있어서 빵과 함께 작은 도깨비

가 준 조그만 뿌리 한 가지가 굴러 떨어졌다. 늙은 개는 빵과 함께 그것을 주워 먹었다. 그리고는 갑자기 생기가 올라 뛰어오르기도 하고 장난을 치기도 하며, 짖기도 하고 꼬리를 흔들었다. 병이 말끔히 나은 것이었다. 부모들은 그것을 보고 깜짝 놀랐다.

"도대체 어떻게 개를 낫게 했지?"

그러자 이반이 말했다.

"저는 어떤 병이든 낫는 풀뿌리를 가지고 있었는데, 그 하나를 이 개가 먹은 거예요."

그 무렵, 임금의 딸이 병을 앓고 있었다. 임금은 방방곡곡에 방을 써 붙이게 하여 누구라도 좋으니 공주의 병을 낫게 해 준 자에게 크게 포상을 내릴 것이며, 만일 그가 미혼이라면 사위로 삼겠다는 것이었다. 물론 이반네 마을에도 그 방이 붙었다. 아버지와 어머니는 이반을 불러 놓고 말했다.

"너도 임금님이 내린 방이 무엇인지는 들었겠지? 그 만병 통치의 풀뿌리로, 어디 한번 공주님의 병을 낫게 해 보렴. 그러면 너는 한평생 행복을 누리게 될 게 아니냐?"

"그럼, 그렇게 하죠."

이반은 말했다. 그리고 곧 떠날 채비를 했다. 부모님은 나들이옷까지 준비해 주셨다. 이반은 문간으로 나가다가 손이 굽은 여자 거지가 서 있는 것을 보았다.

"들자니까 당신은 무슨 병이든 다 낫게 한다면서요? 제

손도 좀 낫게 해 주세요. 이대로는 신발도 신을 수 없어요."

이반이 말했다.

"그렇게 해 주지."

이반은 풀뿌리를 꺼내어 그 여자 거지에게 주었다. 여자 거지는 그것을 삼켰다. 그러자 갑자기 병이 나아 그 자리에서 손을 내두르게 되었다. 아버지와 어머니는 이반을 데리고 가려고 나왔다가, 이반이 하나밖에 남지 않은 풀뿌리를 여자 거지에게 주어 공주를 낫게 할 방도가 없어졌음을 알고 입을 모아 욕을 하기 시작했다.

"그래, 거지 따윈 가엾게 여기면서 공주님은 가엾지 않다는 것이냐?"

그러자 이반은 공주도 가엾어졌다. 그는 수레에 부랴부랴 짚을 쌓고 그 위에 앉아 떠나려고 했다.

"그래, 도대체 어디로 가는 거냐? 이 바보 녀석아!"

"공주님을 낫게 해 드리려고 가는 겁니다."

"하지만 너는 병을 치료할 수 있는 게 아무것도 없잖아."

"뭐, 걱정하지 마세요."

이렇게 말하고 그는 말을 몰았다. 이반이 궁궐에 닿아 막 내려서자마자, 어느 틈에 공주의 병이 씻은 듯 나았다. 임금은 크게 기뻐하여 신하에게 이반을 불러들이라 이르고, 그에게 훌륭한 옷을 차려 입혔다. 그리고 이반에게 말했다.

"이제부터 그대는 짐의 부마로다."

"황공합니다."

이반은 공주와 결혼하게 되었고, 얼마 후 임금은 세상을 떠나게 되었다. 그래서 이반은 새 임금이 되었다. 이리하여 세 형제가 모두 임금이 되었다.

세 형제는 건재하여 저마다 나라를 다스리고 있었다.

만형인 무관 세몬은 짚으로 만든 군사를 토대로 진짜 군사를 모집했다. 그는 열 집마다 한 명씩의 군사를 내되 그 군사는 키가 크고 살갗이 희며, 얼굴이 깨끗해야 한다고 명령했다. 그는 이렇게 모집한 군사를 모두 훈련시켜 놓았다. 그리고 그의 뜻에 거스르는 자가 있으면 이내 군사를 풀어 복종하도록 만들었다. 그리하여 모든 사람들이 그를 두려워하게 되었다.

그의 생활은 그야말로 훌륭한 것이었다. 그의 머릿속에 떠오르는 것, 그의 눈에 띄는 것은 모두 그의 것이 되었다.

군대만 풀어 놓으면 그가 필요로 하는 것은 무엇이든 빼앗아 왔기 때문이다.

배불뚝이 타라스의 생활도 호화로웠다. 그는 이반에게서 얻은 돈을 낭비하지 않고, 그것을 밑천 삼아 거액의 돈을 모았다. 그 역시 제 나라에 그럴싸한 제도를 만들어 놓았다. 그는 자기 돈은 돈궤 속에 집어 넣고는 백성에게서 돈을 우려냈다. 또한 인두세, 통행세, 거마세, 짚신세, 각반세, 복장세 등 온갖 세금으로 돈을 짜냈다. 백성들은 모두 가난했기 때문에 무엇이든 그에게 가져 왔고, 그마저도 없는 사람들은 일을 하려고 몰려들었다.

바보 이반의 생활 또한 그리 나쁘지는 않았다. 장인의 장례를 치르기가 무섭게 임금의 의대를 다 벗어던지고, 그것을 왕비에게 옷장에 집어 넣게 했다. 그리고는 다시 삼베옷에 잠방이를 걸친 후 짚신을 신고 일에 매달렸다.

"나는 도무지 답답해 못 견디겠어. 배는 자꾸 커지는데다 먹을 수도 잠을 잘 수도 없으니 말이야."

그는 부모와 벙어리인 누이를 불러와 또다시 일을 하기 시작했다. 사람들이 말했다.

"하지만 당신은 임금님이 아니십니까?"

"아니, 일없어. 임금도 먹어야 하니까."

신하들이 들어와 진언했다.

"녹봉을 치를 돈이 없사옵니다."

"뭐, 걱정할 것 없어. 돈이 없거든 주지 않으면 되지."

"그럼, 그들은 근무를 하지 않게 될 것이옵니다."

"그럼 그렇게 하라지. 내버려 둬, 근무하지 않아도 좋아. 오히려 자유롭게 일하게 될 테니. 모두들 거름이나 내게 해. 거름 정도는 많이 만들어 놓았을 테니까."

이번에는 백성들이 재판을 받으러 왔다. 한 사람이 말했다.

"저자가 제 돈을 훔쳤사옵니다."

그러자 이반이 말했다.

"아, 좋아, 좋아! 그러니까 돈이 필요했다 그 말이지."

이에 모든 사람들이 이반이 바보라는 사실을 알게 되었다. 왕비가 말했다.

"모두들 당신을 바보라고 하옵니다."

"그래요? 괜찮소. 걱정 말아요."

왕비는 생각하고 또 생각했다. 그러나 그녀 또한 바보였다.

"제가 어찌 감히 남편을 거스를 수 있겠나이까? 실은 바늘 가는 데로 따라가야 하는 것이거늘."

그녀는 이렇게 말하고 왕비의 옷을 벗어 옷장 속에 집어넣은 후 벙어리 처녀에게 농사일을 배우러 갔다. 그리하여 일을 익히고 난 후 남편을 거들기 시작했다.

똑똑한 사람은 모두 이반의 나라를 떠나 버렸고, 남은 사람은 그저 바보뿐이었다. 돈이라는 것은 어느 누구에게도 없었다. 그들은 모두 일을 하며 스스로 살아감과 동시에 착한 사람들을 도와주면서 살아갔다.

10

큰 도깨비는 작은 도깨비들이 세 형제를 파멸시켰다는 소식이 오기만을 학수고대하고 있었다. 그러나 아무런 소식도 없었다. 그래서 사정을 살펴볼 양으로 직접 나가 여기저기 돌아다녔지만, 찾아낸 것이라곤 그저 세 개의 구멍뿐이었다.

'아무래도 실패한 모양이야. 그렇다면 내가 직접 손을 쓸 수밖에 도리가 없군.'

그는 이반 형제들을 찾으러 갔으나 그들은 이미 살던 곳을 떠나 각각 다른 나라에 살고 있었다. 또한 그들 모두 건재할 뿐만 아니라 나라를 다스리고 있었다.

그는 먼저 무관인 세몬의 나라로 갔다. 그리고는 제 모습을 감추고 장수로 둔갑하여 세몬을 찾아가 말했다.

"세몬 임금님, 임금님께서는 위대한 무인이신 듯하옵니다. 그러나 신도 그 일에 있어서는 익히고 있는 바가 있사와

전하를 섬기고자 합니다."

세몬 왕은 그에게 여러 가지를 물어보고 난 후 현명한 사람임을 알고는 그를 가까이 두었다. 새로 기용된 장수는 강력한 군대를 모으는 방법을 세몬 왕에게 진언했다.

"우선 첫째로, 더 많은 군사를 모아야 할 줄로 아뢰옵니다. 그렇지 않으면 이 나라에는 집안일을 일삼는 백성이 너무 많아지게 되옵니다. 특히 젊은 사람들은 가릴 것 없이 모조리 징집하셔야 하옵니다.

둘째로, 신식 소총과 대포를 만들지 않으면 안 되옵니다. 신이 흡사 콩을 흩뿌리듯이 한 번에 백 발의 총알이 나가는 소총을 만들어 올리겠사옵니다. 그리고 어떠한 것이든 불로 태워 버릴 수 있는 무서운 성능의 대포도 만들겠사옵니다. 이것은 사람이고, 말이고, 성벽이고 할 것 없이 모든 것을 깡그리 태워 없앨 것이옵니다."

세몬 왕은 새로 기용된 장수의 진언을 받아들였다. 그리하여 젊은이들을 모조리 징집할 것을 명령하고, 새로운 공장을 지어 신식 소총과 대포를 만들어 냈다. 그리고는 이내 이웃 나라에 싸움을 걸었다. 싸움이 벌어지자마자 세몬 왕은 군사들에게 적군을 향해 총과 대포를 마구 퍼부으라고 명령하여 단숨에 쳐부수고 그 절반을 불태워 버렸다. 이웃 나라의 임금은 질겁하여 곧 항복하고 나라를 바쳤다. 세몬 왕은 크게 기뻐하며 말했다.

"이번에는 인도 왕도 정복해야지."

그런데 인도 왕은 세몬 왕의 소문을 듣고 그의 전략을 완전히 알아차렸을 뿐 아니라 그것에 제 생각을 덧붙였다. 인도 왕은 젊은 청년들뿐만 아니라 여자들까지도 모조리 군사로 뽑았다. 그리하여 그의 군사는 세몬의 군사보다도 훨씬 더 많아졌다. 게다가 그는 소총이며 대포를 만드는 법을 이미 알고 있는 데다, 공중을 날아 머리 위에서 포탄을 던지는 것까지 생각해 냈다.

세몬 왕은 인도 왕에게 싸움을 걸었다. 그는 이번 싸움도 지난번과 마찬가지로 일격에 승리할 거라고 믿었다. 그러나 날카로운 낫이라고 해도 언제까지나 잘 드는 것은 아니었다. 인도 왕은 세몬의 군대가 사정거리 안으로 들어오는 것을 막고, 여자 군사들을 비행기에 태워 공중에서 마치 진딧물 위에다 약을 뿌리듯 세몬의 군대에 포탄을 퍼붓기 시작했다. 세몬의 군대는 모두 혼비백산하여 여기저기로 어지럽게 달아났고 결국 세몬 왕 혼자만 남게 되었다. 인도 왕은 세몬의 나라를 빼앗고, 세몬은 가까스로 도망쳐 발 닿는 대로 정처 없이 떠돌아 다녔다.

큰 도깨비는 맏형을 결딴 내놓고, 이번에는 타라스 왕에게 갔다. 그는 장사꾼으로 둔갑하여 타라스의 나라에 자리를 잡고는 선심을 베풀면서 마구 돈을 쓰기 시작했다. 이 장사치는 모든 물건에 높은 가격을 매겨 돈을 치러 주었기 때

문에 백성들은 모두 그에게 몰려들었
다. 이리하여 백성의 호주머니가 두둑해져
모든 체납금을 말끔히 내게 되고, 어떤 세금이건 기
한 안에 딱딱 바치게 되었다.

타라스 왕은 크게 기뻐하고, 그 장사치를 고맙게 여겼다.
타라스는 계속해서 더 많은 돈이 생겼고, 갈수록 생활이 나
아졌다. 그리하여 타라스 왕은 자신의 새 궁정을 짓기 시작
했다. 그는 백성들에게 목재와 돌을 운반하게 하고는 비싼
품삯을 쳐주겠노라고 약속했다. 타라스 왕은 전과 마찬가지
로 자신의 돈을 노린 백성들이 일을 하기 위해 몰려들 것이
라고 생각했다. 그런데 재목이며 돌은 모두 그 장사치에게로
실려 가고, 일꾼들 또한 그리로 몰려가고 있는 것이 아닌가.

장사치는 타라스 왕보다 높게 품삯을 매겼다. 그래서 결
국 궁전은 착공만 된 채 좀처럼 준공되지 않고 있었다.

타라스 왕은 새 정원을 만들기로 계획했다. 가을이 닥치
자, 그는 정원을 만들러 오라고 백성들에게 알렸다. 그러나
오는 사람은 아무도 없었고, 모두 장사치네 못을 파기 위해
가 버렸다. 겨울이 오자 타라스는 새 외투를 짓기 위해 검은
담비 가죽을 사야겠다고 생각하고 신하를 보냈더니 그 신하
가 돌아와서는 이렇게 말했다.

"그 장사치가 모조리 사들였기 때문에 검은담비는 없사옵
니다. 그자는 매우 비싸게 값을 치렀고, 그 가죽으로 방석까

지 만들었다 하옵니다."

이번에 타라스 왕은 종마를 사기 위해 신하를 내보냈는데, 모두 빈손으로 돌아와서는, 좋은 종마는 모두 그 장사치 손에 들어가 그의 못을 채울 물을 나르고 있다고 말했다. 모두 임금의 일이라면 아무것도 해 주지 않으면서도, 장사치를 위해서는 무슨 일이라도 하려고 했다. 단지 장사치에게서 번 돈을 가지고 와 세금으로 내밀 뿐이었다.

그리하여 타라스 왕은 돈이 남아돌아 그것을 어디다 두어야 할지 모를 정도였지만 생활은 차츰 나빠졌다. 이제는 모든 계획을 그만두고 어떻게든 살아나갈 궁리를 하지 않으면 안 되었다. 모든 것이 옹색해졌다. 요리사도 여자도 사제들도 모두 장사치 쪽으로 빠져나가기 시작했다. 이제는 식료품까지 모자랐다. 시장으로 물건을 사러 가 보아도 아무것도 없었다. 그 장사치가 한꺼번에 모조리 사들였고, 그는 다만 세금만 받을 뿐이었다.

타라스 왕은 화가 잔뜩 나서 장사치를 내쫓았다. 그러나 그는 국경에 도사리고 앉아 역시 똑같은 짓을 했다. 사람들은 여전히 장사치의 돈을 보고 그에게만 몰려갔다. 타라스 왕의 사정은 완전히 악화되고 말았다. 며칠씩 먹지도 못하는가 하면, 장사치가 임금의 왕비까지도 사려 한다는 풍문까지 들려왔다. 타라스 왕은 주눅이 들어 이제 더 이상 어떻게 해야 할지 몰랐다. 그러던 어느 날, 맏형인 세몬이 그에게로 찾아와 말했다.

"좀 도와줘. 인도 왕에게 패했어."

그러나 배불뚝이 타라스 역시 뱃가죽이 등에 붙을 지경이
었다.

"나도 꼬박 이틀 동안이나 아무것도 먹지 못했단 말이에요."

11

큰 도깨비는 두 형제를 망하게 한 후 이반을 찾아갔다.
장수로 둔갑한 큰 도깨비는 이반에게 군대를 만들 것을 권
했다.

"임금께서 군대 없이 지내신다는 것은 체통이 서지 않는
일이옵니다. 어명을 내리시기만 한다면, 신이 백성 가운데
군사를 뽑아 훌륭한 군대를 만들어 올리겠사옵니다."

그의 말을 들은 이반이 말했다.

"그것도 좋은 말이오. 그럼, 어디 만들어 보시오. 그리고
그들이 노래를 잘 부르도록 가르치시오. 나는 그것을 좋아

하니까."

큰 도깨비는 이반의 나라를 돌아다니면서 지원병을 모집하기 시작했다. 군사를 지원하는 자는, 누구나 보드카 한 병과 빨간 모자를 타게 될 것이라고 설명했다. 바보들은 코웃음을 쳤다.

"술 따윈 우리들에게도 얼마든지 있어. 우리가 직접 술을 빚고 있으니까 말이야. 그리고 모자도 언제든 여자들이 갖고 싶은 걸 만들어 준단 말이야. 얼룩덜룩한 것은 물론 술이 너슬너슬 달린 것까지도."

이리하여 군대를 지원하는 자라곤 한 명도 없었다. 큰 도깨비는 이반에게 찾아왔다.

"어리석은 바보들은 자진해서 군사가 되려고 하지 않사옵니다. 따라서 그들을 권력으로써 몰아대야 할 줄로 아뢰옵니다."

"응, 그것도 좋겠는걸. 그럼 권력으로 몰아대 보시오."

큰 도깨비는 포고했다.

"백성들은 모두 군사가 되어야 하며, 만일 거역하는 자가 있으면 이반 왕께서 참형을 내리실 것이니라."

바보들은 장수에게 찾아와 이렇게 말했다.

"당신은 우리들이 군사가 되지 않으면 임금님께서 참형을 내리신다고 말씀하고 계시는데, 군사가 되면 어떻게 된다는 건 말씀하지 않았습니다. 군대에 나가면 목숨을 잃는다는 말이 있던데……."

"그렇지, 그런 일이 없는 것도 아니지."

그 말을 들은 바보들은 그대로 옹고집이 되어 버렸다.

"그럼, 우리들은 나가지 않겠습니다. 차라리 집에서 죽는 게 더 낫지 않습니까? 어차피 죽어야 하는 거라면."

"너희들은 참 바보구나. 군사가 됐다고 해서 꼭 죽는 것은 아니야. 그렇지만 군사가 되지 않으면, 영락없이 이반 왕에 게 죽임을 당하고 말 거다. 이 바보들아!"

바보들은 곰곰이 생각하다가 임금인 바보 이반에게 찾아 갔다.

"장수께서 나오셔서 모두 군사가 되라고 저희들에게 명령 하고 계시옵니다. 군대에 나가면 죽지 않을지도 모르지만, 나가지 않으면 저희들에게 큰 참형을 내리실 거라고 말씀하 고 계시는데 그게 정말이옵니까?"

이반은 껄껄 웃었다.

"그래, 어떻게 짐이 혼자서 그대들을 모두 참형할 수 있으 리오? 짐이 바보가 아니었던들 그대들에게 잘 알아듣도록 설명했으련만, 짐도 뭐가 뭔지 통 모르겠으니 말이오."

"그러시다면, 저희들은 군대에 나가지 않겠사옵니다."

"그럼 그렇게들 하지. 나가지 않아도 좋아."

바보들은 장수에게 가서 군사가 되기를 거절했다. 큰 도 깨비는 이 일이 잘 되지 않자, 이웃 나라의 타라칸 왕에게 가서 알랑알랑 비위를 맞추면서 싸움을 부추겼다.

"싸움을 걸어서 이반 왕의 나라를 치십시오. 그 나라에는 비록 돈은 없을지라도 곡식이며 가축, 그 밖의 모든 것들이 풍부하게 있으니까요."

타라칸 왕은 싸움을 걸기로 했다. 먼저 대군을 모으고 총이며 대포를 갖추고는, 이반의 나라를 침입하기 시작했다. 사람들이 이반에게로 달려와 아뢰었다.

"타라칸 왕이 싸움을 걸어왔사옵니다."

"뭐 어때. 싸움을 걸테면 걸라지."

타라칸 왕은 국경을 넘자, 선발대를 보내 이반 군대의 동정을 살피게 했다. 그들은 여기저기 돌아다녔지만, 군대 같은 것은 어디에도 보이지 않았다. 그러나 어디선지 나타날지도 모른다고 생각하고는 오래오래 기다리고 기다렸지만, 군대에 관해서는 어떤 뜬소문도 들을 수 없었다. 싸우려고 해도 싸울 상대가 없었다. 타라칸 왕은 군사를 보내어 마을을 점령하게 했다. 군사들이 한 마을에 들이닥쳤다. 그러자 남녀 바보들이 뛰어나와 군사들을 바라보더니 미심쩍어하며 놀란 눈치였다. 군사들은 바보들에게서 곡식이며 가축을 약탈해 갔다. 바보들은 무엇이건 선선히 내 주었고, 어느 누구도 자신을 지키기는커녕 여기 와서 살라고 권유하는 것이었다. 군사들은 딴 마을로 가 보았으나 거기도 역시 마찬가지였다. 군사들은 그날도 그 이튿날도 여기저기 돌아다녀

보았지만 이르는 곳마다 모두 똑같았다. 있는 대로 다 탈탈 털다시피 내 주었고, 어느 한 사람도 자신을 지키려고 하지 않았다.

"이것 보세요. 당신네 나라에서 살기 어려우시거든 모두 우리나라에 와서 사세요."

군사들은 사방팔방으로 돌아다니면서 알아보았으나, 군대 같은 건 없었고, 백성들은 모두 일을 하면서 자기 스스로 살아가는 한편 서로 도와주고 있었다. 군사들은 이내 지루해져 타라칸 왕에게 돌아갔다.

"소신들은 전쟁을 할 수가 없사옵니다. 차라리 다른 나라로 보내 주시옵소서. 전쟁다운 전쟁이면 좋겠사옵니다. 그런데 이건 무엇이옵니까? 마치 약하고 힘없는 사람들을 무참히 죽이는 것 같아 이 나라에서는 더 이상 싸울 수 없사옵니다."

타라칸 왕은 화가 머리끝까지 치밀었다. 그리하여 온 나라를 돌아다니면서 마을을 쑤셔 놓고 집과 곡식을 불사르며 가축들을 죽여 버리라고 명령했다.

"만일 어명에 따르지 않는 자가 있으면 누구든 가차 없이 처벌하리라."

군사들은 깜짝 놀라 임금의 명령을 실행하기 시작했다. 그들은 집이며 곡식을 불태우고 가축을 죽이기 시작했다. 그런데도 바보들은 모두 자신을 지키려고 하지 않고 그저 울 뿐이었다.

"왜 우리들을 괴롭히는 겁니까? 어째서 우리 재산을 빼앗아 가는 겁니까? 필요하거든 차라리 그냥 가져가면 될 것을……."

군사들은 어쩐지 침울해졌다. 그래서 더 이상 돌아다니기를 그만두었다. 이윽고 군대는 뿔뿔이 흩어지고 말았다.

12

이리하여 큰 도깨비는 떠나 버렸다. 군대의 힘으론 이반을 괴롭히지 못했던 것이다. 큰 도깨비는 다시 말쑥한 신사로 둔갑하여 이반의 나라로 왔다. 배불뚝이 타라스와 마찬가지로 돈으로 이반을 괴롭히고 싶었던 것이다.

"나는 훌륭한 지식을 전달함으로써 당신들에게 도움을 드리고자 합니다. 나는 먼저 이 나라에서 집을 짓고 장사를 시작하겠습니다."

"거 좋은 일이오. 그러시다면 여기서 사시죠."

이튿날 아침, 그는 금화가 들어 있는 커다란 자루와 종이 조각을 가지고 광장으로 나가 말했다.

"여러분들은 마치 돼지처럼 살고 있습니다. 그래서 나는 여러분들에게 어떻게 살아야 하는지 가르쳐 주고자 합니다. 먼저 이 도면처럼 집을 지어 주세요. 여러분들은 일을 하고, 지시는 내가 하겠습니다. 그리고 답례로 이 금화를 드리겠습니다."

그는 그들에게 금화를 보여 주었다. 바보들은 깜짝 놀랐다. 지금까지 그들에겐 돈이라는 것이 없었고, 필요할 때는 그저 서로 물건을 바꾸기도 하고 품앗이를 해 왔기 때문이다. 그들은 금화에 반해 버렸다.

"거, 노리갯감으로 썩 좋은데."

큰 도깨비는 타라스의 나라에서 했듯이 누런 금화를 마구 뿌려 대기 시작했다. 그러자 사람들은 금화와 물건을 바꾸기도 하고, 금화를 얻기 위해 그에게 드나들기 시작했다. 큰 도깨비는 속으로 고소해하면서 이렇게 생각했다.

'이거, 이쯤 되고 보면 일이 순조로이 돼 나가는 것이렷다! 이번에야말로 그 바보 녀석을 타라스처럼 엉망진창이 되게 해 주리라. 그 녀석을 다시는 일어나지 못하게 만들어야지.'

바보들은 금화를 손에 넣자마자 목걸이로 만들어 아낙네들에게 나누어 주기도 하고, 여자아이들에게 장식으로 달아 주기도 했다. 얼마 후 어린아이들까지도 금화를 가지고 놀

정도로 금화가 흔해졌다. 모든 사람들이 많은 금화를 갖게
되자 더 이상 얻으려고 하지 않았다. 그런데 말쑥한 신사의
대궐 같은 집은 아직 절반도 지어지지 않은데다, 곡식이며
가축 역시 아직 한 해치도 비축되어 있지 않았다. 그래서 신
사는 이렇게 알렸다.

"나한테로 일하러 오라, 곡식이며 가축을 가지고 오라!
어떤 물건이 됐건 어떤 일이 됐건 그 값으로 많은 금화를 주
겠다."

그러나 어느 누구 한 사람 일하러 가는 자가 없는가 하면,
무엇 하나 들고 가는 사람도 없었다. 이따금 사내애며 계집
애가 뛰어와서 달걀과 금화를 바꾸거나 혹은 금화를 받고
물건을 날라다 주는 정도가 고작일 뿐 달리 찾아오는 사람
은 아무도 없었다. 그래서 말쑥한 신사에게는 차츰 먹을 것
이 부족하게 되었다.

그러다 그는 어느 한 집에 들어가 암탉을 사려고 금화를
내밀었다. 그러자 안주인이 말했다.

"그런 건 우리 집에 숱하게 있어요."

이번에는 어느 날품팔이꾼 집에 들러 비웃을 살 양으로
금화를 내밀었다. 그러자 그가 이렇게 말했다.

"우리 집에 그런 건 필요 없어요. 어린애들이 없어서 아무
도 가지고 놀 사람이 없어요. 그리고 하도 귀물이어서 이미
세 닢이나 가져다 놨습니다."

다음에 큰 도깨비는 빵을 사려고 어느 농사꾼 집에 들렀다. 그러나 그 농사꾼도 돈을 받지 않았다.

"우리 집에선 필요 없어요. 적선을 하는 거라면 몰라도. 그럼 좀 기다리시구려. 금방 여편네 보고 빵을 대접해 드리라고 이를 테니까."

큰 도깨비는 침을 탁 뱉고, 냅다 농사꾼 집에서 줄행랑을

놓았다. 적선을 받느냐 안 받느냐 하는 것은 전혀 문제가 되지 않았다. 그로서는 이런 말을 듣는 것이 칼보다도 더 무서웠던 것이다. 이렇게 해서 큰 도깨비는 빵도 얻지 못하고 말았다. 사람들은 이미 금화를 충분히 손에 넣었던 것이다. 그리하여 큰 도깨비가 내미는 돈을 보고는 어떤 것도 주지 않았으며, 모두들 이렇게 말하는 것이었다.

"무엇인가 딴 것을 가지고 오거나, 일을 하러 오거나 그렇지 않으면 적선을 바라고 동냥을 하러 오거나 하구려."

그러나 큰 도깨비는 돈 이외에는 아무것도 가진 게 없는데다 그렇다고 일을 하기는 싫었고, 또 적선을 바라고 동냥을 할 수도 없었다. 큰 도깨비는 화가 잔뜩 났다.

"어떻게 된 거야? 당신들은 금화가 더 필요할 텐데 말이야. 돈만 가지면 무엇이든 살 수 있고, 어떤 일꾼이든지 들여놓을 텐데 말이야."

그러나 바보들은 그 말을 듣는 둥 마는 둥했다.

"아니죠. 그런 건 필요 없습니다. 여기선 지불이라든가 세금이라든가 하는 게 하나도 없으니까요. 그러니까 그까짓 돈 따위는 많이 가져도 전혀 쓸모가 없어요."

큰 도깨비는 저녁도 먹지 못한 채 잠자리에 들었다. 이 일이 바보 이반의 귀에 들어갔다. 백성들이 그에게로 찾아와 이렇게 물었기 때문이다.

"도대체 소신들은 어찌해야 하오리까? 소신들한테 말쑥

한 샌님이 나타났사옵니다. 그는 맛있는 음식이나 좋은 술만을 좋아하고 깨끗한 옷이나 입기 좋아하면서 일은 숫제 하려고 들지도 않는가 하면, 동냥을 하지도 않고 그저 금화라는 것만 내밀 뿐이니 말이옵니다. 금화가 모이기 전에는 모두들 그 샌님에게 무엇이나 다 주었는데, 이제는 그 어떤 것도 주는 사람이 없사옵니다. 이 샌님을 어떻게 해야 하오리까? 굶어 죽지는 않아야 할 텐데 말이옵니다."

이반은 다 듣고 나서 이렇게 말했다.

"아무렴 그렇고 말고. 먹여 살려야 하느니라. 양치기 목자처럼 집집마다 돌아다니게 하라."

할 수 없이 큰 도깨비는 이집 저집을 돌아다니게 되었다. 그러는 동안 이반의 궁궐로 차례가 돌아왔다. 큰 도깨비가 점심을 먹으러 가 보니, 이반네 집에서는 벙어리 여동생이 점심을 차리고 있었다. 그녀는 지금까지 자주 게으름뱅이에게 속아 왔다. 게으름뱅이는 일을 하지도 않는 주제에 꼭 맨 먼저 밥을 먹으러 와서는 장만해 놓은 음식을 싹싹 먹어 치우는 것이었다. 그 결과 벙어리 처녀는 사람의 손만 보고도 게으름뱅이인지 아닌지를 곧잘 분간해 냈다. 그리하여 손에 굳은살이 박인 사람은 식탁에 앉혔지만, 굳은살이 박여 있지 않은 사람에게는 먹다 남은 찌꺼기를 주었다.

큰 도깨비가 식탁에 앉자, 벙어리 처녀는 여느 때처럼 얼른 그 손을 살짝 들여다보았다. 굳은살은커녕 깨끗하고 매

끈한데다 손톱도 길게 자라 있었다. 벙어리 처녀는 뭐라고 외쳐 대더니 큰 도깨비를 식탁에서 끌어냈다. 그러자 이반의 아내가 큰 도깨비에게 말했다.

"나무라지 마세요. 우리 시누이는 손에 굳은살이 박이지 않은 사람은 식탁에 앉히지 않으니까요. 자, 잠깐 기다리세요. 다른 사람들이 다 먹고 난 후에 남은 것을 잡수세요."

큰 도깨비는 '임금의 궁궐에서는 나에게 돼지가 먹는 것과 똑같은 것을 먹이려는구나'라고 생각하자 은근히 화가 났다. 그래서 이반에게 말했다.

"임금님 나라에는 모든 사람에게 손으로 일을 하도록 하는 어리석은 법률이 있는가 봅니다. 하지만 그것은 여러분들이 어리석기 때문에 나온 생각에 지나지 않사옵니다. 영리한 사람은 무엇으로 일을 하는지 아시나이까?"

"바보인 우리가 어찌 그런 걸 다 알겠는가? 우리들은 대체로 손과 등으로 하고 있지."

"그것은 말하자면 여러분들이 바보이기 때문이옵니다. 그럼 소신이 어떻게 머리로 일을 하는 것인지 그 요령을 가르쳐 드릴까 하옵니다. 그러면 여러분들도 아시게 될 것이옵니다. 손보다 머리로 일하는 편이 이롭다는 것을."

이반은 놀랐다.

"음, 그러고 보니 그게 바로 우리가 바보로 불리는 이유렷다?"

그러자 큰 도깨비가 말하기 시작했다.

"그러나 머리로 일을 한다는 것도 결코 수월하지는 않사옵니다. 지금만 해도 소신의 손에 굳은살이 박히지 않았다고 하여, 여러분들은 제게 먹을 것을 주시지 않사오나 그것은 말이옵니다, 그것은 말씀드리자면 이런 것을 모르고 계시기 때문이옵니다. 즉, 머리로 일을 하는 것이 백 갑절이나 더 어렵다는 것을, 음…… 때로는 머리가 빠개지는 수도 있으니까 말이옵니다."

이반은 생각에 잠겼다.

"한데 어찌하여 그대는 그렇게 그대 자신을 괴롭히는 거지? 머리가 빠개지는 수도 있다니. 과연 수월한 일은 아니로다! 그보다는 차라리 그대의 손과 등을 써서 더 수월한 일을 하면 될 게 아닌가?"

그러자 도깨비는 말했다.

"소신이 제 자신을 괴롭히는 것은 바보인 여러분들을 불쌍히 여기기 때문이옵니다. 만일 소신이 자신을 괴롭히지 않는다면, 여러분들은 영원히 바보가 되고 말 것이옵니다. 그러나 소신은 머리로 일을 해 왔으니 이제부터 여러분들에게도 그 방법을 가르쳐 드릴까 하옵니다."

"어디 가르쳐 주게. 손이 지쳤을 때 머리로 대신할 수 있다는 그 방법을."

도깨비는 그것을 가르쳐 주겠다고 약속했다. 이반은 온

나라에 방을 붙였다.

"훌륭한 신사가 나타나 여러분들에게 머리로 일하는 법을 가르쳐 준다. 머리로는 손보다도 훨씬 더 많은 벌이를 할 수 있다. 모두들 배우러 나오라!"

이반의 나라에는 높은 망대가 세워지고, 거기에 반듯한 사다리가 걸쳐지고 그 위에 단이 마련되었다. 이반은 신사의 모습이 잘 보이도록 그곳으로 안내했다. 바보들은, 손을 쓰지 않고 머리로 일을 하려면 어떻게 해야 하는지를 신사가 실제로 보여 주려니 하고 생각하고 있었다. 그러나 큰 도깨비는 그저 말로만 어떻게 하면 일을 하지 않고도 살아갈 수 있는지를 가르칠 뿐이었다. 바보들은 뭐가 뭔지 통 납득이 가지 않았다. 그래서 잠시 바라보고 있다가 이윽고 저마다 제 일을 하러 뿔뿔이 흩어져 버렸다.

큰 도깨비는 하루 종일 망대 위에 서 있었다. 다음날도 내내 서 있었다. 그리고 줄곧 지껄여 댔다. 그는 무엇이라도 좀 먹었으면 싶었다. 그러나 바보들은 만일 저 사람이 손보다 머리로 훨씬 일을 더 잘할 수 있다면 제 머리로 빵쯤은 실컷 만들겠지 생각하고, 그에게 빵을 가져다줘야겠다는 생각은 아예 하지도 않았다. 큰 도깨비는 그 이튿날도 단 위에 올라서서 계속 지껄여 댔다. 그러나 사람들은 가까이 다가와 잠시 바라보고는 이내 또 이리저리 흩어질 뿐이었다. 이반이 가끔씩 물었다.

"그래 어떤가, 그 신사는 머리로 일을 하기 시작했나?"

"아니옵니다. 지금도 여전히 지껄여 대고 있기만 할 뿐이옵니다."

큰 도깨비는 하루 종일 단 위에 서 있었고, 조금씩 쇠약해지기 시작하더니 비틀거리기까지 했다. 그리고는 그만 기둥에 머리를 부딪쳤다. 한 바보가 이것을 보고 이반의 아내에게 알리자, 그녀는 곧 들에 나가 있는 남편에게 달려갔다.

"자, 가시죠, 구경하러. 신사가 드디어 머리로 일을 하기 시작한 모양이옵니다."

"그게 정말이오?"

이렇게 말하고 이반은 말을 돌려 망대로 갔다. 큰 도깨비는 굶주리다 못해 이제 완전히 쇠약할 대로 쇠약해져 비틀거리면서 머리를 기둥에 박고 있었다. 그러다가 이반이 도착한 그 순간, 도깨비는 쿡 거꾸러지더니 우당탕 요란한 소리를 내면서 한층 한층 발판을 세기라도 하듯 사다리를 따라 거꾸로 떨어져 내렸다. 이반은 머리를 끄덕이며 말했다.

"아하, 언젠가 머리가 빠개지는 수도 있다고 훌륭한 신사가 말하더니, 아닌게 아니라 정말인걸. 하지만 저렇게 일을 하다가는 머리가 남아나지 못할 게 아닌가."

큰 도깨비는 사다리 밑으로 굴러 떨어져서 땅속에 머리를 처박고 말았다. 신사가 얼마나 많은 일을 했는지 볼 양으로 이반이 다가서려고 하는데, 별안간 땅바닥이 쫙 갈라지더니 큰 도깨비는 땅 사이로 떨어져 들어가고, 그저 구멍이 하나 남았을 뿐이었다. 이반은 머리를 긁적거렸다.

"아, 요게 이런 빌어먹을 게 다 있나! 아니 또 그놈이었단 말인가! 아니, 그놈들의 애비가 틀림없으렷다. 별별 지독한 놈도 다 있구나!"

이반은 지금까지도 살아 있고, 모든 백성들이 그의 나라로 몰려오고 있다. 두 형들도 찾아와 이반에게 의지한 채 살아가고 있다. 누군가가 찾아와 "우리들을 좀 먹여 살려 주세요"라고 말하면 그는 언제나 이렇게 말한다.

"그렇게 하지. 와서 살게나. 여기엔 없는 게 없으니."

그러나 이 나라에는 단 한 가지의 중요한 관습이 있다. 손에 굳은살이 박인 자는 식탁에 앉게 되지만, 굳은살이 박이지 않은 자는 먹다 남은 찌꺼기를 먹어야 한다는 것이다.

어떻게 작은 악마는 빵 조각을 보상하였는가

어떤 가난한 농부가 아침도 먹지 않고, 점심으로 빵 한 조각만을 싸 가지고 밭갈이를 하러 나갔다. 농부는 쟁기를 내리고 수레를 덤불 밑에 끌어다 놓은 다음, 그 위에 빵을 얹고 겉옷으로 빵을 덮었다. 일을 하다가 이윽고 말도 지치고 농부도 시장기를 느꼈다. 농부는 쟁기를 밭에 꽂아 둔 채 말을 풀어서 꼴을 먹도록 놓아준 다음 자기도 겉옷이 있는 쪽으로 점심을 먹으러 갔다. 농부는 겉옷을 들춰 보았다. 그러나 빵 조각이 없었다. 그는 부근을 찾아보기도 하고, 겉옷을 뒤집어 털어 보기도 했으나 빵 조각은 없었다. 농부는 참 이상한 일도 다 있다고 생각했다.

'온 사람이라곤 아무도 없었는데…… 누가 빵을 가지고 갔을까?'

그러나 사실은 농부가 밭을 갈고 있는 동안 작은 악마가 빵 조각을 훔쳐 내고, 덤불 뒤에 숨어서 동정을 살피고 있었다. 농부가 화를 내고 욕을 해댐으로써 큰 악마를 기쁘게 해주리라 생각하며 귀를 기울이고 있었던 것이었다. 농부는 약간 실망했다.

"할 수 없지. 설마 굶어 죽기야 하려구. 누군가 훔쳐갔다면 꼭 필요해서 가져갔겠지. 아무나 먹게 내버려 두자."

그리고 농부는 우물로 가서 물을 잔뜩 마시고, 한숨을 쉬고 나서 쟁기를 메고 또 밭을 갈기 시작했다.

작은 악마는 농부로 하여금 죄를 짓게 만들지 못하자 당황하여 큰 악마에게 달려갔다. 그는 큰 악마 앞에 나가, 자기가 농부의 빵을 훔쳤는데도 농부는 욕을 하기는커녕 오히려 복받을 말만 했다고 보고했다. 큰 악마는 노발대발하며 말했다.

"만약 농부가 정말로 너를 이겼다면, 그것은 모두 너의 잘못이다. 네 방법이 나빴기 때문이야. 만약에 농부들과 그들의 아낙들까지 그런 생활 태도를 갖게 되면, 우리들은 할 일이 없어져서 살아갈 수가 없어지잖아? 절대 그대로 둘 수는 없어! 한 번 더 농부에게 가서 그 빵 조각을 보상하고 오너라. 만약 3년 안에 그 농부에게 이기지 못한다면, 네놈을 성

수 속에 처박아 줄 테다."

작은 악마는 깜짝 놀라 지상으로 달려 나가 어떻게 자기의 죄를 보상해야 좋을지 그 방법을 궁리하기 시작했다. 곰곰이 생각한 끝에 마침내 묘안이 떠올랐다. 작은 악마는 성실한 사람으로 둔갑하여 가난한 농부네 집 머슴으로 들어갔다. 그리하여 여름에 가뭄이 들 것을 예상하여 농부에게 습지에 씨앗을 뿌리라고 일렀다. 농부는 머슴의 말대로 습지에다 씨앗을 뿌렸다. 그랬더니 다른 농부네 밭에서는 모든 농작물이 타서 말라죽었는데, 이 가난한 농부네 집에서는 잘 자란 이삭이 영글어 풍작이 되었다. 그래서 농부에게는 곡식이 그 이듬해 추수 때까지 먹고도 남아돌 정도였다.

다음 해 여름, 머슴은 농부에게 언덕 위에 씨를 뿌리라고 권했다. 그랬더니 그해 여름에는 비가 몹시 많이 내렸다. 다른 집 농작물은 모두 쓰러지고 비를 맞아 썩어서 제대로 영글지 않았으나 이 농부네 언덕 위의 밭에서는 곡식들이 아주 잘 영글었다. 그래서 또다시 많은 곡식이 생겼고, 그것을 처분하기 곤란할 정도였다. 그래서 머슴은 농부에게 밀을 빻아 술을 담그라고 일러 주었다. 농부는 술을 담가 자기도 마시고, 마을 사람들에게도 나눠 주었다.

작은 악마는 큰 악마에게 가서 빵 조각을 보상했다는 말을 자랑스럽게 늘어놓았다. 큰 악마는 그것을 살펴보러 나섰다. 그가 농부네 집에 가 보니 농부는 돈 많은 마을 사람들을 초대하여 술대접을 하고 있었다. 농부의 아내도 손님들에게 술 시중을 들고 있었는데, 그만 탁자 모서리를 돌다가 옷이 걸려 잔을 쓰러뜨리고 말았다. 그러자 농부는 화를 내며 아내를 꾸짖었다.

"조심해, 못난 것 같으니! 이런 고급술을 엎지르다니. 이게 뭐 구정물인 줄 알아! 다리가 삐었어?"

작은 악마는 팔꿈치로 큰 악마를 쿡쿡 찔렀다.

"보십시오. 이젠 저자도 빵 조각을 아까워하게 되었어요."

농부는 아내를 마구 호통쳐 놓고, 손수 술 시중을 들기 시작했다.

그때 들일을 하고 돌아가던 가난한 농부가 초대도 하지 않았는데 그곳에 들어왔다. 그 사람은 인사를 하고 자리에 앉고 보니 모두들 술을 마시고 있어, 자기도 한 잔 마시고 싶은 생각이 들었다. 들일을 하느라 잔뜩 지쳐 있었기 때문이었다. 그래서 연방 군침을 삼키며 앉아 있었으나 주인은 그 사람에게 한 잔도 권하지 않고, 이렇게 중얼거렸다.

"아무에게나 마구 퍼 먹일 수는 없지!"

큰 악마는 이 말이 매우 마음에 들었다. 작은 악마는 코를 벌름거렸다.

"두고 보십시오. 지금부터가 시작이니까요."

돈 많은 농부들은 술을 주거니 받거니 하면서 한 잔씩 돌렸다. 그들은 서로 공치사를 늘어놓으며 입에서 나오는 대로 지껄여 댔다. 큰 악마는 열심히 귀를 기울이고 있다가 작은 악마를 칭찬했다. 그러고는 덧붙였다.

"만약 저 술 때문에 저렇게 교활해져서 서로가 서로를 속이게 된다면, 저놈들은 이미 우리에게 진 거야."

"아무튼 두고 보십시오."

작은 악마는 말했다.

"아직도 멀었습니다. 저놈들에게 한 잔만 더 먹여 보십시다. 저놈들은 지금 저렇게 여우처럼 꼬리를 흔들며 서로 속이고 있지만, 곧 심술 사나운 이리가 될 겁니다."

사람들은 두 잔째 술을 마셨다. 그러자 그들은 음성이 차차 커지고 거칠어졌다. 간지러운 공치사 대신 그들은 서로 욕설을 퍼붓고 화를 내며 멱살을 잡고 싸움을 했다. 주인도 싸움판에 끼어들어 호되게 얻어맞았다. 큰 악마는 가만히 그것을 보고 있었다. 그는 이것도 마음에 들어 했다.

"거 참, 재미있는데."

그는 말했다. 그러나 작은 악마가 재빨리 대답했다.

"아직도 멀었습니다. 놈들에게 석 잔째 먹여 보십시오. 지금 놈들은 이리처럼 씨근대고 있지만, 잠시 후에 석 잔을 마시면 당장 돼지처럼 되어 버릴 테니까요."

사람들은 석 잔째 마셨다. 그러자 완전히 취해서 녹초가 되어 버렸다. 그들은 무슨 말인지 알아들을 수 없는 말을 중얼거리고 소리를 지르며 남의 말을 듣지 않았다.

이윽고 그들은 한 사람, 두 사람 혹은 세 사람씩 떼를 지어 거리로 비틀거리며 걸어 갔다. 주인은 손님을 배웅하러 나왔다가 물웅덩이에 빠져서 온몸이 물에 빠진 새앙 쥐 꼴이 된 채 돼지같이 뒹굴며 으르렁거 리고 있었다. 이것은 더욱더 큰 악마의 마음에 들었다.

"거 참 아주 좋은 음료수를 발견했구나. 이것으로 훌륭하 게 빵 조각을 보상한 게 되었구나. 그런데 너는 어떻게 해서 이런 음료수를 만들었지? 넌 틀림없이 그 속에 여우의 피를 넣었을 거야. 그래서 사람들이 여우처럼 교활해진 게 틀림 없어. 그 다음에 이리의 피를 넣고, 돼지의 피를 넣었겠지. 그러니까 놈들이 저렇게 된 게 아니겠어?"

"아뇨."

작은 악마는 말했다.

"저는 그런 짓은 하지 않았습니다. 전 다만 그자에게 여분 의 곡식을 영글게 해 주었을 뿐입니다. 그것은 즉, 그 짐승 의 피는 항상 그자 속에 있었던 것이지만, 그자가 필요한 만 큼의 곡식을 마련할 동안은 그 피가 출구를 찾을 수 없었던 거지요. 그즈음에는 그자가 한 개뿐인 빵 조각이라도 아끼 지 않았는데, 곡식에 여유가 생기니 무슨 좋은 위안거리가 없을까 궁리를 하게 되었습니다. 그래서 제가 그자에게 술 을 가르쳐 주었습니다. 그랬더니 그자가 하느님의 하사품으

로 술을 담그기가 무섭게 그의 몸속에 여우와 이리와 돼지의 피가 솟아나지 뭡니까? 그래서 이제는 그 술만 마시면 언제든지 짐승이 되어 버린답니다."

큰 악마는 작은 악마를 칭찬하고, 빵 조각의 실패를 용서한 다음 무리들 중의 우두머리로 발탁해 주었다.

달걀만한 씨앗

어느 날 골짜기에서 아이들이 가운데에 줄이 그어진 씨앗같이 생긴 달걀만한 물건을 발견했다. 마침 그곳을 지나가던 사람이 아이들이 가지고 있는 물건을 5코페이카를 주고 사서 성 안으로 가지고 와 황제에게 팔았다. 황제는 현인들을 불러 모아 이것이 무슨 물건인지, 즉 달걀인지 씨앗인지 알아보라고 일렀다. 현인들은 생각하고, 또 생각했다. 그러나 무엇인지 도무지 알 수가 없었다. 마침 그 물건을 창문 위에 놓았는데, 한 마리의 암탉이 들어와 쪼기 시작하더니 구멍을 내 버렸다. 그리하여 그들은 그것이 씨앗이라는 것을 알게 되었다. 현인들이 황제에게 아뢰었다.

"이것은 라이보리 씨앗인 줄 아뢰오."

황제는 깜짝 놀랐다. 그리고 다시 현인들에게 이 씨앗이 어디서 언제 생겼는지 알아보라고 어명을 내렸다. 현인들은 요모조모 생각을 거듭하고 온갖 책을 뒤져 보았지만, 아무것도 찾아내지 못했다. 그들은 어전에 나와 아뢰었다.

"대답을 드릴 수 없사옵니다. 소신들의 책에는 이것에 관해서 아무것도 쓰여 있지 않사옵니다. 그러한즉 농부들에게 물어봐야 할 줄로 아옵니다. 늙은이들 가운데서 누가 언제 어디서 이런 씨앗이 뿌려졌는지 듣지 않았느냐고 물어보는 것이 좋을 것 같사옵니다."

그리하여 황제는 사람을 보내어 늙은 농부를 한 사람 데리고 오라고 명령했다. 곧 나이 많은 한 늙은 농부가 황제에게 불려왔다. 그 농부는 이도 다 빠지고 얼굴도 푸르죽죽 쪼그라진 늙은이였다. 그는 두 지팡이를 짚고 간신히 들어섰다. 황제는 그에게 씨앗을 보였다. 그러나 늙은이는 눈이 나빠 겨우 절반만 살펴보고, 나머지는 손으로 더듬었다. 황제가 물었다.

"영감, 이런 씨앗이 어디서 생겼는지 그대는 아는가? 밭에 이런 곡식을 심지는 않았는가? 또 농사를 짓던 시절에 어디서 이런 씨앗을 산 적은 없는가?"

늙은이는 귀가 멀어 간신히 알아듣고 겨우 이해했다. 그리고는 가까스로 대답하기 시작했다.

"네. 소인은 밭에다 이런 곡식을 심은 일도 없고, 거두어 들인 일도 없고, 산 일도 없사옵니다. 소인이 곡식을 샀던 시절에는 이런 씨앗은 모두 낱알이 더 작았었죠. 지금도 그렇지만 말입니다. 소인의 아버지에게 한번 물어보겠습니다. 어쩌면 아버지는 어디서 이런 씨앗이 생겼는지 들었을지도 모르니까요."

황제는 이 영감의 아버지한테 사람을 보내어 데리고 오라고 명령했다. 늙은이의 아버지도 어전으로 나왔다. 이 늙은 노인은 지팡이 하나를 짚고 왔다. 늙은이에게는 아직 시력이 있었으므로 잘 알아보았다. 황제가 묻기 시작했다.

"늙은이, 이런 씨앗이 어디서 생겼는지 그대는 알고 있는 가? 그대 밭에 이런 곡식을 심은 적이 없는가? 그대가 농사를 짓던 시절에 이런 씨앗을 산 적이 없는가?"

늙은이는 귀가 다소 멀기는 했지만, 아들보다는 잘 알아들었다.

"네. 소인은 밭에다 이런 씨앗을 뿌린 일도 없고, 거두어 들인 일도 없사옵니다. 또 산 일도 없사옵구요. 왜냐하면 소인의 젊은 시절에는 아직 돈이라는 게 없었기 때문이옵니다. 모든 사람이 자기 곡식을 먹고 살았습니다. 그리고 모자랄 때에는 서로 나눠 가졌사옵니다. 소인은 어디서 이런 씨앗이 생겼는지 모르옵니다. 소인네 시절의 씨앗은 요새 것보다야 더 굵고, 소출이 많긴 했사옵죠. 그러나 이런 것은 본 적이 없사옵니다. 이건 소인이 아버지한테서 들은 얘기 옵니다만, 아버지 시절에는 소인 시절에 비해 더 나은 곡식을 거두었는데, 그 씨앗이 더 굵었다고 했사옵니다. 소인의 아버지에게 하문하셔야 할 줄로 아뢰옵니다."

그리하여 황제는 다시 이 늙은이의 아버지를 데리러 사람을 보냈다. 맨 처음 늙은이의 할아버지인 그 노인도 황제의 편전으로 나오게 되었다. 하지만 그 노인은 지팡이도 짚지 않고 어전으로 나갔다. 가벼운 걸음걸이였다. 눈도 밝고 귀도 잘 들리며 말도 또렷했다. 황제는 이 노인에게 다시 그 씨앗을 보여 주었다. 노인은 그것을 이리저리 뒤집어 보며 이렇게 저렇게 뜯어보았다.

"소인은 오랫동안 이렇게 옛날 곡식을 보지 못해서⋯⋯."

노인은 씨앗을 물어뜯어서 자근자근 깨물었다.

"이게 그것이옵니다."

"어디 한번 말해 보라. 어디서 이런 씨앗이 생겼는가? 그대는 이런 곡식을 밭에 심은 일이 없는가? 혹 그대 시절에 사람들한테서 산 일은 없는가?"

그러자 노인이 말했다.

"이런 곡식은 소인 시절에는 어디서나 생산되고 있었사옵니다. 소인은 물론 많은 사람들이 이런 곡식을 평생 먹으며 살아왔사옵니다."

그러자 황제는 다시 물었다.

"그럼 노인, 어디 말해 보라. 그대는 어디서 이런 씨앗을 산 일이 있는가? 자신의 밭에 뿌린 일은 없는가?"

노인은 히죽 웃었다.

"소인 적에는 곡식을 팔고 사는 그런 죄악을 궁리해 낼 수 있는 사람은 한 사람도 없었사옵니다. 또 돈이라는 것도 몰랐사옵니다. 곡식은 누구에게나 얼마라도 있었죠. 소인은 이런 곡식을 직접 심기도 하고, 거두어 들이기도 하고 타작하기도 했었습니다."

황제는 거듭 물었다.

"어디 그럼, 말해 보라. 노인, 그대는 어디다 이런 곡식을 심었고, 또 그대 밭은 어디에 있었는가?"

노인은 말했다.

"소인의 밭은 신의 땅이었사옵죠. 쟁기질을 한 거기가 밭이었사옵니다. 땅은 자유였사옵니다. 제 땅이란 건 몰랐사옵니다. 제 것으로 불렸던 것은 오직 제 노동뿐이었습니다."

"그럼, 두 가지만 더 말해 보라. 한 가지는 어째서 옛날에는 이런 씨앗이 생겼는데 지금은 생기지 않나 하는 것이고, 또 한 가지는 그대의 손자는 두 자루의 지팡이를 짚고 다니고, 또 그대의 아들도 한 자루의 지팡이를 짚고 왔는데 그대만이 그처럼 가뿐히 혼자 걷는가 하면, 눈도 밝은데다 이도 실하고 말도 또렷하고 상냥함은 어찌된 영문인가? 노인, 말해 보라."

"하문하오신 두 가지 까닭이란, 다름이 아니오라 세상 사람들이 제 품으로 살아가기를 그치고 남의 것을 넘보게 되었기 때문이옵니다. 옛날 사람들은 신의 뜻을 좇아 살았사옵니다. 제 것을 가질 뿐, 남의 것을 탐내지 않았던 것이옵니다."

사람에겐 얼마만큼의 땅이 필요한가

도시에서 사는 언니가 시골에 사는 여동생을 찾아왔다.
언니는 상인에게 시집을 가서 도시에서 살았고, 여동생은
농군에게 시집을 갔던 것이다. 두 자매는 차를 마시면서 이
야기를 나누고 있었다. 그러다가 언니는 자기의 도시 생활
을 자랑하기 시작했다. 도시에서 얼마나 넓고 아담한 집에
살고 있는가, 아이들을 얼마나 잘 입혀 놓았는가, 얼마나 맛
좋은 것을 먹고 마시고 있는가, 얼마나 자주 마차를 타고 놀
러 다니며 극장 구경을 하는가 등을 열심히 늘어놓았다.

언니의 얘기에 동생은 분한 생각이 들어서 상인의 생활을
깎아 내리고, 자기네 마을 생활을 치켜 올리기 시작했다.

"나는 어떤 일이 있어도 내 생활을 언니 생활과 바꾸고 싶은 마음은 없어요. 물론 우리 집 생활이 화려하지는 못해요. 하지만 그 대신 걱정이란 게 없거든요. 언니네 생활이 얼핏 보면 호사스럽기는 하지만, 그게 실은 벌지 못하면 졸지에 빈털터리가 되는 수밖에 없는 것 아니겠어요?

속담에 '오늘의 부자도 내일이면 남의 집 처마 밑에 서게 된다'라는 말도 있잖아요. 거기에다 대면 우리네 농사일은 탄탄하단 말이에요. 농사꾼 생활은 오래가거든요. 부자는 못 되더라도 배고픈 일은 없으니까요."

그러자 언니가 대꾸를 했다.

"배만 고프지 않으면 뭘 해? 돼지나 송아지와 함께 사는 주제에! 그렇다고 좋은 옷을 입어, 좋은 교제를 해? 네 남편이 아무리 억척같이 굴어 봐야 결국 거름 속에서 살다가 거름 속에서 죽지 뭐니? 네 아이들 역시 마찬가지지."

동생은 말했다.

"그게 우리들 일인걸요. 그 대신 우리네 생활에 위험이라는 건 조금도 없거든요. 누구한테 머리 숙일 필요도 없고, 누굴 무서워할 필요도 없고 말예요. 하지만 도시에선 온통 유혹 속에서 사는 거나 다름없잖아요. 오늘은 무사하더라도 내일이면 어떤 악마에게 홀릴지 모르니까요. 형부만 하더라도 그렇지, 언제 노름에 미칠지 술에 빠질지 알 게 뭐예요. 그리고 그렇게 되는 날에는 모든 것이 끝장나는 게 아니겠어요? 안 그래요?"

동생의 남편인 바훔은 벽난로 곁에서 여자들이 하는 이야기를 듣고 있었다.

"그 말이 옳아. 옳은 얘기야. 우리야 어릴 때부터 땅을 파먹고 살아왔으니 어리석은 생각은 할 수가 없지. 지금 이 생활에서 땅만 여유가 있다면 난 겁날 게 없어. 악마도 무섭지 않아."

여자들은 차를 다 마신 뒤에도 한참 동안 옷 이야기를 하다가 찻잔을 치우고 잠자리에 들었다.

그런데 악마가 난로 뒤에 웅크리고 앉아 이 말을 죄다 듣고 있었다. 악마는 농부가 아내의 이야기에 말려들어 자기에게 땅만 있으면 악마도 무섭지 않다고 큰소리치는 것을 듣고 매우 기뻐했다.

'됐어!'

악마는 생각했다.

'어디, 너와 한번 승부를 겨루어 보자. 내가 너에게 땅을 듬뿍 주지. 땅으로 너를 사로잡고 말겠어.'

마을에는 그다지 크지 않은 땅을 가진 여자 지주가 살고
있었다. 그녀는 120데샤티나(1데샤티나는 약 1헥타르 — 역주)가량 되
는 땅을 가지고 있었다. 그녀는 이제까지 농민들과 사이좋게
지내 왔고, 농민들을 학대한 일도 없었다. 그런데 최근에 군
인 출신인 남자가 관리인으로 고용되었고, 그는 걸핏하면 트
집을 잡아 벌금을 받아 내어 농민들을 괴롭히기 시작했다.

바흠 역시 아무리 조심을 해도 말이 지주네 귀리밭으로
뛰어든다든가, 암소가 지주 집 마당으로 들어간다든가, 송
아지가 풀밭으로 들어간다든가 하는 것은 막을 도리가 없었
다. 그때마다 일일이 벌금을 물 수밖에 없었다. 벌금을 물게
될 때마다 바흠은 집안 식구들을 욕하며 때리곤 했다. 이 관
리인 때문에 바흠은 여름 동안 무척이나 고생을 했었다. 그
래서 가축들을 우리에 들여놓을 계절이 되자 오히려 마음이
홀가분해졌을 정도였다. 사료는 아까웠지만, 걱정거리가 없
어졌기 때문이었다.

그런데 겨울 동안 여지주가 땅을 팔려고 하고, 그 땅을 큰
길의 여관집 주인이 사려 한다는 소문이 떠돌았다. 농민들

은 그 말을 듣고 걱정이 되어 한숨을 내쉬었다.

'만일 여관집 주인이 땅을 사게 되면, 그자는 여지주네보다 더 지독한 벌금을 매길 게 틀림없어. 그러나 우리는 이 땅 없이는 살아갈 수가 없지. 모두 이 주변에서 살고들 있으니······.'

사람들은 한 덩어리가 되어 여지주를 찾아가서 땅을 여관집 주인에게 팔지 말고 자기들에게 양도해 달라고 부탁했다. 마을 사람들은 마을 조합에서 땅을 모두 사들일 준비를 하고, 여러 번 집회를 가졌으나 결정을 내릴 수가 없었다. 악마가 훼방을 놓았기 때문에 어떻게 해도 의견을 모을 수가 없었던 것이다.

그래서 사람들은 각기 자기 형편대로 따로따로 사기로 했다. 여지주 쪽에서도 이에 동의했다. 바흠은 이웃집 사람이 20데샤티나를 샀는데 여지주가 반액만 받고, 반액은 일 년 안에 갚으라고 했다는 말을 들었다. 바흠은 부러웠다.

'다들 땅을 다 사 버리면 나는 아무것도 없잖아?'

그래서 그는 아내와 의논을 했다.

"다들 땅을 사는데 우리도 10데샤티나쯤은 사야 하지 않겠소? 그러지 않고는 살아갈 수가 없단 말이야. 관리인 녀석이 물리는 벌금 때문에 살 수가 없어."

두 사람은 어떻게 하면 땅을 살 수 있을지 의논했다. 그들에게는 모아 둔 100루블이 있었다. 그래서 망아지 한 마리와

벌꿀을 팔아 선금을 받고 아들은 머슴살이를 보
내고, 동서에게서 빚을 내어 겨우 땅값의 반
을 모았다. 그런 다음 바흠은 조그만 숲이
있는 15데샤티나의 땅을 보아 놓고 여지주를 찾
아가 가격을 흥정하고 계약금을 치렀다. 그리고 도시에 나
가 매매 소속을 끝냈는데 돈은 반액만 지불하고, 나머지는
이 년 안에 치르기로 했다.

이렇게 해서 바흠은 땅 주인이 되었다. 바흠은 씨앗을 빌
어서 사들인 땅에다 농사를 지었다. 농사는 잘 되었다. 일
년 만에 그는 여지주에게도 동서에게도 빚을 갚을 수가 있
었다. 바흠은 마침내 진짜 지주가 되었다. 자기 땅을 경작해
서 씨를 뿌리고, 자기의 목초지에서 꼴을 베고, 자기 땅에서
땔감을 만들고, 자기 땅에서 가축을 길렀다.

바흠은 영원히 자기 소유가 된 밭을 갈러 나가거나 경작
물이나 목초지의 상태를 돌아보러 나갈 때마다 기쁨으로 뿌
듯해졌다. 거기 가면, 풀도 꽃도 다른 집 것과는 다르게 느
껴졌다. 전에도 곧잘 지나다녔던 그 땅이 틀림없었으나, 지
금은 아주 특별한 땅으로 생각되는 것이었다.

3

이렇게 바흠은 즐거운 나날을 보내고 있었다. 만약 마을 사람들이 그의 농작물이나 목초지를 망치지만 않았더라도 모든 것이 더할 나위 없이 잘되었을 것이다. 소에 꼴을 먹이러 나온 사람이 그의 목초지에 소를 몰아넣기도 하고, 말을 풀어놓아 밭을 짓밟아 놓기도 하는 것이었다. 이럴 때면 그는 소나 말의 주인에게 진지하게 부탁도 해 보았지만 도무지 효과가 없었다. 처음에 바흠은 그것을 내쫓기만 하고, 너그럽게 넘겼을 뿐 단 한 번도 법에 호소하는 일이 없었다. 그러나 참다 지쳐 버린 그는 마침내 재판소에 고발을 했다. 원래 사람들이 그런 짓을 하는 건 땅이 좁아서지, 마음이 나빠서 그러는 게 아니라는 것은 잘 알고는 있었지만, 또 한편으로는 이런 생각도 들었다.

'그렇다고 이대로 내버려 둘 수는 없지. 그러다가는 내가 망하겠는 걸. 혼을 좀 내 줄 필요가 있어.'

그는 재판을 걸어서 사람들에게 벌금을 받아 냈다. 그래서 이제는 반대로 사람들이 바흠을 원망하고, 일부러 밭과 목초지를 짓밟기 시작했다. 어떤 사람은 밤중에 숲으로 몰래 들어가 여남은 그루의 보리수나무 껍질을 벗겨 버렸다. 바흠이 숲속을 지나가다 보니 무언가 허연 것이 눈에 띄었다. 가까이 가 보니 껍질이 벗겨진 어린 보리수나무가 잔뜩 어질러져 있었고, 둥치가 잘린 그루터기가 여기저기 남아 있었다.

'베려면 숲 가장자리의 것이나 베든지. 한 그루 정도라도 남겨 두었으면 좋았을 텐데……'

바흠은 화가 치밀었다.

'나쁜 놈들 같으니. 이놈들을 찾아내서 단단히 혼을 내 줘야지.'

그는 누구의 소행일까 곰곰이 생각해 보았다. 그리고 아무래도 쇼무카의 짓이 틀림없다고 단정하고는 곧장 쇼무카의 집으로 찾아갔으나 말다툼만 했을 뿐 아무것도 얻은 것이 없었다. 그래서 바흠은 더욱더 쇼무카의 짓이 틀림없다고 믿게 되었다. 바흠은 쇼무카를 고발했고, 두 사람은 법정에 서게 되었다. 수차 취조가 있었으나 증거가 없었기 때문에 쇼무카는 무죄가 되었다. 그래서 바흠은 약이 올라 촌장과 재판관에게까지 행패를 부렸다.

"당신들은 도둑 편을 드는 거요? 만약 당신네들이 올바른 생활을 하고 있다면 도둑을 용서하지는 않을 겁니다."

바흠은 재판관과 이웃 사람들을 상대로 싸움을 벌였다. 마을 사람들은 집에 불을 지르겠다고 그를 위협했다. 이렇게 하여 바흠은 땅은 넓게 가졌으나 좁은 세상에서 살아가

게 되었다. 그때 농민들이 새로운 고장으로 옮기려 한다는 소문이 났다. 바흠은 생각했다.

'나야 내 땅을 떠나야 할 이유가 없지. 더구나 이 근방 사람들이 떠난다고 하면, 이곳 땅도 좀더 넓어지겠지. 그러면 나는 땅을 사서 이 부근 일대를 내 것으로 만들어야지. 그렇게 되면 살기가 좀더 좋아질 거야. 아무래도 지금 상태로는 좀 좁단 말이야.'

어느 날 바흠이 집에 있을 때 길 가던 나그네 한 사람이 들렀다. 집안사람들이 그 나그네에게 음식을 대접했다. 이런저런 이야기를 하다가 어디서 왔느냐고 묻자 나그네는 아래쪽, 볼가 너머에서 왔으며 거기서 일을 하고 있다고 대답했다. 나그네는 그곳으로 숱한 사람들이 이주해 간다고 떠듬떠듬 말했다. 그들이 그곳에 이주하면 마을의 조합에 가입되어 일인당 10데샤티나씩의 땅을 얻을 수 있다고 했다. 그리고 이런 이야기까지 들려주었다.

"그 땅이 또 어찌나 비옥한지 밀농사를 지으면 그 키가 말이 보이지 않을 정도로 잘 자라고, 밀 다섯 줌이 한 다발이 되어 버리지요. 어떤 사람은 아무것도 없이 빈손으로 왔었는데 지금은 말 여섯 필과 암소를 두 마리나 가지게 되었답니다."

바흠은 흥분하여 말했다.

"그렇게 잘살 수 있는 곳이 있다면, 이런 좁은 데서 고생스럽게 살 필요가 없지. 이따위 집은 팔아 버리고 거기 가서 집을 짓고 한번 잘 살아 보자. 이렇게 좁은 데에만 있다가는 평생 죄만 짓고 말 테니. 아무튼 내가 가서 직접 보고 와야지."

여름이 되자 바흠은 채비를 하여 길을 떠났다. 사마라까지 볼가 강으로 해서 기선을 타고 내려갔고, 그 다음부터는 걸어서 400베르스타(1베르스타는 약 3,500피트 — 역주)가량 갔다. 이윽고 목적지에 이르렀다. 모든 것이 듣던 대로였다. 농민들은 일인당 10데샤티나의 땅을 배당받아 여유롭게 지내고 있었다. 그리고 누구든지 기꺼이 조합에 가입시켜 주었다. 뿐만 아니라 돈이 있는 사람은 배당받은 땅 이외에도 제일 좋은 땅을 필요한 만큼 3루블의 가격으로 살 수 있었다.

가을이 채 되기도 전에 알고 싶은 것을 모두 알아 가지고 돌아온 바흠은 전 재산을 팔기 시작했다. 땅은 꽤 비싸게 팔렸다. 집도 가축도 모두 팔렸다. 그는 마을의 조합에서 탈퇴하고, 봄이 되기를 기다렸다가 가족을 데리고 새 고장으로 옮겨 갔다.

4

바흠은 가족을 데리고 새 고장에 이르자, 곧 큰 마을의 조합에 가입했다. 마을의 노인들에게 술을 대접하고 필요한 서류를 모두 갖추었다. 바흠은 마을에 이주할 것이 허락되어 다섯 명의 가족에 대해 50데샤티나의 땅과 목장을 배당받았다. 바흠은 집을 짓고 가축도 키웠다. 그 땅은 이제까지 가졌던 것의 세 배나 되었고, 또 아주 비옥했다. 생활도 전에 비해 열 배나 나아졌다. 경작지와 목초지는 마음대로 얻을 수 있었고, 가축도 얼마든지 키울 수 있었다.

처음 집을 짓고 가축을 늘리고 하는 동안은 바흠도 더할 나위 없이 만족했으나, 점점 이 땅도 좁다는 생각이 들었다. 첫해에 바흠은 밭에 밀을 갈았다. 생각보다 잘 되었다. 그는 밀농사를 더 짓고 싶었으나 배당된 땅이 모자랐다. 남은 땅은 밀농사에 적당치가 않았다. 이 지방에서는 밀을 억새밭이나 묵힌 땅에 심지 않으면 안 되었다. 일 년이나 이 년쯤 밀농사를 짓고 나면, 또다시 풀이 날 때까지 묵혀 두어야 했다. 하지만 그런 땅은 원하는 사람이 많았기 때문에 아무래도 모자라기가 일쑤였다. 따라서 여기서도 다툼이 벌어졌다. 돈이 있는 사람은 그 땅을 갖고 싶어했고, 가난한 사람들은 도조를 받고 상인들에게 땅을 빌려 주었다.

바흠은 좀더 많은 밀농사를 짓고 싶었다. 그래서 이듬해에는 상인에게 가서 일 년간 땅을 빌렸다. 그리하여 지난해보다도 더 많이 갈았는데 그것이 풍작이 되었다. 하지만 그곳은 마을에서 멀리 떨어져 있어 15베르스타나 운반해야만 했다. 그런데 그곳에서는 상업을 겸한 농민이 별장을 가지고 부유하게 살고 있었다.

'별장을 가질 수 있다면 얼마나 좋을까? 그렇게 되면 모든 것이 만족스러울 텐데…….'

그리하여 바흠은 어떻게 해서든지 자기 소유로 하기 위해 땅을 더 사고 싶어했다. 바흠은 이렇게 하여 3년의 세월을 보냈다. 밀농사는 해마다 풍작이 되어 돈도 많이 모았다. 생활은 이것으로 충분했다. 하지만 바흠은 매년 땅을 빌리기 위해 안달을 해야 하는 일이 귀찮게 느껴졌다. 어디 좋은 땅이 있기만 하면, 사람들이 당장 달려가 빌리기 때문에 어물어물하다가는 농사도 못 짓게 되는 것이었다. 3년 만에 그는 어떤 상인과 동업으로 마을 사람에게 목장을 빌려 쟁기질을 완전히 끝내 놓았는데, 사람들이 재판을 벌이는 바람에 모처럼의 노력이 허사가 되고 말았다. 그는 생각했다.

'만약 이것이 내 땅이었다면 누구에게 머리

숙일 필요도 없고, 귀찮은 일도 없을 텐데……'

그래서 바흠은 영원히 자기 것으로 살 수 있는 땅이 없을까 물색하기 시작했다. 그러다가 한 사람을 발견했다. 그 사람은 파산을 해서 가지고 있던 600데샤티나의 땅을, 싸게 판다는 것이었다. 바흠은 그 사람과 여러 번 교섭한 끝에 반액은 나중에 준다는 조건으로 1,500루블에 흥정이 되었다. 이야기가 거의 결정됐을 무렵에 한 상인이 밥을 얻어먹기 위해 바흠네 집에 들렀다. 두 사람은 차를 마시면서 이런저런 이야기를 했다. 상인은 멀리 바시키르에서 왔다고 했다. 그는 바시키르 사람에게서 5,000데샤티나의 땅을 불과 1,000루블에 샀다는 것이었다. 바흠이 값이 너무 싼 게 이상하여 이것저것 물어보았다.

"그저 노인들의 비위만 잘 맞춰 주면 됩니다. 나는 사람들에게 술을 대접해 주었지요. 그 덕분에 1데샤티나에 20코페이카라는 헐값으로 샀지 뭡니까?"

상인은 이렇게 말하며 땅문서를 보여 주었다.

"또 그 땅은 모두 내를 끼고 있어서 억새풀이 나 있는 평원이랍니다."

바흠은 다시 여러 가지를 자세히 캐물었다.

"그 땅은 일 년을 걸어도 아마 다 돌지 못할 거예요. 그것이 모두 바시키르 사람들 땅이지요. 그곳 사람들은 양같이 순해서 공짜나 다름없이 살 수 있어요."

바흠은 생각했다.

'가만 있자, 그렇다면 땅을 사느라 빚을 내야 하는 어리석은 짓을 뭣 때문에 한담? 그곳에만 가면 1,000루블을 갖고도 얼마든지 많은 땅을 살 수 있을 텐데…….'

바흠은 그곳으로 가는 길을 자세히 물었다. 그리고 상인이 가고 난 다음, 곧 길을 떠날 채비를 했다. 그는 아내를 남겨 놓고 하인 한 사람을 데리고 떠났다. 그는 가다가 읍에 들러서 상인이 말한 대로 차 한 상자와 선물과 술을 샀다. 그리고 약 500베르스타쯤 갔다. 일주일 만에 그는 바시키르의 유목지에 이르렀다. 모두가 상인이 말한 그대로였다. 사람들은 내를 낀 초원에서 양털로 만든 텐트 수레에 살고 있었다. 그들은 경작도 하지 않고, 곡식도 먹지 않았다. 초원에는 가축과 말이 떼를 지어 돌아다니고 있었다. 망아지는 수레 뒤에 매어져 있었고, 그곳에 하루 두 번씩 어미 말이

가도록 되어 있었다. 여자들은 암말의 젖을 짜서 그것을 휘저어 치즈를 만들었다. 남자들은 그저 술과 차를 마시고, 양고기를 먹으며 피리나 불 따름이었다. 모두들 통통하고 쾌활하며 여름에는 놀기만 했다. 그들은 러시아어를 할 줄 몰랐으나 너그럽고 친절했다.

바흠의 모습을 보자 바시키르인의 텐트 수레에서 사람들이 우르르 몰려나와 그를 에워쌌다. 바흠은 통역하는 사람을 찾아 땅을 사러 왔다고 말했다. 바시키르인은 반가워하며 바흠을 얼싸안고 제일 좋은 텐트 수레로 안내했다. 그리고는 양탄자 위에 깃털 방석을 깔아 앉게 하고, 자기들은 그주위에 빙 둘러앉았다. 그들은 차와 술을 내오고 양고기 요리도 대접해 주었다. 바흠은 여행 마차에서 선물을 꺼내 그들에게 나누어 주었다. 바시키르 사람들은 무척 기뻐했다. 그리고 자기들끼리 소곤소곤하다가 통역을 시켜 이렇게 말하게 했다.

"이분들이 말하기로는 '우리는 모두 당신이 아주 마음에 들었습니다. 그래서 우리들의 관습에 따라 선물에 대한 답례를 무엇으로라도 하고 싶습니다. 당신이 우리에게 여러 가지 물건을 주셨으니 우리가 가진 것 중에서 무엇이든지 좋은 것을 드리겠습니다. 그렇게 아시고 말씀해 주십시오'라고 말하는군요."

"내가 바라는 것은……."

바흠은 말했다.

"당신네들의 땅입니다. 우리 고장은 땅이 좁은데다 너무 오랫동안 경작해서 토질이 나빠졌는데 이곳은 땅이 많을 뿐더러 모두 기름지군요. 이렇게 좋은 땅을 나는 아직 본 적이 없습니다."

통역이 그 말을 전했다. 바시키르인들은 다시 의논을 했다. 바흠은 그들의 말을 알아들을 수는 없었으나 눈치로 미루어 아주 유쾌한 듯 줄곧 떠들며 웃고들 있었다. 이윽고 조용해지더니 모두들 바흠을 보았다. 그리고 통역이 말을 시작했다.

"모두들 말하기를 당신의 친절에 대해 이 사람들은 필요한 만큼의 땅을 기꺼이 드리겠다는 것입니다. 그러니까 손짓으로 얼마만큼이라고 말씀하십시오. 그만큼 드리겠다니까요."

그들은 또다시 의논을 하다가 옥신각신 다투기 시작했다. 바흠은 무엇을 다투고 있느냐고 물었다. 그러자 통역이 대답했다.

"실은 땅에 관한 문제라면 촌장에게 물어볼 필요가 있으니 우리끼리 정해서는 안 된다는 사람도 있고, 그럴 필요가 없다는 사람도 있어서 그렇습니다."

이렇게 바시키르 사람들이 옥신각신하고 있는 사이에 여우 가죽 모자를 쓴 사람이 불쑥 들어왔다. 모두들 입을 다물고 일어섰다. 통역이 말했다.

"이분이 바로 촌장 어른입니다."

바흠은 얼른 일어나 제일 좋은 옷 한 벌과 다섯 근짜리 차 상자를 촌장에게 내놓았다. 촌장은 그것을 받아들고 맨 윗자리에 앉았다. 바시키르 사람들이 그에게 무엇인가 이야기를 했다. 촌장은 고개를 한 번 크게 끄덕여서 그들의 말을 중지시키고 바흠에게 러시아어로 말했다.

"좋습니다. 마음에 드시는 곳을 가지십시오. 땅은 얼마든지 있으니까요."

바흠은 생각했다.

'필요한 만큼 가지라지만, 어떻게 가져야 한담? 아무튼 계약만은 단단히 해 놓을 필요가 있어. 줘 놓고 나중에 도로 내놓으라고 할지도 모르니까.'

"친절하신 말씀 감사합니다."

그가 말했다.

"말씀대로 이곳에는 땅이 많습니다만, 나는 조금만 있으면 됩니다. 나는 다만 어느 만큼이 내 소유인지만 알면 됩니다. 하여간 일단 측량을 해서 그 점을 분명히 해 둘 필요가 있다고 생각합니다. 사람이란 언제 죽을지 모르니까요. 당신들이 친절해서 나에게 땅을 주셨더라도 당신네 아들 대에 가서 도로 빼앗길지 모르는 일 아니겠습니까?"

"옳은 말씀이오. 규칙대로 합시다."

촌장이 말했다. 그래서 바흠은 말했다.

"들으니 이곳에 상인 한 사람이 왔었다고 하는데, 당신네들은 그 사람에게 땅을 주고 문서를 작성하셨더군요. 나에게도 그렇게 해 주셨으면 좋겠습니다."

촌장은 승낙했다.

"그런 것쯤이야 어렵지 않아요."

그는 말했다.

"우리 고장에도 서기가 있으니 함께 읍으로 나가서 정식 수속을 밟읍시다."

"한데, 값은 어느 정도로 하면 될까요?"

바흠이 말했다.

"우리 고장에서는 값이 균일합니다. 하루치에 1,000루블이오."

바흠은 납득이 가지 않았다.

"그렇다면, 하루치란 어떤 방법으로 재는 건가요? 그게 몇 데샤티나가량 됩니까?"

"우리 고장에서는 그런 식으로 측량할 줄은 모릅니다."

촌장은 말했다.

"항상 하루치에 얼마로 팔고 있지요. 말하자면 그 사람이 하루 종일 걸은 만큼의 땅을 드리는 거죠. 그래서 하루치가 1,000루블이라는 겁니다."

바흠은 놀랐다.

"하루 종일 걸으면 상당한 면적이 되겠는데요."

촌장은 웃으며 말했다.

"네, 그게 모두 당신 것이 됩니다. 다만 한 가지 조건이 있습니다. 만약 하루 안에 출발점까지 돌아오지 못하면, 그건 무효가 됩니다."

"그렇다면 내가 돌아다닌 곳을 어떻게 표시하지요?"

"우리는 어디든지 당신이 원하시는 곳으로 함께 갑니다. 그리고 거기 서 있을 테니 당신은 그곳을 출발해서 빙 돌아오시면 됩니다. 그때 당신은 괭이를 들고 가서서 어디든지 필요한 곳에 표시를 해 두십시오. 즉 조그맣게 구덩이를 파서 그 속에 나무나 풀을 꽂아 두십시오. 나중에 각 구덩이들을 잇는 선을 쟁기로 갈아엎으면 될 테니까요. 어떻게 돌든 상관없지만, 꼭 해가 떨어지기 전에 출발점까지 돌아오셔야만 합니다. 그러면 당신이 돌아오신 땅은 모두 당신 것이 됩니다."

바흠은 기뻤다. 그들은 아침 일찍 출발하기로 약속했다. 그리고 나서는 이야기를 하며 술도 마시고 양고기도 먹고 차도 마시며 밤이 이슥하도록 즐겼다. 이윽고 그들은 바흠에게 깃털 이불을 주고 각자 자기 수레로 돌아갔다.

7

바흠은 깃털 이불을 덮고 누웠으나 통 잠을 이룰 수가 없었다. 줄곧 땅만 생각하고 있었다. 어떻게 해서든지 땅을 크게 차지할 궁리를 하고 있었다.

'하루 종일 걷는 것이 50베르스타라고 하면 면적이 어느 정도나 될까? 그중 나쁜 곳은 팔든가 빌려주면 된다. 그리고 난 좋은 곳에 정착하면 된다. 쟁기를 끌 암소 두 필에, 머슴을 두 사람 고용하여 50데샤티나 정도만 경작하고 나머지 땅에서는 목축을 하기로 하자.'

바흠은 이런 생각을 하면서 뜬눈으로 밤을 지새웠다. 그러다가 새벽녘에야 겨우 잠이 들었다. 그는 눈을 감자마자 꿈을 꾸었다. 꿈속에서 그는 자신이 자고 있는 수레 속에 누워서 귀를 기울이고 있는 참이었다. 밖에서 누군가가 소리 내어 웃고 있었다. 그는 누가 웃고 있는지 알고 싶었다. 그래서 수레 밖으로 나가 보니 바시키르의 촌장이 수레 앞에 앉아 두 손으로 배를 안고 몸을 흔들며 웃어 대고 있다. 그는 촌장 곁으로 가서 물어보았다.

"뭘 그렇게 웃고 계십니까?"

하지만 다시 보니 그는 바시키르의 촌장이 아니고, 그를 이곳으로 오게 한 상인이었다. 그래서 가까이 다가가 "언제 이리로 왔소?" 하고 물으려 하자 어느 새 그는 전에 볼가 강 너머에서 왔던 그 농부로 변했다. 그런데 자세히 보니 그건 농부도 아니고, 뿔과 발톱이 있는 악마가 배를 안고 웃고 있는 모습이었다. 그리고 그 앞에는 내의 바람에 맨발인 한 남자가 쓰러져 있었다. 바흠은 가까이 가서 찬찬히 살펴보았다. 그런데 그 남자는 이미 죽어 있었고, 그것은 바로 자기 자신이었다. 바흠은 깜짝 놀라 눈을 번쩍 떴다.

"뭐야, 꿈이었군!"

바흠은 주위를 두리번거리다가 열린 문 쪽을 보니 밖은 이미 동이 터 오고 있었다. 떠날 시간이 됐으니 모두들 깨워야겠다고 그는 생각했다. 바흠은 곧 일어나 여행 마차에서 자고 있는 하인을 깨워 말을 매게 하고 바시키르인들을 깨우러 갔다.

"시간이 되었습니다. 초원에 나가 땅을 측량해야지요."

바시키르인들도 일어나서 모두 모였다. 잠시 후 촌장이 왔다. 바시키르인들은 우유로 만든 술을 마시기 시작했다. 바흠에게도 차를 대접했으나 그는 사양했다.

"어서 출발합시다. 시간이 다 되었으니까요."

바시키르인들은 준비를 마친 후 어떤 사람은 말을 타고 어떤 사람은 마차를 타고 출발했다. 바흠은 하인과 함께 자기 마차를 탔다. 초원에 이르니 날이 훤히 밝았다. 바시키르어로 시항이라는 언덕에 당도하자, 그들은 마차에서 내려 한데 모였다. 촌장이 바흠 곁으로 와서 한 손을 들어 가리키며 말했다.

"보다시피 이 넓은 땅이 모두 우리 땅입니다. 마음에 드시는 곳을 택하십시오."

바흠의 눈이 이글이글 타올랐다. 눈앞에 아득히 펼쳐진

땅은 억새풀 초원으로 손바닥같이 평평하고 양귀비같이 검었으며, 조금 패인 곳에는 여러 가지 잡초가 사람 키만큼이나 자라 있었다. 촌장은 여우 가죽 모자를 벗어서 그것을 땅에 놓았다.

"그러면 이곳을 출발점으로 하지요. 자, 여기서 출발해 주십시오. 그리고 이곳으로 돌아오십시오. 돌아서 오신 만큼이 당신의 땅이 됩니다."

바흠은 돈을 꺼내어 모자 속에다 집어 넣고, 겉옷을 벗어 조끼 바람이 되자 가죽 띠를 단단히 매고, 빵 주머니를 품속에 넣고 물병도 가죽 띠에 매달았다. 그리고는 장화를 단단히 신고 하인이 들고 있던 괭이를 받아든 다음 출발 준비를 했다. 그는 어느 쪽으로 나갈까 잠시 생각했다. 어디를 보아도 훌륭한 땅이었기 때문이었다. 생각 끝에 그는 해가 돋는 쪽을 향해 가기로 했다. 이리하여 그는 동쪽을 향해 서서 제자리걸음을 하며 하늘 저쪽에서 해가 떠오르기를 기다렸다.

'일 분도 허비해서는 안 되지. 조금이라도 시원할 동안에 걷는 것이 편할 거야.'

하늘 끝에서 해가 얼굴을 내밀기가 무섭게 바흠은 괭이를 어깨에 메고 초원을 향해 걷기 시작했다. 바흠은 느리지도 빠르지도 않게 걸었다. 1베르스타쯤 가다가 걸음을 멈추고 구덩이를 파서 눈에 잘 띄도록 잔디를 여러 덩이 묻어 놓았다. 그리고는 또 걸어갔다. 걷기 시작하니 걸음이 절로 빨라졌다.

바흠은 뒤를 돌아보았다. 햇빛을 받은 언덕은 물론 그 위의 사람들까지 선명하게 보였으며 여행 마차의 쇠바퀴가 눈부시게 반짝이고 있었다. 바흠은 이제 5베르스타쯤 걸었을 거라고 생각했다. 차차 더워져서 조끼를 벗어 어깨에 걸치고 걸었다. 점점 더워졌다. 해를 보니 벌써 아침 시간이었다.

'이제 한 구덩이가 끝난 셈이구나. 한데 하루에 네 군데 구덩이를 파게 되어 있으니 아직 구부러지기에는 빠르겠지. 그리고 장화는 벗기로 하자.'

그는 앉아서 장화를 벗은 후 띠에다 차고 또다시 걷기 시작했다. 그러다가 생각했다.

'여기서 5베르스타만 더 걷자. 그리고 왼쪽으로 구부러지기로 하자. 땅이 너무 좋아서 단념하기가 아까운 걸. 가면 갈수록 더 좋으니.'

그는 계속 곧바로 걸어갔다. 뒤를 돌아보니 언덕은 이미 아득히 멀어져 사람들은 개미처럼 아물아물했고, 무엇인가 반짝거리는 것도 겨우 짐작할 수 있을 정도였다.

'이만하면 이쪽은 충분히 잡았다. 이제는 구부러져야겠다. 땀을 흘렸더니 목이 타는군.'

그는 이렇게 생각하고 멈추어 서서 되도록 큼직하게 구덩이를 파고 거기에 잔디를 묻었다. 그리고는 물통을 집어 들고 물을 듬뿍 마신 다음 거기서 곧바로 왼쪽으로 구부러졌다. 또다시 걷기 시작했으나 갈수록 풀의 키가 높아져 몹시 더웠다. 바흠은 피로를 느끼기 시작했다. 하늘을 쳐다보니 바로 한낮이었다.

'자아, 이쯤에서 한숨 돌리자.'

바흠은 걸음을 멈추고 앉았다. 물을 마셔 가며 빵을 먹었을 뿐 눕지는 않았다. 또 걷기 시작했다. 처음에는 수월하게 걸을 수 있었다. 금방 빵을 먹었기 때문에 기운이 났던 것이다. 그러나 더위는 점점 심해지고 졸음이 쏟아졌다. 그래도 그는 꾹 참고 걸으며 한 시간의 인내가 일생의 덕이 되는 거라고 생각했다. 그는 한 번 구부러지고도 상당히 멀리 걸었다. 그래서 다시 왼쪽으로 구부러지려는데 가까이에 촉촉한 분지가 있었다.

'이걸 그대로 버리기엔 아까운데, 저기라면 아마가 잘 될 거야.'

그리하여 다시 곧장 걸었다. 분지를 차지하고 나자 그 너머에 구덩이를 파고 두 번째 모퉁이를 만들었다. 바흠은 언덕 쪽을 돌아다보았다. 더위 때문에 모든 것이 아물아물한 대기 속에서 언덕 위의 사람들도 아련하게 보였다.

'자아, 두 쪽은 이렇게 길게 잡았으니 이번에는 좀 짧게 잡아야겠는 걸.'

세 번째로 접어들자 그는 걸음을 빨리 했다. 해를 보니 이미 오후도 한나절이 지나 있었다. 그런데 세 번째 모퉁이에서는 겨우 2베르스타밖에 못 왔고, 출발 지점까지는 족히 15베르스타는 남아 있었다.

'안 되겠다. 비록 수풀은 구부러졌지만, 이젠 돌아가야겠다. 더 이상 탐내지 말고 서둘러야겠어. 땅은 충분해.'

바흠은 급히 구덩이를 파고는 거기서 곧장 언덕 쪽을 향했다.

바흠은 언덕 쪽을 향해 걸었으나 차차 괴로워지기 시작했다. 몸은 땀투성이에, 구두를 벗은 발은 찢기고 베여 상처투성이가 되어 제대로 걸을 수가 없었다. 쉬고 싶었지만 그럴 수도 없었다. 해가 지기 전에 도착할 수 없을 것 같았기 때문이다. 해는 사정없이 넘어갔다.

'아아, 실패한 게 아닌지 모르겠어. 너무 욕심을 낸 게 아닐까? 만약 늦으면 어떡한담.'

그는 언덕과 해를 번갈아 쳐다보았다. 출발점까지는 아직도 멀었는데, 해는 이제 막 지려 하고 있었다. 바흠은 걸음을 재촉했다. 그는 몹시 괴로웠으나 쉴 새 없이 걸었다. 그러나 가도 가도 길은 멀었다. 마침내 그는 뛰기 시작했다. 조끼도 장화도 물통도 모자도 내팽개치고, 괭이만을 들고 그것을 지팡이 삼아 뛰었다.

'아아, 내가 욕심이 지나쳤어. 이제 다 끝났다. 해 떨어지기 전에 도착하지 못할 것 같아.'

그는 두려운 생각으로 숨이 막혀 왔다. 바흠은 무작정 달렸다. 땀에 젖은 내의는 몸에 찰싹 달라붙고 입은 바싹 말라 버렸다. 가슴은 대장간 풀무처럼 펄럭거렸고, 심장은 망치질을 하듯이 뚝딱거렸다. 다리는 남의 다리처럼 휘청거렸다. 이러다가 죽지는 않을까 하는 무서운 생각마저 들었다. 죽는 것은 무섭지만, 그렇다고 멈춰 설 수는 없었다.

'이렇게 고생스럽게 뛰어왔는데. 여기까지 와서 그만둔다면 바보 소릴 듣겠지.'

그가 달리고 달려서 겨우 언덕 가까이까지 왔을 때 바시키르 사람들이 그를 향해 질러 대는 날카로운 고함소리가 들려왔다. 이 외침 소리 때문에 그의 심장은 한층 더 열이 올랐다. 바흠은 최선을 다해 달리고 있었는데, 해는 이미 지평선 가까이 저녁놀 속으로 떨어져 가느라 새빨간 큰 공처럼 보였다. 드디어 넘어가는 것이었다. 해는 점점 떨어지고 있었다. 출발점까지도 얼마 남지 않았다. 바흠은 언덕 위에 서 있는 사람들, 그를 향해 손을 흔들며 그를 재촉하고 있는 사람들을 보았다. 땅 위에 놓인 여우가죽 모자 속의 돈까지도 보였다. 그리고 촌장은 땅바닥에 앉아 두 손으로 배를 움켜잡고 있었다. 그러자 바흠은 꿈 생각이 났다.

'땅을 많이 차지했지만, 하느님이 거기서 살게 해 주실까? 아아, 나는 나를 망쳤다! 도저히 달려갈 수가 없어.'

바흠은 해를 보았다. 그것은 이미 땅에 닿아 있어서 한쪽 끝은 가라앉고 다른쪽 끝은 아치형으로 되어 있었다. 바흠은 마지막 힘을 쥐어짜서 몸을 앞으로 기울이고 발을 이끌며 겨우 몸을 지탱했다. 그래도 바흠은 가까스로 언덕 밑까지 이르렀다. 갑자기 주위가 어두워졌다. 서쪽을 보니 해가 지고 말았다. 바흠은 깜짝 놀랐다.

'아, 내 고생도 허사가 되었구나.'

이렇게 생각한 바흠은 발을 멈추려고 하는데 바시키르인들이 쉴 새 없이 고함을 질러 대고 있었다. 그러자 퍼뜩 언덕 밑에 있는 그에게는 해가 진 것 같지만, 언덕 위에서는 아직 지지 않았는지도 모른다는 생각이 들었다. 바흠은 용기를 내어 언덕으로 달려 올라갔다. 언덕 위는 아직 밝았다. 바흠은 올라가자마자 모자를 보았다. 모자 앞에는 촌장이 앉아서 두 손으로 배를 잡

고 큰 소리로 웃어 대고 있었다. 바흠은 꿈 생각이 나 깜짝 놀랐다. 그는 다리가 떨어지지 않아 그만 쓰러지고 말았다. 하지만 쓰러지면서도 두 손으로 모자를 움켜쥐었다.

"허어, 장하구려! 땅을 완전히 잡으셨소!"

촌장이 소리쳤다. 바흠의 머슴이 달려가서 그를 부축해 일으키려고 했으나 그의 입에서 피가 쏟아져 나왔다. 그렇게 쓰러져 죽고 말았던 것이다. 하인은 괭이를 집어 들고, 바흠의 무덤으로 머리에서 발끝까지의 치수대로 정확하게 3 아르신(1아르신은 약 70센티미터 — 역주)을 팠다. 그것이 그가 차지할 수 있었던 땅의 전부였다.

대자(代子)

어느 가난한 농가에 아들이 태어났다. 농부는 크게 기뻐하며 이웃집에 가서 아들의 이름을 지어 달라고 부탁했다. 그런데 이웃집에서는 거절했다. 가난한 농가 자식의 대부나 대모가 되는 것이 싫었던 것이다. 가난한 농부는 다른 집으로 가 보았으나 역시 거절당했다. 온 마을을 돌아다녔지만, 이름을 지어 주려고 하는 사람은 아무도 없었다. 그래서 농부는 이웃 마을을 향해 떠났다. 그때 저쪽에서 한 나그네가 오고 있었다. 나그네는 그를 보더니 발길을 멈추고 인사했다.

"안녕하시오? 그래, 어딜 그렇게 가시오?"

"네, 사실은 하느님께서 제게 보배를 주셨죠. 어린아이란

젊어서는 즐거움이 되고, 나이 먹어서는 의지가 되며 죽어
서는 연미사를 올려 주게 되는데, 가난하다 보니까 우리 아
들놈에게는 아무도 이름을 지어 주려고 하지 않는군요. 그
래서 이름 지어 줄 분을 찾아가는 길이지요."

그러자 나그네가 말했다.

"내가 대부가 되면 어떻겠소?"

농부는 크게 기뻐하며 말했다.

"그러면 대모는 누구를 하면 좋을까요?"

"대모는 장사꾼의 딸에게 부탁해 보시오. 시내에 나가면
광장에 가게를 몇 채 가진 돌집이 있을 거요. 그 가게 입구
에서 상인을 불러 딸을 대모로 해 달라고 부탁하시오."

농부는 의아스럽게 생각했다.

"여보시오, 손님. 나 같은 농군이 어떻게 부자 상인을 불
러낼 수 있겠습니까? 아마도 나를 우습게 여기고 딸을 보내
주지 않을 겁니다."

"그런 걱정은 하지 않아도 좋아요. 가서 부탁만 하면 될
터이니 내일 아침나절에 모두 준비해 두시오.
내가 가서 영세를 해 주리다."

가난한 농부는 집에 돌아갔다가 시내의 상인을
찾아갔다. 그가 안마당으로 들어가 말을 매고 있는데
가게 주인이 나왔다.

"무슨 볼일이오?"

"실은 다름이 아니오라 주인님, 하느님께서 이 사람에게 아들 하나를 점지해 주셨습니다. 아들이란 젊어서는 즐거움이 되고, 나이 먹어서는 의지가 되며 죽어서는 연미사를 올려 주게 되지요. 제발 댁의 따님을 대모로 삼게 해 주십시오."

"그래, 영세는 언제 하는데?"

"내일 아침입니다."

"아아, 좋아요. 돌아가 있어요. 내일 미사를 올리기 전에 딸을 보내 줄 테니."

이튿날 대부와 대모가 될 사람이 모두 왔고 아기는 영세를 받았다. 영세가 끝나자마자 대부는 어디론가 가 버려서 어디 사는 누군지도 모르게 되었다. 그리고 그 뒤로 아무도 그 사람을 보지 못했다.

아기는 커 감에 따라 부모의 즐거움이 되었다. 힘이 세고, 부지런하며 영리한데다 또 온순했다. 이윽고 아들이 열

살이 되어 학교에 보냈는데, 다른 아이들이 오 년 걸려 배우는 것을 이 아이는 일 년 만에 다 깨우쳐 더 이상 배울 것이 없게 되었다. 부활절 축제가 돌아오자 아들은 대모에게 가서 "그리스도는 부활하셨도다"라고 축하 인사를 하고 입을 맞춘 다음 집으로 돌아와서 물었다.

"아버지, 어머니, 제 대부님은 어디 계십니까? 찾아가서 부활절 축하 인사를 드려야 할 텐데요."

그러자 아버지가 말했다.

"귀여운 우리 아가야. 네 대부님이 어디 계신지는 우리도 모른단다. 우리도 늘 그분을 생각하지만, 다시 만날 수가 없구나. 소문을 들은 적도 없고, 어디 계신지도 모르니 살아 계신지조차 모르는 형편이란다."

아들은 부모에게 절하며 말했다.

"아버지, 어머니, 제게 기회를 주세요. 대부님을 찾아가게 말예요. 꼭 찾아가서 부활제 인사를 드리고 싶어요."

양친은 흔쾌히 허락해 주었고 아들은 대부를 찾아 길을 떠났다.

3

아이는 집을 나와 무작정 걸었다. 그리고 반나절쯤 걸었을 때 어떤 나그네를 만났다. 나그네는 발길을 멈추고 물었다.

"애야, 어딜 가니?"

"저는 제 대모님에게 가서 부활제 인사를 드리고 집으로 돌아왔습니다. 그리고 저희 부모님께 대부님은 어디 계시느냐고 여쭈었는데, 어디 계신지, 어떻게 되신지조차 모른다고 하셨습니다. 하지만 저는 대부님을 만나 뵙고 싶어 이렇게 길을 떠난 것입니다."

그러자 나그네가 말했다.

"내가 네 대부란다."

아이는 기뻐하며 대부와 부활절의 입맞춤을 했다.

"대부님, 지금 어디로 가시는 길인가요? 혹시 저희 마을 쪽으로 가실 거면, 저희 집에 들러 주세요. 그렇지 않고 댁으로 돌아가신다면 저도 따라가겠어요."

이 말에 대부는 대답했다.

"나는 지금 너희 집에 들를 틈이 없단다. 이 쪽저쪽 마을에 볼일이 많아서 말이다. 집에는 내일 돌아갈 예정이니 그때 우리 집으로 오려무나."

"어떻게 찾아야 하나요, 대부님?"

"우선 태양이 떠오르는 쪽을 향해 똑바로 걸어라. 그러면 숲이 나온다. 그 숲 한가운데에 널찍한 초원이 눈에 띌 것이다. 그 초원에 앉아 쉬면서 그 근처의 풍경을 둘러보아라. 그런 뒤 숲을 나서면 그곳에 뜰이 있고, 그 뜰에는 금빛 지붕의 궁궐이 있다. 그것이 내 집이다. 그 문 앞까지 오면 내가 마중을 나가마."

대부는 이렇게 말하고는 사라져 버렸다.

아이는 대부가 가르쳐 준 대로 갔다. 한참 걸어가니 숲이 나왔다. 숲속의 넓은 초원에 다다라 문득 바라보니 초원 한복판에 소나무가 한 그루 서 있었는데, 그 소나무에는 새끼줄이 매여 있고, 그 새끼줄에는 무게가 3푸드(1푸드는 약 16.38 킬로그램 — 역주)쯤은 되어 보이는 떡갈나무 등걸이 매달려 있었다. 그리고 나무등걸 밑에는 벌꿀이 든 통이 놓여 있었다. 도대체 이런 곳에다 왜 벌꿀을 놓아 두고 나무등걸을 매달아 놓았을까 생각할 겨를도 없이 숲속에서 버스럭거리는 소리가 났다. 앞을 보니 몇 마리의 곰이 이리 오고 있는 게 아닌가. 암곰이 앞장서고, 그 뒤에 두 살짜리 곰이, 또 그 뒤에는 세 마리의 새끼 곰이 따라왔다.

암곰은 코를 벌름거리더니 통으로 다가갔고, 새끼 곰도 그 뒤를 따랐다. 암곰이 통에 코끝을 처박고 새끼들을 부르자 새끼 곰들도 달려가서 통에 매달렸다.

그때 나무등걸이 살짝 움직이는가 싶더니 금방 제자리로 돌아오면서 새끼 곰을 건드렸다. 암곰은 그것을 보고 앞발로 나무등걸을 밀어젖혔다. 나무등걸은 먼저보다 세게 밀렸다가 돌아오면서 새끼 곰을 쳤다. 등을 얻어맞은 놈도 있고 머리를 맞은 놈도 있었다. 새끼 곰들은 비명을 지르며 흩어졌다. 암곰은 으르렁거리며 두 발로 통나무를 머리 위로 들어 올리면서 힘껏 내던졌다. 나무등걸이 공중으로 높이 튀어 오르자 두 살짜리 곰은 통으로 달려가 머리를 처박고 할짝할짝 꿀을 핥아먹기 시작했다. 다른 새끼 곰들도 다가왔다.

그러나 통 곁으로 다가오기가 무섭게 나무등걸이 다시 원래의 자리로 돌아오면서 두 살짜리 곰의 머리를 세게 때리는 바람에 그 자리에서 즉사하고 말았다. 암곰은 먼저보다 더 무서운 소리로 으르렁거리며 나무등걸을 떡갈나무 가지보다 더 높이 올라가 새끼줄이 늘어질 정도로 내던졌다. 암곰이 통 곁으로 다가가자 새끼 곰들도 따라왔다. 나무등걸이 높이 튀어 올라 잠시 멈췄다가 다시 아래로 내려오기 시작했다. 내려오면 내려올수록 그 힘은 더욱 커지는 법이다. 나무등걸은 무서운 기세로 떨어져 내려오면서 암곰을 덮쳐 머리를 꽈당 때렸다. 암곰은 벌렁 나자빠져 버둥거리다가 숨이 끊어졌다. 새끼 곰들은 걸음아 날 살려라 하고 달아나 버렸다.

아이는 놀라서 앞으로 마구 달려갔다. 이윽고 커다란 뜰이 나왔다. 뜰 가운데에는 금빛 지붕의 궁궐이 자리 잡고 있었다. 문 앞에는 대부가 나와 서서 웃고 있었다. 그는 아이를 안으로 맞아들여 뜰을 구경시켜 주었다. 정원의 아름다

움, 그 속으로 깃들어 있는 평화로움은 이제껏 꿈에서도 보지 못했던 황홀경이었다. 대부는 아이를 궁궐 안으로 데리고 들어갔다. 그곳은 더 훌륭했다. 대부는 이방 저방을 빠짐없이 보여 주었다. 보면 볼수록 훌륭하기만 하여 아이는 더욱더 즐거워졌다. 이윽고 문이 닫힌 방 앞에 이르렀다.

"이 문이 보이겠지?"

대부가 말했다.

"여긴 자물쇠가 없다. 그냥 닫아 놓았을 뿐이다. 그러니까 열 수는 있지만, 열지 않는 편이 좋다. 어디서든 네 마음대로 뛰어다니며 놀아라. 무슨 놀이를 하며 즐겨도 상관없으나 다만 한 가지, 이 방만은 절대 들어가면 안 된다. 알겠느냐? 만약 안으로 들어가는 날엔 너는 아까 숲속에서 본 일을 생각하게 될 것이다."

그렇게 말하고 대부는 가 버렸다. 아이는 홀로 남아 그곳에서 살았다. 그곳은 정말로 즐겁고, 기쁜 일뿐이어서 겨우 두 시간 있었던 것처럼 생각되었으나 실제로 아이는 그곳에서 30년을 살았다. 어느 날 아이는 꽉 닫힌 문 앞으로 다가가 생각했다.

'대부님은 왜 이 방에 들어가서는 안 된다고 하셨을까? 어디 한번 들어가서 뭐가 있는지 봐야겠다.'

문은 한 번 잡아당기니 스르르 열렸다. 아이가 안으로 들어가 보니, 방은 궁궐 안 어느 방보다 크고 훌륭하며 방 한

가운데에는 금으로 장식한 의자가 놓여 있었다. 아이는 방 안을 이리저리 실컷 돌아다니다가 층계를 밟고 올라가 의자에 앉았다. 자리에 앉아서 내려다보니 의자 옆에 홀이 놓여 있었다. 아이가 홀을 손에 잡자마자 갑자기 벽이 사방으로 쫙 열리며 온 세계가 한눈에 보이고, 세상 사람들이 하고 있는 일들을 다 볼 수가 있었다. 정면을 보니 바다가 있고 배가 왕래하는 모습이 보였다. 오른쪽을 바라보니 그리스도교도가 아닌 다른 나라의 사람들이 살고 있고, 왼쪽을 보니 그리스도교도이긴 해도 러시아인이 아닌 사람들이 살고 있다. 마지막으로 뒤를 보니 러시아인들이 사는 동네였다.

'어디 한번 우리 집에서 뭣들을 하고 있나 봐야겠다. 밭에 보리는 잘 영글었는지…….'

자기 집 밭을 보니 보릿단이 잔뜩 쌓여 있다. 얼마나 되나 하고 다발을 세기 시작했는데 얼핏 보니 그 밭 쪽을 향해 달구지 한 대가 오고 있었다. 그리고 그 위에는 농군이 앉아 있었다. 사내아이는 틀림없이 아버지가 밤중에 보릿단을 가지러 온 것이라고 생각했다. 그런데 자세히 보니 그것은 바실리 쿠드랴슈오프라는 도둑이 아닌가. 도둑은 보릿단 쪽으로 다가와 보릿단을 달구지에 싣기 시작했다. 사내아이는 속이 상해서 큰 소리로 외쳤다.

"아버지, 보리를 훔쳐 가요!"

아버지는 한밤중에 잠을 깼다.

"보릿단을 훔쳐 가는 꿈을 꾸다니, 어디 한번 가 봐야지."

밭에 가 보니 실제로 바실리가 보릿단을 훔치고 있었다. 아버지는 커다란 소리로 이웃 농군들을 불렀다. 그리하여 바실리는 붙잡혀 감옥으로 보내졌다.

다음에 아이는 대모가 살고 있는 거리 쪽을 바라보았다. 대모는 어떤 상인의 아내가 되어 있었다. 대모는 마침 잠을 자고 있는 중이었다. 그러자 남편은 살그머니 일어나 정부에게 가려고 했다. 아이는 대모에게 커다란 소리로 가르쳐 주었다.

"일어나세요. 주인아저씨가 나쁜 짓을 하려고 해요."

대모는 벌떡 일어나 옷을 갈아입고 남편의 정부가 사는 집으로 달려가 한껏 망신을 준 뒤에 정부를 마구 때리고 남편을 몰아냈다.

그리고 다시 아이는 자기 어머니를 찾아보았다. 어머니는 집에서 자고 있었는데, 도둑이 들어와 옷궤의 자물쇠를 부수고 있는 중이었다. 어머니는 잠이 깨어 큰 소리로 외쳤다. 도둑은 도끼를 꺼내 덤벼들더니 당장 어머니를 죽이려고 했다. 아이는 참을 수 없어 홀을 도둑에게 던졌다. 이마 관자놀이에 정통으로 홀을 맞은 도둑은 그 자리에서 쓰러져 죽어 버렸다.

아이가 도둑을 죽이자마자 훤히 트였던 벽이 싹 닫히면서 방은 원래대로 돌아왔다. 그때 문이 열리면서 대부가 들어왔다. 대부는 아이에게 다가와 홀을 잡아 내려놓고 이렇게 말했다.

"너는 내가 일러준 말을 듣지 않았구나. 네가 저지른 첫 번째 잘못은 금단의 문을 연 일이다. 두 번째 잘못은 의자에 올라가 내 홀을 집어든 짓이다. 세 번째 잘못은 세상에 악을 늘린 것이다. 만약 네가 한 시간만 더 앉아 있었다면 인간의 절반은 못쓰게 만들었을 것이다."

대부는 다시 한 번 아이의 손을 잡고 의자에 올라가 홀을 들었다. 그러자 벽이 열리면서 여러 가지 광경이 보였다. 그때 대부는 말했다.

"자, 네가 아버지에게 한 짓을 보아라. 바실리는 일 년 동안이나 감옥에 갇혀 있으면서 온갖 나쁜 짓을 배워 감당할 수 없는 악당이 돼 버렸다. 보아라, 방금 저 사나이는 너희 아버지의 말을 두 필 훔쳐 갔는데, 이제 조금 있으면 집까지 불살라 버릴 테니…… 네가 아버지에게 한 일은 이런 것이다."

집이 타는 것이 보이자 대부는 그것을 닫고 또 다른 쪽을 보게 했다.

"자, 봐라. 남편이 자기를 버리고 딴 여자와 놀아나고 있다는 것을 안 대모는 밤낮을 술로 지새우고 있다. 그리고 정부는 아주 타락한 여자가 돼 버렸다. 네가 대모에게 한 짓이다."

대부는 그 광경도 닫아 버리고. 이번에는 아이의 집을 보여 주었다. 어머니의 모습이 보였다. 그런데 어머니는 자기가 지은 갖가지 죄를 뉘우치면서 울고 있었다.

"차라리 그때 도둑이 날 죽였더라면 좋았을 걸, 그러면 이렇게 많은 죄를 짓지 않아도 되었을 텐데."

"네가 어머니에게 한 짓은 이렇다."

대부는 그 광경도 닫아 버리고 아래쪽을 가리켰다. 아이의 눈에 도둑의 모습이 비쳤다. 두 사람의 간수가 감옥 앞에서 그 도둑을 잡아 누르고 있었다. 대부는 말했다.

"이 사나이는 아홉 명의 목숨을 빼앗았다. 그래서 반드시 그 죄를 갚지 않으면 안 되던 것이다. 그런데 너는 이 사나이를 죽여 버렸기 때문에 이 사나이의 죄는 모두 네가 떠맡아야 한다. 이제부터 너는 저 사나이가 저지른 죄에 대해 책임을 지지 않으면 안 된다. 너는 스스로 그렇게 만들었다. 암곰이 처음 나무등걸을 건드렸을 때는 새끼 곰을 조금 놀라게 했을 뿐이었지만, 두 번째로 밀어젖혔을 때는 두 살짜

리 곰을 죽이고, 세 번째로 집어던졌을 때는 스스로를 파멸시켜 버렸다.

네가 한 짓도 그와 마찬가지다. 지금부터 네게 30년의 기회를 줄 테니 세상에 나가서 도둑의 죄를 대신 갚도록 하여라. 만약 그 일을 하지 못하면, 네가 대신 도둑이 된다."

"어떻게 하면 도둑의 죄를 갚을 수 있을까요?"

대부는 이렇게 대답했다.

"네가 지은 만큼의 죄를 세상에 나가 지워 가면, 그때 너는 도둑의 죄를 갚게 되는 것이다."

아이는 다시 물었다.

"어떻게 하면 세상에 나가 죄를 지울 수 있을까요?"

"태양이 떠오르는 쪽을 향해 똑바로 걸어가거라. 그러면 밭이 나오고, 그 밭에 많은 사람들이 있을 것이다. 그 사람들이 하는 걸 잘 보고 네가 알고 있는 것을 가르쳐 주어라. 그리고 다시 앞으로 걸어 나가면서 눈에 띄는 일을 머릿속에 새겨 두어라. 나흘째 되는 날에는 숲에 당도할 것이다. 그 숲속에는 암자가 있고, 그 암자에는 은사가 살고 있는데 그분에게 이제까지 있었던 일을 모조리 이야기해라. 그 은사가 네게 가르쳐 줄 것이다. 은사가 지시한 일을 모두 해내면 그때 너는 도둑이 지은 죄를 갚게 되는 것이다."

대부는 그렇게 말하고 대자를 문 밖으로 내보냈다.

7

대자는 걷기 시작했다.

'대관절 어떻게 이 세상의 죄를 지워 나가야 한단 말인가? 세상에서는 보통 악인을 추방하고 감옥에 가두거나 사형에 처하여 그것으로 악을 지우고 있는데, 죄를 지워 나가면서 남의 죄를 떠맡지 않으려면 어떻게 해야 할까?'

대자는 곰곰이 생각했지만, 도무지 알 수가 없었다. 정처 없이 걸어가는 동안 밭에 이르렀다. 그런데 보리밭 속으로 망아지가 돌아다니고 있었다. 많은 사람들이 그것을 보고 각자 말을 타고 밭 속을 이리저리 달리면서 망아지를 몰아내려 하고 있었다. 망아지가 보리밭에서 튀어나오려고 하면 마침 거기서 다른 사람이 말을 몰고 오기 때문에 망아지는 놀라서 다시 밭 속으로 뛰어 들어가곤 했다. 그러면 사람들은 그 뒤를 쫓아 보리밭 속을 뛰어다니는 것이다. 밭가에는 한 여자가 서서 사람들이 자기 망아지를 몰아세워 기운을 빠지게 한다면서 울부짖고 있었다. 거기서 대자는 농부들에게 말했다.

"왜 당신들은 그렇게 하나요? 모두 밭에서 나와 저 아주머니에게 망아지를 불러내도록 하세요."

그러자 사람들은 그의 말을 따랐고, 아주머니는 밭가에 서서 "오너라, 누렁아, 이리 와!" 하고 불렀다. 망아지는 귀를 쫑긋거리며 가만히 듣고 있다가 이윽고 아주머니에게 뛰어갔다. 그리고 느닷없이 품안으로 파고들어 가 하마터면 아주머니는 쓰러질 뻔했다. 그래서 농부들도 기뻐하고 아주머니도 좋아했으며 망아지도 이리저리 뛰었다. 대자는 다시 걸음을 옮기면서 생각했다.

'이제야말로 악은 악 때문에 불어 나간다는 것을 알았다. 사람이 악한 일을 책하면 책할수록 더욱더 악은 퍼져 간다. 다시 말해서 악은 악으로 다스릴 수 없는 것이다. 하지만 어떻게 그것을 없앨 수 있는지는 모르겠다. 마침 망아지가 아주머니 말을 들어주었으니 망정이지, 만약 듣지 않았다면 어떻게 몰아냈을지 막막하지 않은가.'

대자는 열심히 생각했으나 이렇다 할 묘책이 떠오르지 않아 그저 앞으로 걸어갔다.

대자는 마냥 걷다가 어떤 마을에 닿았다. 제일 마지막 집에 가서 하룻밤 잠자리를 청하니 주인아주머니가 들어오라고 했다. 집 안에는 아무도 없었고, 아주머니 혼자서 걸레질을 하고 있었다. 대자는 안으로 들어가 페치카 위에 올라가서 아주머니가 일하는 모습을 지켜보았다. 가만히 보니 아주머니는 방을 다 훔치고 나서 이번에는 테이블을 닦기 시작했다. 다 닦고 나니 더러운 걸레 자국이 테이블 위에 줄무늬처럼 남았다. 다시 반대쪽으로 문지르면 먼저의 걸레 자국은 없어지지만 새로 자국이 생겼다. 대자는 한참 동안 물끄러미 바라보다가 말을 걸었다.

"아주머니, 지금 뭘 하고 계시는 겁니까?"

"아니, 자네 눈에는 이게 보이지 않나? 명절 준비로 청소를 하고 있잖나. 그런데 이 테이블은 아무리 훔쳐도 깨끗해지지 않고, 자꾸 더러워지니 기운이 다 빠지는군."

"아주머니, 그 걸레를 깨끗이 빨아서 훔치면 될 텐데요."

대자가 시키는 대로 하자 테이블은 금방 깨끗해졌다.

"가르쳐 줘서 고마워요."

이튿날 아침 대자는 아주머니에게 작별을 고하고 다시 길을 떠났다. 한참을 걸어가니 숲에 이르렀다. 보아하니 농군들이 수레바퀴를 만들 나무를 휘려 하고 있었다. 대자가 가까이 다가가 보니, 농군들이 열심히 빙빙 돌고 있었지만 나무는 조금도 구부러지지 않았다. 자세히 살펴보니 받침대가 꽉 고정되어 있지 않아 나무와 받침대가 서로 제각기 돌아가고 있는 것이었다. 대자가 이 광경을 지켜보다가 이렇게 말했다.

"아저씨들은 뭘 하고 계신가요?"

"음, 이렇게 수레바퀴를 만드는 중인데 두 번씩이나 했는데도 영 휘어지지 않아. 기운만 전부 빠져 버렸어."

"여보세요, 아저씨들, 받침대를 꽉 고정시키세요. 대와 함께 돌고 있잖아요."

농군들이 그 말을 듣고 받침대를 단단히 고정시키니 일이 제대로 되었다. 대자는 거기서 하룻밤을 지내고 다시 길을 떠났다. 꼬박 하루 낮 하루 밤을 걸어 새벽녘에 거간꾼들이 모여 있는 곳을 발견하고 그 곁에 잠시 드러누웠다. 누워서 바라보니 그들은 소를 매어 놓고 화톳불을 만드는 중이었다. 그런데 삭정이를 주워다가 불을 붙이면서 활활 타오르기도 전에 젖은 나뭇가지를 올려놓아 이내 밑불을 꺼뜨렸다. 거간꾼들은 다시 마른 나뭇가지를 주워 불을 붙였으나 젖은 나뭇가지를 마구 올려서 불은 또다시 꺼지고 말았다.

계속해서 불을 붙이기 위해 애를 썼지만, 화톳불은 만들어지지 않았다. 그것을 보고 있던 대자는 말했다.

"아저씨들이 너무 성급하게 젖은 나뭇가지를 지피니까 안 되는 거예요. 불이 잘 타기를 기다렸다가 젖은 나뭇가지를 지펴야죠."

대자의 말대로 불길이 잘 타오른 다음에 젖은 나뭇가지를 올려놓으니까 순조롭게 타기 시작하여 화톳불이 만들어졌다. 대자는 한참 동안 그들과 같이 있다가 다시 길을 떠났다. '도대체 무슨 이유로 이 세 가지 일을 보게 한 것일까?'

대자는 곰곰이 생각했으나 그 까닭은 도무지 알 수가 없었다.

그가 부지런히 걸어가는 동안 어느새 하루가 지났다. 어떤 숲에 다다르니 암자가 있었다. 대자가 암자로 다가가 문을 두드리니 암자 안에서 누군가 말했다.

"거기 누구냐?"

"큰 죄인이옵니다. 남의 죄 갚음을 이해하려고 돌아다니는 중입니다."

안에서 은사가 나와 물었다.

"대체 너는 어떤 죄를 짊어졌느냐?"

대자는 자기에게 세례를 준 대부 이야기, 암곰 이야기, 닫힌 방 안의 의자 이야기, 대부가 자기에게 명령한 일 그리고 밭에서 망아지를 쫓느라고 농군들이 보리를 마구 짓밟은 일, 망아지가 스스로 주인아주머니에게 간 일 등을 전부 이야기하였다.

"저는 악을 악으로 다스릴 수 없다는 것을 깨달았습니다만, 어떻게 해야 그것을 없앨 수 있는지는 모르겠습니다. 원하옵건대 제게 가르침을 주소서."

그러자 은사가 이렇게 말했다.

"그 밖에 네가 오는 도중에서 본 일을 좀더 자세히 이야기해 보거라."

그래서 대자는 아주머니가 집안 청소를 하고 있던 일, 수레바퀴를 만들고 있던 농군들의 일, 화톳불을 지피던 거간꾼들의 이야기를 했다. 은사는 그 이야기를 끝까지 듣고 나자 암자 안으로 들어가더니 이가 빠진 손도끼를 가지고 나와 말했다.

"자, 가자."

은사는 암자에서 십 리가량 떨어진 곳에 이르자 나무 한 그루를 가리켰다.

"이 나무를 찍어라."

대자가 나무를 찍자 나무는 쓰러졌다.

"이번에는 그것을 세 토막으로 잘라라."

대자는 나무를 셋으로 잘랐다. 그러자 은사는 다시 암자로 돌아가더니 불을 가지고 왔다.

"그 세 토막의 나무를 태워라."

대자가 불을 피워 세 개의 나무토막을 태우고 나니 타다 남은 세 개의 냉과리(덜 구워져서 연기와 냄새가 나는 숯 — 역주)가 남았다.

"그것을 반쯤 흙 속에 파묻어라."

대자는 흙 속에 냉과리를 심었다.

"저기 보이지? 이 산 아래 개울이 있다. 저기서 물을 한 입 머금고 와서 이 냉과리에 뿜어 주어라. 네가 아주머니에게 가르쳐 준 것처럼 이 냉과리에 물을 주는 것이다. 또 다음 냉과리에는 네가 농부들에게 가르쳐 준 것처럼 물을 주어야 한다. 그리고 저 냉과리에는 네가 거간꾼들에게 가르쳐 준 것처럼 물을 주어야 한다. 이 세 냉과리가 모조리 뿌리를 내려 세 개의 사과나무로 자라면, 그때야말로 어떻게 하면 인간의 악을 없앨 수 있는지를 알게 되리라. 그러면 너는 모든 죄를 갚는 것이다."

그렇게 말하고 은사는 암자로 돌아갔다. 대자는 골똘히 생각해 보았으나 은사가 한 말이 무슨 뜻인지 도무지 알 수가 없었다. 하지만 지시받은 대로 일을 하기 시작했다.

10

대자는 개울에 가서 입에 가득 물을 머금고 와서 한 냉과리에 끼얹어 주고, 다시 반복하여 차례로 물을 주었다. 그러고 나니 대자는 그만 지칠 대로 지치고 말았다. 그는 요기를 하려고 은사에게 먹을 것을 청하러 암자로 갔다. 그런데 문을 열어 보니 은사는 이미 시체가 되어 평상 위에 누워 있었다. 삽을 찾아내어 은사의 무덤 자리를 팠다. 그리고 주위를 둘러보니 마른 빵이 있어 그것을 먹었다. 그때부터 밤에는 입에 물을 머금어 냉과리에 끼얹어 주고 낮에는 무덤자리를 팠다. 겨우 다 판 뒤 묻으려는데 마을 사람들이 왔다. 은사에게 먹을 것을 가져온 것이었다. 모두들 은사가 죽었다는 말을 듣고는, 대자를 축복하며 스승의 자리를 잇게 했다. 모두 같이 은사를 매장한 후 대자에게 음식을 남겨 놓고 다시 오겠다는 약속을 하고 돌아갔다. 그는 은사의 뒤를 이어 암자에서 먹고 살면서 지시받은 일을 계속했다. 산 아래 개울에서 물을 머금어다가 냉과리에 끼얹어 주는 것이다.

그가 이렇게 일 년을 사는 동안 많은 사람들이 찾아왔다. 왜냐하면 숲속에 성인이 살고 있어 산 아래에서 물을 머금어다 냉과리에 끼얹어 주며 도를 닦고 있다는 소문이 퍼졌기 때문이었다. 그리하여 많은 사람들이 그를 보려고 찾아오게 되었다. 부자 상인들도 찾아와서 여러 가지 선물을 놓고 갔다. 그러나 그는 없어서는 안 될 것 이외에는 아무것도 갖지 않고, 선물받은 물건들을 모조리 가난한 사람들에게 나누어 주었다. 그는 하루의 반나절은 입에 물을 머금어다 냉과리에 끼얹어 주고, 나머지 반나절은 쉬기도 하고 찾아오는 사람들과 만나기도 하면서 살았다. 그는 마음속으로 이것이 자기가 지켜 나가야 할 생활이며 이렇게 하고 있으면 이 세상 악을 없애고 죄 갚음을 할 수 있다고 생각하게 되었다. 이렇게 해서 다시 일 년을 살았는데, 대자는 하루도 빠뜨리지 않고 냉과리에 물을 주었다. 하지만 한 곳도 움이 트지 않았다.

어느 날 암자 안에 있는데 낯선 사나이가 지나가면서 부르는 노랫소리가 들려왔다. 대자는 대관절 누구일까 하고 밖을 내다보았다. 그는 건장한 모습의 젊은이였는데, 값진 의상을 몸에 걸쳤으며 타고 있는 말이나 안장도 여간 훌륭한 것이 아니었다. 그는 사나이를 불러 도대체 어디 사는 누구인지, 그리고 어디로 가는지를 물어보았다. 그러자 사나이는 말을 세우고 대꾸했다.

"나는 강도인데, 사방을 돌아다니며 사람을 죽인다. 사람을 많이 죽이면 죽일수록 기분이 좋아서 이렇게 노래를 부르는 것이다."

그는 몸을 움츠리며 이렇게 생각했다.

'이같은 인간 속에 깃든 악은 대체 어떤 방식으로 없애야 할까? 나를 찾아오는 사람들은 모두 자기의 죄를 뉘우치는데, 이 사나이는 나쁜 짓을 하고서도 그것을 자랑으로 삼으니······.'

대자는 아무 말도 하지 않고, 그 강도 앞에서 물러나 이렇게 생각하였다.

'앞으로 일이 어떻게 될까? 이 강도가 근처에 돌아다니면, 사람들은 무서워서 내게 잘 오지 못하게 될 것이다. 그렇게 되면 그 사람들도 불편하겠지만, 나는 어떻게 살아가야 할지 모르지 않는가.'

그래서 그는 발길을 멈추고 강도에게 말을 걸었다.

"내 암자를 찾아오는 사람들은 나쁜 일을 자랑하지는 않소. 모두가 죄를 뉘우치고 속죄하려고 하오. 그러니 그대도 하느님이 두렵다고 생각하면 죄를 뉘우치시오. 또 죄를 뉘우치지 못하겠으면, 이곳에 두 번 다시 오지 마시오. 세상 사람들을 겁주어 내 곁에서 쫓아내는 짓은 하지 말아 주시오. 내 말을 듣지 않으면 천벌을 받을 것이오."

강도는 껄껄 소리 내어 웃었다.

"나는 하느님 같은 건 두려워하지 않으니까 네 말 따윈 들을 필요가 없다. 네가 내 주인이라도 된단 말이냐? 너는 하느님께 기도를 드려서 먹고 살지만, 나는 강도질로 먹고 산다. 사람은 다 저마다 살아가는 방식이 있는 법인데, 너는 부인네들에게 설교나 하면 그만이지 웬 잔소리냐? 나는 네 설교를 들을 이유가 없다. 네가 내게 하느님을 설교해 준 보답으로 내일은 사람을 두 명 더 죽이겠다. 지금 당장 널 죽여 버려도 되지만, 그런 일로 손을 더럽힐 마음은 없다. 앞으로 내 눈앞에 얼씬거리지 않도록 해라."

강도는 이렇게 으름장을 놓고 가 버린 후 다시는 나타나지 않았고, 그는 팔 년 동안 평온하게 살았다.

11

어느 날, 그는 새벽녘에 냉과리에 물을 준 뒤 암자로 돌아와 이제 사람들이 찾아올 때가 되었다고 생각하면서 물끄러미 오솔길에 눈길을 보내고 있었다. 그런데 그날은 아무도 오지 않았다. 대자는 해질 무렵까지 우두커니 앉아 이제까지의 자기 생애를 이리저리 회상해 보았다. 그러다가 문득 하느님께 기도를 드려서 먹고 산다는, 자신의 생활방식에 대한 강도의 말이 생각났다. 그래서 지금까지 해 온 일을 돌이켜 보았다.

'내가 살아가는 방식이 그 은사의 지시와는 다른 것 같다. 은사는 내게 고행을 지시했는데 나는 그 고행을 나날의 양식과 바꾸고, 또 세상 사람의 칭송을 원하게 되었다. 나는 유혹에 빠져 사람들이 찾아오지 않으면 언짢아하고, 사람이 찾아오면 모두가 나를 성인 취급하는 줄 알고 공연히 우쭐해진다. 이런 생활 방식으론 안 되겠다. 나는 세상의 평판에 현혹되어, 전에 지은 죄를 갚기는커녕 오히려 새로 죄를 짓지는 않았는가? 숲속의 딴 자리로 옮겨가 사람들의 눈에 띄지 않도록 하자. 이미 지은 죄를 갚아 가면서 다시는 새로운

죄를 짓지 않도록 혼자 살아가자.'

대자는 그렇게 생각하고 마른 빵이 든 조그만 자루와 괭이를 집어 들고 암자를 나와 골짜기 쪽으로 내려갔다. 한적한 곳에 움막을 짓고 세상 사람들의 눈앞에서 모습을 감추려는 것이었다. 그가 자루와 괭이를 들고 걸어가는데 저쪽에서 강도가 말을 타고 달려왔다. 대자는 놀라 달아나려고 했으나 그만 강도에게 들키고 말았다.

"어딜 가나?"

그는 세상 사람을 피하여 아무도 찾아오지 않는 곳으로 간다고 대답했다. 강도는 어처구니없다는 듯이 말했다.

"그래, 아무도 찾아오지 않으면 앞으로 무얼 먹고 살아갈 텐가?"

그런 생각은 미처 해 보지 않았던 대자는 강도가 묻자 먹을 것에 대한 생각이 떠올랐다.

"뭘, 하느님께서 내려 주시는 것으로 살아가면 되지."

대자는 대답했다. 강도는 아무 대답도 않고 얼른 돌아서서 가 버렸다. 그는 생각했다.

'나는 저 사나이의 생활수단에 대해 아무 말도 하지 않았다. 어쩌면 저 사나이도 이번엔 회개할지도 모르지. 오늘은 먼저보다 한결 태도가 부드러워지고 협박도 하지 않았으니까.'

그때 대자는 강도의 뒷모습에 대고 커다란 소리로 외쳤다.

"누가 뭐래도 그대는 죄를 회개하지 않으면 안 되오. 하느님의 눈을 피할 수 없는 것이오!"

강도는 말머리를 휙 돌려 달려오더니 허리에서 칼을 빼어 그를 내리치려고 했다. 대자는 깜짝 놀라 숲속으로 도망쳤다. 강도는 뒤쫓아 오지 않고, 단지 이렇게 말했다.

"이번까지 두 번 너를 용서해 주지만, 세 번째로 내 눈에 띄면 그땐 용서 없다. 못된 늙은이! 죽여 버릴 테니!"

그날 밤 그는 냉과리에 물을 주러 갔다가 들여다보니 그 중 한 나무에서 싹이 움트고 있지 않겠는가? 드디어 사과나무 잎이 나오기 시작했던 것이다.

12

그는 세상 사람의 눈에 띄지 않게 홀로 살았다. 이윽고 마른 빵도 다 떨어졌다. 그는 마음속으로 이제 풀뿌리라도 캐러 가야겠다고 생각했다. 그런데 나뭇가지에 마른 빵이 든 자루가 걸려 있지 않겠는가. 대자는 그것을 나날의 양식으로 삼았다.

마른 빵은 다 떨어지기가 무섭게 같은 나뭇가지에 같은 자루가 걸려 있었다. 이것으로 대자는 살아갔으나 꼭 한 가지 꺼림칙한 일이 있었다. 다름 아닌 강도가 두려웠던 것이다. 강도가 나타나는 기척이 있으면 재빨리 자취를 감추고 이렇게 생각했다.

'저자의 손에 걸려 죽으면 죄 갚음을 하지 못한다.'

이렇게 하여 또 십 년이 지났다. 사과나무는 한 그루만 자랄 뿐 나머지는 여전히 타다 남은 냉과리 그대로였다.

그는 매일 아침 일찍 일어나 냉과리에 물을 주었다. 그러던 어느 날 그는 너무도 지쳐 땅바닥에 주저앉아 잠시 쉬고 있었다. 그는 쉬면서 이런저런 일들을 생각해 보았다.

'나는 죄를 범하고 말았다. 죽음을 두려워하다니. 하느님의 뜻이라면 죽음으로 나의 죄 갚음을 하자.'

그렇게 생각하는 순간 강도가 말을 타고 욕지거리를 하면서 다가오는 기척이 났다. 그는 그 소리를 듣고서 하느님 외의 그 누구에게서도 좋은 꼴이나 나쁜 꼴을 당할 까닭은 없다고 생각하고 강도가 오는 쪽으로 걸음을 옮겼다. 강도는 혼자가 아니고 안장 뒤에 한 사나이를 태워 어딘가로 데려가는 중이었다. 사나이는 양손을 묶이고 재갈마저 물려 있었다. 강도는 사나이에게 욕을 퍼붓고 있는 중이었다. 그는 앞을 가로막아 섰다.

"그 사나이를 어디로 데리고 가느냐?"

"숲속으로 끌고 간다. 이놈은 장사꾼의 아들인데 조부의 돈이 어디 있는지를 가르쳐 주지 않아 실토할 때까지 두들 겨 줄 것이다."

이렇게 말하면서 지나쳐 가려 했으나 그는 말고삐를 잡고 놓지 않았다.

"이 사람을 놓아주어라."

강도는 화가 나서 그를 치려고 채찍을 들어올렸다.

"아니, 너도 이런 꼴을 당하고 싶으냐? 약속대로 죽여 주 마! 놓아라!"

그러나 그는 두려워하지 않았다.

"못 놓겠다. 나는 너 따위는 무섭지 않다. 나는 오직 하느 님만을 두려워할 뿐이다. 그런데 하느님께서는 안 된다고 분부하신다. 이 사람을 놓아주어라."

강도는 미간을 찌푸리고 칼을 내리쳐 새끼줄을 탁 끊었 다. 상인의 아들을 풀어 주었던 것이다.

"모두들 썩 꺼져라! 두 번 다시 내 눈에 띄었다간 용서하 지 않을 테니까."

상인의 아들은 말 위에서 뛰어내리자마자 쏜살같이 달아 나 버렸다. 강도는 그대로 가 버리려고 했으나 그는 강도를 불러 세워 그런 어두운 생활은 집어치우도록 다시 타일렀 다. 강도는 우두커니 서서 그의 말을 끝까지 다 듣고 나더니 아무 말 없이 가 버렸다. 이튿날 아침 그가 냉과리에 물을 주러 가 보니 둘째 나무에도 움이 터서 역시 사과나무가 되어 가고 있었다.

13

이렇게 하여 다시 십 년이 지났다. 어느 날 움막에 앉아 있던 대자에게는, 이제 더 이상 모자라는 것도 두려운 것도 없었으며 마음속은 기쁨으로 가득 찼다. 대자는 생각했다.

'하느님께서는 얼마나 큰 행복을 인간에게 내려 주셨는지 모른다. 실상은 기쁨 속에 살아갈 수 있는데도 사람들은 공연히 자기 스스로를 괴롭히고 있다.'

이렇게 갖가지 인간악을 돌이켜 보며 사람들 스스로가 자신을 괴롭히고 있음을 생각하니 인간이 불쌍하게 여겨졌다.

'내가 이런 생활을 하고 있다는 게 잘못이다. 세상에 나가서 내가 알고 있는 것을 세상 사람들에게 얘기해 주자.'

이렇게 생각하자마자 이내 강도의 말발굽 소리가 들려왔다. 그는 강도를 지나쳐 버리면서 생각에 잠겼다.

'저런 사나이에게 들려준다 해도 알아주지도 않을걸.'

처음에는 그렇게 생각했으나 다시 마음을 고쳐먹고 신작로로 나갔다. 강도는 시름에 잠긴 표정으로 땅바닥을 내려다보면서 말을 몰고 있었다. 그 모습을 보니 가엾은 마음이 들어서 달려가 그의 무릎을 잡았다.

"정다운 형제여, 제발 자신의 영혼을 아끼는 마음을 가져주게! 그대 안에는 하느님이 계시니까. 그대는 스스로도 괴로워하고 남도 괴롭히고 있지만, 이제 더 심한 괴로움을 당할 게 틀림없어. 그러나 하느님께서 그대를 얼마나 사랑하시는지, 그대를 위해 어떤 즐거움을 마련하셨는지 아는가! 제발 스스로 자신을 멸망시키는 짓은 그만두게. 그 생활을 고쳐 주게나!"

강도는 얼굴을 찌푸리고 딴 곳을 보며 말했다.

"비켜라."

그는 먼젓번보다도 더욱 세게 강도의 무릎에 매달리면서 눈물로 회개하도록 타일렀다. 강도는 눈을 들어 그를 바라보았다. 물끄러미 바라보고 있다가 이윽고 말에서 내려 그 앞에 털썩 주저앉았다.

"당신은 마침내 나를 이겼소. 지금의 나는 이미 내 자신을 조종할 수 없게 되었소. 당신 좋을 대로 아무렇게나 하시오. 처음 당신이 내게 설교했을 때 나는 공연히 화가 치밀 뿐이었소. 그런데 당신이 세상 사람을 피하여 몸을 숨기려 하자 나는 당신 자신이 세상 사람에게 아무런 도움도 주지 못한다는 것을 깨달았다는 것을 알고, 그때 비로소 당신의 말을 생각하지 않을 수 없었소. 그 뒤 나는 당신을 위해서 마른 빵을 나뭇가지에 걸어 놓게 되었던 것이오."

그는 생각해 냈다. 그 농가의 아낙네가 걸레를 깨끗이 빨았을 때 비로소 테이블을 깨끗이 닦을 수 있었던 것이다. 그처럼 자신에 대한 걱정을 그치고, 자기의 마음을 맑게 할 때 타인의 마음도 맑게 할 수 있었던 것이다. 강도는 계속해서 말했다.

"그리고 당신이 죽음을 두려워하지 않았을 때 내 마음은 움직였소."

거기서 그는 생각해 냈다. 농민들이 받침대를 탄탄하게 고정시켰을 때 수레바퀴의 나무를 휠 수 있었던 것이다. 그와 같이 자기도 죽음을 두려워하지 않고, 모든 생활을 하느님 안에 탄탄히 고정시켰을 때 굽힐 줄 모르던 악한 고집도 꺾였던 것이다.

강도는 다시 말했다.

"그리고 당신이 나를 가엾게 여겨 내 앞에서 눈물을 흘렸을 때 내 마음은 얼음이 녹듯 풀려 버렸소."

그는 진심으로 기뻐하며 냉과리가 있는 곳으로 강도를 데리고 갔다. 두 사람이 가까이 다가가 보니 마지막으로 하나 남았던 그루터기에서도 사과나무의 싹이 움트고 있었다.

거기서 대자는 다시 깨달았다. 거간꾼들의 화톳불도 불기운이 강해졌을 때에야 비로소 생나무가 탔던 것이다. 그와 마찬가지로 자기 마음이 뜨겁게 타올랐을 때 타인의 마음에도 불을 줄 수 있었던 것이다. 그는 이제야말로 완전히 죄 갚음을 했다고 크게 기뻐했다. 그리고 그는 지금까지의 이야기를 빠짐없이 강도에게 들려주고는 죽어 버렸다. 강도는 그의 시체를 매장하고, 그가 가르쳐 준 대로 생활하며 그와 마찬가지로 세상 사람들을 가르치게 되었다.

머슴 예멜리얀과 빈 북

예멜리얀은 어느 집에서 머슴살이를 하고 있었다. 어느 날 들일을 하러 가는 길에 벌판을 지나가다, 문득 그 앞에 개구리 한 마리가 폴짝폴짝 뛰고 있는 것이 눈에 띄었다. 하마터면 그것을 밟을 뻔한 그는 가까스로 개구리를 뛰어 넘었다.

"예멜리얀!"

갑자기 뒤에서 부르는 소리가 들렸다. 예멜리얀이 돌아보니 예쁜 처녀가 서 있었다.

"예멜리얀, 왜 당신은 장가를 안 드세요?"

"나 같은 게 어떻게 장가를 가요? 나는 아무것도 가진 게

없어요. 있는 것이라곤 이 몸뚱이뿐이라 와 줄 사람이 있어
야지요."

그러자 처녀가 말했다.

"그렇다면 내가 시집갈게요."

예멜리얀은 그 처녀가 마음에 들었다.

"나야 두말 할 것도 없이 좋지만, 어디다 살림을 차리지?"

"그런 거야 걱정할 것 없잖아요. 될 수 있는 대로 일을 많
이 하고, 잠을 적게 자면 어디를 가도 먹고, 입고, 살아갈 수
는 있는 거예요."

"하긴 그래. 그렇다면 결혼합시다. 그런데 어디로 가서 살
지?"

"읍으로 나가 살아요."

그래서 예멜리얀은 처녀와 함께 읍으로 나갔다. 처녀는
그를 변두리에 있는 조그만 집으로 데리고 갔다. 그렇게 두
사람은 결혼을 했고 살림을 시작했다.

어느 날 왕이 마차를 타고 이 읍에 행차를 하게 되었다.
왕이 예멜리얀의 집 앞을 지날 때 예멜리얀의 아내는 왕을
보려고 밖으로 나왔다. 그녀의 아름다운 모습을 본 왕은 깜
짝 놀라 마차를 멈추고 예멜리얀의 아내를 불러서 물었다.

"너는 누구냐?"

"농부 예멜리얀의 아내이옵니다."

"너는 그렇게 예쁜데 어떻게 그따위 농군의 아내가 되었

느냐? 왕비가 될 수도 있었을 텐데."

"친절하신 말씀 황공하옵니다. 하오나 저는 농부의 아내로 만족하옵니다."

왕은 잠시 그녀와 말을 주고받은 후 마차를 몰아 궁전으로 돌아갔다. 그런데 예멜리얀의 아내 모습이 도무지 머리에서 떠나지 않았다. 왕은 밤새도록 한잠도 못 자고, 어떻게 하면 예멜리얀에게서 그녀를 빼앗을 수 있을까 하는 궁리만 하고 있었다. 그러나 묘안이 떠오르지 않자, 신하들을 불러 놓고 무슨 좋은 수단을 강구해 내라고 일렀다. 그러자 신하들이 아뢰었다.

"우선 예멜리얀을 궁전으로 불러들이심이 좋을 줄로 아옵니다. 그러하오면 저희들이 그놈을 혹독하게 부려 죽여 버리면 여자는 과부가 되오니, 그때는 얼마든지 자유로이 취하실 수가 있을 것이옵니다."

왕은 그 말을 듣고 예멜리얀에게 사자를 보내, 정원사로 아내도 함께 궁전에 들어와 살도록 이르게 했다. 사자가 예멜리얀에게 가서 그 말을 전했다. 그러자 아내가 남편에게 말했다.

"괜찮으니까 혼자 다녀오도록 하세요. 낮에는 가서 일하고, 밤에는 저에게 돌아오세요."

예멜리얀은 집을 나섰다. 그가 궁전에 이르니 임금의 집사가 물었다.

"왜 아내를 데려오지 않고 혼자서 왔느냐?"

"무엇 때문에 제가 아내를 데리고 옵니까? 저희들에게도 집이 있는뎁쇼."

궁전에서는 예멜리얀에게 두 사람 몫의 일거리를 주었다. 예멜리얀은 일을 하면서도 그날로 끝낼 수 있으리라는 엄두조차 내지 못했다. 그러나 일을 하다 보니 저녁때가 되기 전에 깨끗이 끝나 버렸다. 집사도 그가 일을 끝낸 것을 보더니 깜짝 놀라며 다음 날에는 네 사람 몫의 일을 맡겼다.

예멜리얀은 집으로 돌아왔다. 집은 깨끗이 청소가 되어 있었고, 모든 것이 깔끔하게 정돈되어 있었으며 난로에는 훈훈하게 불이 피워져 있었고 식사 준비도 다 되어 있었다. 아내는 식탁 앞에 앉아 바느질을 하면서 남편을 기다리고 있었다. 그녀는 남편을 반갑게 맞이하고는 저녁 식사 시중을 들며 일에 대해 이것저것 물었다.

"도저히 배겨 낼 수 없는 일이야. 그들은 아마도 나를 혹사시켜 죽일 모양이야."

"당신은 일에 대한 걱정일랑 하지 마세요. 이제 어느 정도 했을까, 얼마나 남았을까 하고 뒤를 돌아보거나 앞을 내다보는 것은 하지 않는 게 좋아요. 그저 일만 하세요. 그러면 시간 안에 끝날 테니까요."

예멜리얀은 잠자리에 들었다. 그리고 다음 날 일을 하러 궁전으로 갔다. 일을 시작한 그는 한번도 뒤돌아보지 않고,

열심히 일을 했고 그러다 보니 저녁 전에 이미 일이 다 끝나서 어둡기 전에 집으로 돌아갈 수 있었다. 그후로도 예멜리얀은 일거리가 아무리 많아도 시간 안에 끝내고 집으로 돌아가곤 했다.

어느덧 일주일이 지났다. 신하들은 이런 노동으로는 예멜리얀을 괴롭힐 수가 없다는 것을 알아차리고는 그에게 아주 어려운 일을 맡기기로 했다. 하지만 이번에도 그를 괴롭히지는 못했다. 목수 일이든, 석수 일이든, 미장이 일이든, 무슨 일을 시켜도 예멜리얀은 시간 안에 그것을 끝내고, 밤이면 아내에게 돌아가는 것이었다.

또 일주일이 지났다. 왕은 신하들은 불러 놓고 말했다.

"내가 언제까지 너희들에게 공밥을 먹여야 한단 말이냐? 벌써 두 주가 지났는데, 아무런 효과도 없지 않느냐? 너희들은 예멜리얀을 혹사시켜서 죽이겠다고 했는데 그자는 날마다 콧노래를 흥얼대며 돌아가고 있지 않느냐? 이는 너희들이 나를 놀리는 것이나 다름없는 일 아니더냐?"

신하들은 당황하여 연신 변명을 했다.

"저희들도 최선을 다했습니다만, 아무리 해 봐도 소용이 없었습니다. 무슨 일을 시켜도 비로 쓸어내듯이 해치워 버리고 도무지 피로라는 것을 모릅니다. 그래서 저희는 아주 어려운 일을 시켜 보았습니다만, 그것도 통 소용이 없었사옵니다. 아마도 그놈이나 그놈의 아내가 마술을 쓸 줄 아는 것이 틀림없사옵니다. 그래서 이번에야말로 아주 어려운 일을 맡길까 하옵니다. 그것은 다름이 아니오라 그놈에게 하루 만에 성당을 짓게 하는 계획이옵니다. 아무쪼록 예멜리얀을 부르시어 이 궁전 앞에다 단 하루 만에 성당을 짓도록 분부를 내려 주시옵소서. 그리하여 만약 그가 지어 내지 못한다면, 그때야말로 분부를 어긴 죄로 목을 칠 수도 있지 않겠사옵니까?"

그래서 왕은 사자를 보내어 예멜리얀을 불러오게 하였다.

"예멜리얀, 너에게 한 가지 이를 것이 있다. 이 궁전 앞 광장에 새로이 성당을 짓도록 하거라. 그것을 내일 해 안으로 완성해야 한다. 완성하면 후한 상을 내리겠으나, 만일 완성을 못할 때는 사형에 처할 테니 그리 알라."

예멜리얀은 왕의 말을 다 듣고 난 후 곧장 집으로 발길을 돌렸다. 그는 드디어 최후의 날이 왔다고 생각하고 집으로 돌아가자마자 아내에게 말했다.

"어서 떠날 채비를 하시오. 어떤 곳이라도 좋으니 도망가야겠소. 그렇지 않으면 아무 죄도 없이 죽음을 당할 게 뻔하오."

"뭐라고요? 아니, 도망을 가다니요? 왜 그렇게 무서워하나요?"

"어떻게 무서워하지 않을 수 있겠소. 왕께서 내일 하루 동안에 성당을 지으라고 하시는데, 만약 완성을 못하는 날에는 내 목을 치시겠다는 거요. 그러니 이제 달리 도리가 없소. 시간이 있는 동안 도망을 치는 수밖에……."

그러나 아내는 이 말에 동의하지 않았다.

"왕에게는 군대가 있기 때문에 어디를 가나 붙잡힐 수밖에 없어요. 왕으로부터 도망칠 수는 없어요. 그러니 힘닿는 데까지 명령을 따를 수밖에 별 도리가 없어요."

"하지만 도저히 당치도 않은 일을 어떻게 따른단 말이오?"

"원 당신도! 너무 그렇게 낙심하지 마시고, 저녁이나 드시고 주무시기나 하세요. 그리고 내일은 다른 때보다 조금 일찍 일어나도록 하세요. 그러면 모든 게 제대로 될 테니까요."

예멜리얀은 잠자리에 들었다. 이튿날 아침이 되자 아내가 그를 깨웠다.

"가 보세요. 어서 가셔서 성당을 완성하고 돌아오세요. 자, 여기 못과 망치가 있어요. 거기 가시면, 당신이 하실 하루치 일밖에 남아 있지 않을 거예요."

예멜리얀은 읍으로 나갔다. 가 보니 과연 광장 복판에 새 성당이 서 있었는데, 끝손질할 것만이 조금 남아 있을 뿐이었다. 예멜리얀은 필요한 곳에 손질을 하며 저녁이 되기 전에 모든 일을 완전히 끝내 버렸다. 왕이 궁전에서 내다보니 광장 한복판에 성당이 서 있고, 예멜리얀은 사방으로 돌아다니며 끝막음으로 못을 박고 있었다. 왕은 그 성당을 보고 조금도 기뻐하지 않았다. 왜냐하면 예멜리얀을 처벌할 구실이 없어져 그의 아내를 빼앗지 못하는 것이 분해 견딜 수가 없

었기 때문이다. 그래서 왕은 또다시 신하들은 불러 모았다.

"예멜리얀은 이번 일도 완성했어. 이래 갖고는 그놈을 처벌할 수가 없구나. 이번 일도 그놈에겐 너무 쉬웠던 게야. 그러니 더 어려운 일을 맡기도록 한번 잘 생각해 보거라. 그렇지 않으면 너희들을 엄벌에 처하겠다."

그랬더니 신하들은 예멜리얀에게 강을 파게 하자고 했다. 그것도 궁전 둘레를 흐르도록 하되 큰 배를 띄울 수도 있는 강이어야 한다고 했다. 왕은 예멜리얀을 불러 그에게 새로운 일을 분부했다.

"너는 하루 만에 그런 성당을 지었으니 이번 일도 할 수 있을 것이다. 이번에도 내 명령대로 내일 중으로 완성하도록 하라. 만일 그렇게 하지 못할 때는 목을 칠 테니 그리 알라."

예멜리얀은 어제보다 더 울상이 되어 아내에게 돌아갔다.

"왜 그렇게 기운 없는 얼굴을 하고 계세요? 왕께서 당신에게 또 무슨 어려운 일을 분부하신 모양이군요?"

예멜리얀은 자초지종을 설명했다.

"이번에는 무슨 일이 있어도 달아나야 해."

그러자 아내가 말했다.

"그 많은 군대로부터 빠져나갈 수는 없어요. 어디로 가나 결국은 붙잡히고 말아요. 그러니까 역시 분부대로 하는 수밖에 도리가 없어요."

"그렇지만 어떻게 복종을 한단 말이오?"

"어쨌든 여보! 아무 걱정 마시고 주무세요. 그리고 내일은 조금 일찍 일어나기만 하면 전부 잘되어 있을 거예요."

예멜리얀은 잠자리에 들었다. 아침이 되자 아내가 그를 깨웠다.

"어서 궁전으로 나가 보세요. 모든 처리가 다 되어 있을 거예요. 다만 궁전 정면에 흙덩이가 조금 남아 있을 테니 삽을 가지고 가서 그것을 다지면 일은 끝나요."

예멜리얀은 집을 나서서 읍으로 갔다. 궁전 둘레에는 이미 강이 흐르고 있었고, 큰 배들이 지나다니고 있었다. 예멜리얀이 궁전 정면의 둑에 가 보니 땅이 조금 울퉁불퉁한 데가 있어 그것을 평평하게 다졌다. 왕이 나가 보니 궁전의 둘레에는 강이 흐르고 있고, 큰 배가 왕래하고 있었으며 예멜리얀은 삽으로 땅을 다지고 있었다. 왕은 깜짝 놀랐다. 그러나 조금도 기쁘지 않았다.

'저놈에겐 못할 일이라곤 없는 모양이다. 이 일을 어떻게 하면 좋을까?'

왕은 신하들을 불러 놓고, 그들과 함께 궁리하기 시작했다.

"너희들은 예멜리얀으로선 도저히 못할 일을 생각해 내도록 하라. 우리가 아무리 어려운 일을 시켜도 그놈은 모두 척척 해내니 이래 가지고는 그놈의 아내를 뺏을 수 없지 않겠느냐?"

신하들은 생각에 생각을 거듭한 끝에 묘안이 떠올랐다.

그들은 왕 앞으로 나가 아뢰었다.

"예멜리얀을 부르시어 이렇게 분부하시옵소서. 어딘지도 모르는 곳에 가서 무엇인지도 모르는 것을 가지고 오라고 말입니다. 이번에는 그놈도 당해 낼 재간이 없을 것이옵니다. 그놈이 어디로 가든 폐하께서 그저 행선지가 틀린다고만 하시면 되는 것이옵고, 그놈이 무엇을 가지고 오든 분부하신 것이 아니라고 하시면 되는 것이옵니다. 그러면 그놈을 처벌하실 수 있사오니, 그놈의 아내를 빼앗는 것은 문제가 없사옵니다."

왕은 크게 기뻐하였다.

"이번에는 아주 좋은 꾀를 냈구나."

왕은 다시 예멜리얀을 불러 명령을 내렸다.

"어딘지도 모르는 곳에 가서 무엇인지도 모르는 것을 가져오도록 하라. 만일 가져오지 못하는 날에는 네 목을 칠 테니 그리 알라."

예멜리얀은 아내에게로 돌아와서 왕의 명령을 이야기했다.

"이것은 당신을 죽이기 위해서 신하들이 왕을 부추겨 짜낸 계획이 틀림없어요."

아내는 잠시 생각에 잠기더니 이윽고 남편에게 말했다.

"조금 먼 곳이지만, 당신은 어떤 군인의 어머니, 아주 늙은 할머니에게로 가서 구원을 청해야 되겠군요. 그분이 물건을 주거든 곧장 궁전으로 가세요. 저도 거기 가 있을 테니까요. 이렇게 된 이상 저도 이제 그 사람들 손에서 벗어날 수가 없군요. 그들은 틀림없이 저를 완력으로라도 끌고 갈 거예요. 하지만 그것도 길지는 못할 거예요. 당신이 그 할머니가 시키는 대로 모든 것을 하시면, 곧 저를 구해 낼 수가 있을 테니까요."

아내는 남편에게 떠날 채비를 시키고, 그에게 자루와 물렛가락을 주었다.

"이것을 할머니에게 드리세요. 이것을 보여 드리면, 당신이 내 남편이라는 것을 곧 알게 될 테니까요."

아내는 그에게 길을 가르쳐 주었다. 예멜리얀이 집을 나서 한없이 걸어가다 보니 읍을 벗어난 곳에서 군인들이 훈련을 받고 있었다. 예멜리얀은 한참 동안 서서 그들을 구경했다. 이윽고 군인들도 훈련을 끝내고 앉아서 쉬었다. 예멜리얀은 그들 곁으로 가서 물었다.

"이봐요. 혹시 어딘지도 모르는 곳으로 가려면 어디로 가야 하는지 모르오? 그리고 무엇인지도 모르는 것을 가져오려면 어떻게 해야 하는지 모르겠소?"

군인들은 그 말을 듣더니 깜짝 놀랐다.

"도대체 누가 당신한테 그런 걸 명령했소?"

"왕이지 누구겠소."

"실은 우리도 군인이 되면서부터 어딘지도 모르는 곳에 가려고 했지만, 도무지 그곳에 갈 수가 없고, 무엇인지도 모르는 것을 찾고 있으나 그것 역시 찾지 못하고 있다오. 그러니 당신에게 가르쳐 줄 수가 없군요."

예멜리얀은 군인들과 함께 앉아 있다가 다시 길을 떠났다. 한참을 걸어가자 어느 숲에 이르렀다. 숲속에는 조그만 집 한 채가 있었다. 집 안에는 군인의 어머니인, 무척 나이 많은 할머니가 앉아서 삼을 삼고 있었다. 할머니는 손가락을 침이 아닌 눈물로 축이고 있었다. 할머니는 예멜리얀을 보더니 소리를 질렀다.

"뭣 때문에 여기 왔지?"

예멜리얀은 그녀에게 물렛가락을 내놓으며 그의 아내가 자기를 이곳에 보냈다고 말했다. 그러자 할머니는 곧 마음을 풀고 묻기 시작했다. 예멜리얀은 할머니에게 이제까지의 일을 모두 이야기했다. 어떻게 해서 그 처녀와 결혼했는가, 왜 읍으로 옮겼는가, 왜 궁전으로 불려 나갔는가, 궁전에서 어떤 일을 하다가 어떻게 해서 성당을 짓고 배가 다니는 강을 파는가, 그리고 또 왕이 어딘지도 모르는 곳에 가서 무엇인지도 모르는 것을 가지고 오라고 분부한 일까지 자초지종을 이야기했다. 할머니는 다 듣고 나자 눈물을 거두었다. 그리고 중얼중얼 혼잣말을 했다.

"드디어 때가 온 모양이구나. 이보게, 여기 앉아서 뭘 좀 먹게나."

예멜리얀이 식사를 끝내자 할머니가 말했다.

"자, 여기 실뭉당이가 있네. 이것을 던져 굴러가는 쪽으로 따라가게. 아주 멀리 바닷가까지 가야 하네. 바닷가에 이르면 거기 큰 마을이 있을 게야. 마을에 들어서거든 맨 첫 집에 들어가서 하룻밤 재워 달라고 청하게. 자네가 필요한 것은 거기 가야 찾을 수 있어."

"하지만 할머니, 제가 그걸 어떻게 압니까?"

"사람이 자기 부모의 말보다 더 잘 듣게 되는 것이 나타나면 그게 바로 자네가 찾는 물건이지. 그러니 그걸 가지고 임금님께 가도록 해. 그것을 가져가면 임금님은 분명 자네가 가져온 것이 틀리다고 말씀하실 게야. 그러면 다음과 같이 말씀드리게.

'만일 이것이 아니라면 이것을 부숴 버려야 합니다.'

그리고 그것을 두드리면서 강 쪽으로 가지고 나가 산산조각내어 물속에 던져 버리게. 그러면 너의 아내도 되찾을 것이고, 내 눈물도 마를 것이니."

예멜리얀은 할머니에게 작별 인사를 하고 그 집을 나서서 실뭉당이를 던졌다. 실뭉당이는 구르고 굴러서 마침내 그를 바닷가까지 데리고 갔다.

거기에는 큰 마을이 있었다. 예멜리얀은 맨 첫 집에 들어가서 하룻밤을 묵게 해 달라고 청했다. 그는 안내되어 잠자리에 들었다. 아침 일찍 눈을 뜨니 아버지가 일어나 아들을 깨워, 나무를 해 오라는 소리가 들렸다. 그러나 아들은 말을 들지 않았다.

"아직 일러요. 좀더 있다가 가도 돼요."

이번에는 난로 쪽에서 어머니의 목소리가 났다.

"애야, 어서 갔다 오너라. 아버지는 몸이 쑤셔서 그러시잖니? 너는 아버지더러 나무를 해 오라고 할 작정이냐? 이르긴 뭐가 이르다고 그러느냐?"

그러나 아들은 중얼중얼거리며 다시 누워 버렸다. 그가 눕자마자 갑자기 길에서 요란한 소리가 나기 시작했다. 그러자 아들은 벌떡 일어나더니 옷도 갈아입는 둥 마는 둥 하고는 밖으로 뛰어나갔다. 아버지보다도 더 그를 따르게 한 것이 무엇인가를 확인하기 위해 예멜리얀도 뒤따라 뛰어나갔다. 달려나가 보니 어떤 사람이 배에다 둥그런 것을 차고, 그것을 봉으로 치면서 걸어가고 있었다. 그것이 요란한 소리를 내며 아들을 따르게 한 것이었다. 예멜리얀은 그 곁으로 달려가서 찬찬히 보았다. 그것은 대야같이 둥그런 것인데 양쪽에 가죽이 붙어 있었다. 예멜리얀이 물었다.

"이게 뭐지요?"

"북이지 뭐겠소."

"그렇다면 이건 가짜 북이군요?"

"그렇소."

예멜리얀은 놀랐다. 그리고 그것을 달라고 애원했다. 그러나 그 사나이는 주려고 하지 않았다. 예멜리얀은 단념하고, 그를 따라가기 시작했다. 온종일 따라다니다가 그가 잠이 든 틈에 가까스로 훔쳐 달아났다. 재빨리 줄달음친 예멜리얀은 간신히 마을에 당도했다. 하지만 아내의 모습은 보이지 않았다. 아내는 그가 떠난 이튿날 왕에게 끌려가고 만 것이다. 예멜리얀은 궁전에 가서 왕께 알현을 청했다.

"어딘지도 모르는 곳에 가서 무엇인지도 모르는 것을 가지고 온 사람이 돌아왔습니다."

신하들은 그 뜻을 왕에게 전했다. 왕은 예멜리얀에게 내일 다시 나오라고 말했다. 하지만 예멜리얀은 한 번 더 알현을 청했다.

"제가 오늘 입궐한 것은 분부하신 물건을 갖고 왔기 때문에 그러한 것이오니 아무쪼록 왕께서는 배알을 허락해 주십시오. 그렇지 않으면 제가 직접 들어가 뵙겠습니다."

잠시 후 왕이 나와 물었다.

"너는 어디를 갔다 왔느냐?"

예멜리얀은 그대로 대답했다.

"그렇다면 틀렸어. 그리고 무엇을 가지고 왔단 말이냐?"

예멜리얀은 그것을 보여 주려고 했지만, 왕은 보지도 않고 말했다.

"그것도 틀렸어."

"만약 그러시다면, 이건 두들겨부숴 버려야만 하옵니다. 에이, 악마에게나 줘 버리자."

예멜리얀은 북을 들고 궁전을 나와 그것을 두드려 댔다. 그가 북을 두드리자 왕의 군대가 모두 예멜리얀에게로 모여들었다. 그리하여 예멜리얀에게 경례를 하고, 그가 내릴 명령을 기다리고 있었다. 왕은 창문을 내다보며 군대를 향해 예멜리얀을 따라가지 말라고 소리쳤다. 그러나 군인들은 왕의 말은 듣지도 않고 모두 예멜리얀을 따라갔다. 그것을 본 왕은 예멜리얀에게 아내를 돌려보낼 테니 북을 가져오라고 애원했다.

"그럴 수는 없사옵니다. 저는 이 북을 산산이 부수어서 강속에 내던지라는 명령을 받았사옵니다."

예멜리얀은 북을 두드리며 강가로 갔다. 군인들도 그를 따라왔다. 예멜리얀은 북을 산산조각 나게 부수어 강물 속에 던져 버렸다. 그러자 군인들은 단 한 명도 남김없이 흩어져 달아나 버렸다.

예멜리얀은 아내와 함께 집으로 돌아갈 수 있었고, 그후로 임금은 더 이상 그를 괴롭히지 않았다. 그리하여 그는 행복하고 편안하게 살 수 있게 되었다.

세 아들

한 아버지가 아들에게 재산과 토지를 나누어 주며 말했다.

"나처럼 살아가도록 하여라. 그렇게 하면 행복해질 테니까."

제 몫을 나누어 받은 아들은 아버지 곁을 떠나 자기 멋대로 살기 시작했다.

"아버지께선 당신처럼 살라고 하셨는데……."

첫째 아들은 말했다.

"아버지는 유쾌하게 사셨으니까 나도 그렇게 해야지."

이렇게 일 년을 살고, 이 년을 살고, 10년, 20년을 살았으나 결국 나누어 받은 재산을 모두 탕진해 버리고 빈털터리가 되었다. 그래서 아들은 아버지에게 돌아가 애원했다.

"제발 도와주십시오."

하지만 아버지는 아들의 청을 물리쳤다. 아들은 아버지에게 환심을 사려고 자기가 가지고 있는 물건 중에서도 가장 좋은 것을 선물로 드리고 "제발 도와주십시오" 하고 빌다시피 애원했다. 그래도 아버지는 아들의 애원을 들어주지 않았다. 아들은 잘못이 있으면 용서해 달라고 사죄했으나 아버지는 여전히 꺾이지 않았다. 그러자 아들은 아버지에게 이렇게 욕을 하는 것이었다.

"아버지는 지금 제게 아무것도 주시지 못할 거라면, 왜 그때 제 몫을 나눠 주셨으며 그것으로 한평생 넉넉히 살 것이라고 했습니까? 이제까지 제가 맛본 기쁨과 즐거움도 지금 겪고 있는 고통에 비하면 아무것도 아닙니다. 저는 금방이라도 죽을 것 같은 마음이 듭니다. 건강이 날로 나빠져 가는 것을 느낄 수 있습니다. 그런데 제 불행의 원인은 누굽니까? 바로 아버지입니다. 행복이 제게 해를 끼친다는 것을 아버지께선 알고 계셨을 것입니다. 그런데도 그 위험을 주의시키지 않고, 그냥 '나처럼 살아라, 그러면 만사가 잘 될 테니까'라고만 하셨습니다.

저는 아버지가 하시던 대로 살면서 여러 가지 즐거움에 몸을 맡겼습니다. 저는 아버지를 본받았습니다. 그런데 아버지께서는 그렇게 살아도 될 만큼 충분한 돈이 있었지만,

저는 모자랐던 거지요. 아버지는 거짓말쟁이입니다. 아버진 제 적입니다. 될 대로 되라지! 저를 속인 아버지를 저주합니다. 아버지 얼굴은 다신 보고 싶지도 않습니다. 아버지를 증오할 겁니다!"

아버지는 첫째와 똑같은 몫을 둘째아들에게도 나누어 주었다. 그때도 다만 "나처럼 살도록 해라. 그렇게 하면 너도 행복해질 테니까"라고 했을 뿐이다.

둘째아들은 그 몫을 나누어 받았지만, 진심으로 기뻐하지 않았다. 그것은 큰아들이 받은 것과 같은 액수였지만, 둘째아들은 형에게 일어난 일을 이미 알고 있었기 때문에 무슨 짓을 해서라도 형처럼 거지나 다름없는 신세는 되고 싶지 않다고 생각했다.

형처럼, "나처럼 살아라" 하신 아버지의 말씀을 잘못 받아들이고 쾌락만 쫓는 생활을 해서는 안 된다는 것을 둘째아들은 분명히 알고 있었다. 그리하여 어떻게 하면 나누어 받은 재산을 더 늘릴 수 있을까 밤낮으로 고심했지만, 그 목적을 이루지는 못했다.

하루는 둘째아들이 아버지에게 의논하러 갔다. 그러나 아버지는 아들에게 아무 말도 해 주지 않았다. 그래서 아들은 어쩌면 아버지는 행복의 비밀을 가르쳐 주기를 두려워하는지도 모른다고 생각하고, 아버지가 재산을 만드는 방법들을 알아내려고 했다. 아들은 돈을 모으려고 마음먹었으나 아무리 해도 모이질 않았다. 하지만 그는 자신의 탐욕을 인정하고 싶지 않았기 때문에 대신 아버지를 비난하기 시작했다.

아버지는 한평생 쭉 옹색하게 살면서 다른 사람에게는 아무것도 나누어 주지 않았고, 다른 사람들이면 같은 세월에 더 많이 모았을 것이라는 소문을 퍼뜨리고 다녔다. 이렇게 지내는 동안 아버지에게서 나누어 받은 재산은 다 없어졌다. 완전히 바닥이 났을 때 둘째아들은 이제 죽을 수밖에 없다고 생각하고 자살해 버렸다.

아버지는 셋째아들에게도 위의 두 아들에게 준 것만큼 재산을 나누어 주고 했던 말을 되풀이했다.

"나처럼 살아라. 그러면 너도 행복해질 것이니."

몫을 나누어 받은 셋째아들은 기쁜 나머지 집을 나갔다. 그러나 두 형에게 벌어진 일을 잘아는 그는 아버지의 말을 곰곰이 생각해 보았다.

'큰형님은 아버지처럼 산다는 것이 자신의 쾌락을 좇는 일이라고 잘못 생각하고, 그 때문에 가지고 있던 돈을 모조리 없애 버렸다. 둘째형님 역시 아버지의 말씀을 이해하지 못하고 파멸의 구렁텅이에 빠져 버렸다. 그러고 보니 자신처럼 살라고 하신 아버지의 말씀은 도대체 무슨 뜻인지 모르겠다.'

거기서 셋째아들은 아버지의 생활에 대해 자기가 알고 있는 모든 것을 생각해 냈다. 여러 가지 일을 생각해 내는 동안 셋째아들은 이런 것을 깨달았다. 그것은 바로 자기가 태어나기까지 아버지는 자신을 위해 아무것도 준비한 것이 없으며, 또 자기라는 것도 없었다는 점이다. 아버지는 자기라는 것을 만들고 키우면서 이 세상 모든 행복을 맛보라는 것이었다. 아버지가 두 형을 위해서도 마찬가지 일을 했다는 것을 알고 있었으므로, 아버지를 본받는다는 것은 이 속에 포함되어 있다고 단정했다. 아버지에 대해 알고 있는 일체의 것은 자기와 두 형에게 좋은 일을 베풀어 주었다는 것뿐이었다.

그때 셋째아들은 "나처럼 살아라" 하신 아버지의 말씀이 무엇을 의미하는지 깨달았다. 그것은 남에게 좋은 일을 하라는 것이었다. 이렇게 생각하고 겨우 안심했을 때 아버지가 곁으로 다가와 말했다.

"이제야말로 우리는 다시 함께 살면서 행복을 누리게 되었다. 어서 내가 사랑하는 젊은이들에게 가서 나를 본받는 자는 정말로 행복하게 된다는 것을 일러 주고 오너라."

그래서 셋째아들은 자신과 같은 젊은이들을 찾아가 아버지에게서 들은 이야기를 해 주었다. 그후로 자식들은 자기의 몫을 나누어 받았을 때 많이 받은 것에 대해서가 아니라, 아버지처럼 살고 행복하게 된다는 것에 대해 기뻐하게 되었다.

아버지라고 말한 것은 하느님이고, 아들들은 인간, 행복은 우리들의 생활이다. 인간은 하느님 따위는 없어도 자기

힘으로 살아갈 수 있다고 생각한다.

어떤 자는 인생이란 끊이지 않는 쾌락의 연속이라고 생각하고 들뜬 생활을 즐기고 있으나 마침내 죽을 때가 오면 무엇 때문에 이 세상을 살아왔는지, 죽음의 고통으로 끝나는 행복이란 무엇인지 전혀 알지 못하게 된다. 이와 같은 사람은 하느님을 저주하면서 죽어 가고, 신을 부정한다. 이런 사람이 바로 맏아들일 것이다.

둘째아들과 같은 사람은, 이 생의 목적은 자아의식의 실현이고, 자기완성이라고 믿어 자신을 위해 보다 새롭고 좋은 생활을 만들기에 전력을 다하나 지상의 생활을 완성시키는 동안 그것을 잃어버리고 차차 멀어져 간다.

마지막으로 셋째아들과 같은 사람들은 이렇게 말한다.

"우리가 신에 대해 알고 있는 일체의 것은 신은 인간에게 선을 베풀고, 남에게도 그같이 하라고 명령하신다는 것뿐이다. 그러므로 우리는 신을 본받아 동포에게 선을 베풀어야 되지 않겠는가?"

인간이 이러한 생각에 이르게 되면 신께서는 그들을 찾아와 이렇게 말씀하신다.

"이것이야말로 내가 너희에게 바랐던 것이다. 내가 하는 대로 하라. 너희도 나처럼 살게 될 터이니."

톨스토이 민화의 시학

1879년 여름 올로네쯔의 이야기꾼 V. P. 시체골로네크가 야스나야 폴랴나에 손님으로 왔다. 톨스토이는 그의 이야기를 바탕으로 하여 많은 전설과 단편을 기록했다. 그 가운데에는 단편 〈사람은 무엇으로 사는가〉의 뼈대를 제공한 전설도 있었다. 1881년 아동잡지 《어린이의 휴식》에 발표된 이 단편은 톨스토이의 이른바 '민화' 시리즈의 효시가 되었다. 민화는 1880년대, 특히 1884년 민중출판사 '중개인'이 창설된 뒤 톨스토이의 창작활동에 있어서 중대한 자리를 차지했다. '중개인' 출판사의 책은 당시 거대한 부수가 발행되고 있었고, 값이 무척 쌌으며 민중의 읽을거리에서 품위가 낮고 저급한 문학을 밀어내도록 사명 지워져 있었다. 그런 점에 있어서 '중개인'이 한 긍정적인 역할은 의심할 나위 없이 지대하다. '중개인' 출판사의 과제와 요구에 대하여 톨스토이는 1886년 이렇게 쓰고 있다 — "방향은 명백하다, 그리스도의 가르침, 즉 그의 오계五戒의 예술적 형상으로의 표현. 이

---

* 톨스토이 단편선 2의 해설을 함께 실었습니다.

책의 성격은 노인이나 여자들이나 어린아이들도 읽을 수 있고 어떤 사람이든 재미있어 하고 감동하며 한결 더 기분이 좋게 하도록 한다는 것이다."

민중의 지적발달과 교육을 위하여 쓴 단편들의 사상적 의의는 대체로 톨스토이의 윤리가 역연한 모순을 드러내고 있을 정도로 모순되고 있다. 일면으로 그것에는 고도로 참되게 휴머니스틱한 데가 있다. 이를테면 〈사람은 무엇으로 사는가〉와 같은 단편들에 있어서는 집요하게 선은 악보다 한결 더 정의로울 뿐만 아니라 유리하다는 것, 탐욕은 욕지기를 치밀게 하는 것이지만 불행에 빠져 있는 다른 사람을 돕는다는 것은 아름다운 일이며 필요하다는 것, 사람들 사이의 사랑의 관계는 인간의 도덕의 규준이 되지 않으면 안 된다는 것 등에 대한 사상이 표현되어 있다. 이러한 단편들에 있어서는 부르주아적 사회체제의 모든 공포, 즉 권력과 돈과 전쟁으로부터 벗어나기를 지향하였던, 그리고 〈바보 이반〉에 있어서처럼 배불뚝이 타라스가 돈을 더 많이 가지려고 가난뱅이에게서 암소를 빼앗는다든가 하지 못하고, 무관세몬의 욕심 사나운 침략적 목표를 달성하기 위하여 사람들을 죽이지 못하게 하며 사회에 무위도식하는 자들이 없도록 하는 정의로운 사회제도를 꿈꾸었던 광범한 일반 대중의 기분과 희망이 옛날이야기의 형식으로 구상화되고 있다. 이러한 단편들에서는 자기 나름대로 불공정한 사회체제에 대한 항의가 표현되어 있다.

제정帝政의 검열은 몇 번이고 민중의 읽을거리를 위한 톨스토이의 단편의 중판을 금지시켰다. 그렇게 하여 1887년 출판업총국의 명령으로 다음과 같은 단편 — 〈사람은 무엇으로 사는가〉, 〈사랑이 있는 곳에 신도 있다〉, 〈세 은사〉, 〈사람에겐 얼마만큼의 땅이 필요한가〉, 〈달걀만한 씨앗〉, 〈두 노인〉, 〈불은 놓아두면 끄지 못한다〉, 〈소녀들은 노인들보다 지혜롭다〉, 〈악마적인 것은 차지지만 신적인 것은 단단하다〉, 〈일리야스〉, 〈두 형제와 황금〉, 〈촛불〉 — 의 단행본 출판이 금지당했다. 그 뒤에도 출판 금지는 그치지 않았다.

L. M. 레오노프가 〈톨스토이에 대한 말〉 가운데서 준 민담의 특징의 서술은 옳고 심오하다 — "이같은 조그만 설화의 도움으로 톨스토이는 예로부터 진실이 인간의 갈증을 풀며, 그렇게 함으로써 모든 사회적, 국제적, 가족적 그리고 그 밖의 불행 — 그것에 의하여 그 어떤 종교의 진실의 기나긴 파괴로 말미암아 인간의 일상생활 속에 축적되어 왔던 — 을

앞으로 오랜 시간에 걸쳐 해결할 수 있는 종교·도덕의 규칙을 예정하기를 지향했다.

　다른 일면으로는 이러한 단편들은 정의롭고 공정한 사회체제의 달성으로의 길에 대한 톨스토이의 생각의 비현실성을 반영하고 있다. 그래서 이를테면 〈바보 이반〉 가운데에서는 임금인 바보 이반과 그의 백성은 돈과 군대를 거부하고 농부의 육체적 노동에 종사하기만 하는 것으로 충분하다는 것, 노동하는 백성이 꿈꾸고 있는 행복한 삶이 어떻게 만들어질 것인가 하는 것이 증명되고 있다. 사유재산의 비판은 대체로 물질적 행복을 거부하는 설교로 바뀌고 있고(〈일리야스〉), 악에 대한 무저항이 악과의 싸움의 유일한 수단으로 그려져 있다(〈촛불〉). 민중의 지적발달과 교육을 위하여 일련의 단편을 쓰고 있던 이 시기에 있어서 톨스토이가 어떤 자료 — 고대 러시아의 문헌이건, 혹은 전설적 민간전승이건 — 를 이용하고 있었건 그는 언제나 그것을 자기 철학의 원리에 좇아 변형시키고 있다. 교회의 교훈적 문헌의 슈제트를 바꾸면서 톨스토이는 그것에 반교회적 경향성을 부여하고 있고, 주인공들의 행위에 나타나고 있는 신의 의지의 원용援用을 배제하고 있으며 '그리스도 안에서' 살고 있는 자의 도덕적 힘을 강조하고 있다. 민간전승의 재료를 변형시키면서 그는 그것에 폭력으로 악에 맞서지 말라는 자기의 사상을 끈질기게 집어넣고 있다.

고대 교훈문학과 민중구전 창조의 전통은 민화의 내용과 문체 속에서 기묘하게 엮여 있다. 전자에서는 복음서의 제사題辭가 나온다. 이야기의 형식 전체는 결말에 종교적·도덕적 잠언이 있는 우화이다("나는 깨달았다 — 모든 인간은 자기 자신에 대하여 걱정하는 것에 의하여 살아가는 것이 아니라 사랑으로서만 살아가는 것이다." — 〈사람은 무엇으로 사는가〉. "그리하여 아브제이치는 깨달았다 — 꿈은 헛되지 않아 이날 구세주가 자기에게로 찾아왔고, 그는 그를 모셨던 것이다." — 〈신이 있는 곳에 사랑도 있다〉. "농민들은 하느님의 힘은 악을 악으로 갚는 데에 있는 것이 아니라 착한 일 가운데 있다는 것을 깨달았다." — 〈촛불〉). 민화의 전거에 대한 조심스러운 연구는 결국 민중구전 창조가 아닌 고대 교훈문학이 기본적으로 슈제트의 차용을 위한 자료라는 것을 보여 주고 있다. 그와 더불어 단순하고 표현력에 찬 말에는 민화의 문체로의 민간전승의 침투가 나타나 있는 것뿐만이 아니다. 여기에는 옛날이야기의 놀라운 변화와 함께 그 장르의 폭넓은 이용과 전형적으로 민간전승적 예술적인 방법 — 삼위일체, 전통적인 발단("마을에 살았다", "도시에 살았다" 등등)과 결말("그리하여 오래오래 살았다", "오래오래 행복하게 살았다"), 속담, 격언 등도 있다.

리얼리스트로서의 톨스토이의 위대한 예술은 민화에서도 엿볼 수 있다. 삶의 진실의 감정은 예술가에게 현실의 실제적인 측면의 묘사를 요구했다. 그래서 톨스토이는 1885년 P. I. 비류코프에게 삶의 어두운 측면을 돋보이지 않게 하라는 V. G. 체르트코프의 제의를 염두에 두면서 이렇게 쓰고 있었다 — "거짓, 배신, 나쁜 것을 감추지 않을 수 없다." 이러한 원칙에 좇아 톨스토이는 구두장이 세몬 가족의 빠져나갈 수 없는 가난(《사람은 무엇으로 사는가》), 살림꾼인 농부 일리야스의 자기본위적인 삶(《일리야스》), 구두장이 마르틴의 불행(《사랑이 있는 곳에 신도 있다》), 달걀 때문에 무자비한 적의가 활활 불타올랐던 농부들의 볼썽사나운 삶(《불을 놓아두면 끄지 못한다》), 굶주린 우크라이나의 마을(《두 노인》), 고생하여 출세한 바흠의 억제할 줄 모르는 탐욕, 소유자적 본능(《사람에겐 얼마만큼의 땅이 필요한가》) 등등을 그렸다. 초상화적 성격 묘사, 풍경, 대화에는 짧고 간결한 수단으로, 한 마디의 말로 둘도 없는 예술적 형상을 창조하는 톨스토이의 수완을 보여 주는 많고 정확하며 현실적인 디테일이 있다.

서술의 단순, 간결을 톨스토이는 민중을 위한 이야기의 필수조건으로 여겼다. 이야기가 이해되려면 그것은 기교적이지 않고 단순하여야 한다. 그래서 개개의 문체적 디테일은 서술 속에 일반 대중이 독자이며 자주 무식한 사람들이 청중이라는 것을 고려하여 집어넣어지고 있다.

이야기의 높은 가치는 그것의 단순하고 간결하고 엄밀하고 또렷또렷한 문체에 있다. 예술적으로, 동시에 간결하고 단순하게 말하는 것은 큰 재주이며, 바로 이러한 재주의 훌륭한 본보기를 톨스토이는 민중을 위한 자기의 이야기 가운데에 보여 주었다.

그러나 전반적으로 예술적 형식을 단순화하려는 작가의 지향은 작품이 민중을 위하여 예정되어 있을 경우 모순된 결과를 가지고 있었다. 말의 단순함의 매력, 톨스토이가 창작활동 후기에 그처럼 높이 평가하고 있었고 민중문학의 필수조건으로 여기고 있었던 형상적 묘사 수단의 절약은 이러한 이야기에 있어서 의도적인 예술적 형식의 단순화와 결합한다.

민중을 위한 이야기를 창작할 시기에 완성된 수법은 예술에 대한 작가의 새로운 요구가 위대한 예술가의 다년의 작가적 경험과 맺어진 만년의 톨스토이의 문체의 가장 풍부한 다양성의 일부를 이루었다. 그리고 다면적이지만 지극히 경향적이지 않는 예술의 길 위에서 톨스토이는 자기 창작활동의 후기이며 정신적 전환 후의 시기에 참으로 민중적인 작품을 창조하였다.

〈사람은 무엇으로 사는가〉 ― 1881년 1월에 집필하기 시작하였다. 저작은 단속으로 거의 일 년 동안 계속되었다. 아동잡지 《어린이의 휴식》 1881년 제12호에 맨 처음 발표되었다(1881년 11월 18일 검열허가). 1882년 양서보급협회에 의하여 V. 쉐르부드의 삽화가 그려 넣어져 출판되었다. 1885년 '중개인' 출판사에 의하여 간행되었다(이 출판사에 의하여 간행된 첫 번째 책이다). 이 작품은 1879년 톨스토이가 올로네쓰의 고대 러시아 영웅서사시의 이야기꾼 V. P. 시체골로네크의 말에서 채록한 종교전설 〈아르한겔〉을 기초로 하고 있다.

1882년 V. V. 스타소프는 톨스토이에게 이렇게 썼다 ―

"나는 당신에게 참으로 내가 《어린이의 휴식》지에 실린 당신의 종교전설 〈사람은 무엇으로 사는가〉에 얼마나 감동하였는지를 말하고 싶습니다. 언어만은 내가 일찍이 고골리의 작품에서나 발견하였을 정도의 단순함, 진실함, 완벽함에 다다를 만큼 갈고 닦여 있습니다." 그보다 뒤의 편지에서 스타소프는 〈사람은 무엇으로 사는가〉는 "초자연적인, 말하자면 환상적인 장면만을 제외하고 내 마음에 들었습니다" 하고 말하고 있다.

《러시아사상》에 큰 비평이 실렸다. 여기에서는 또다시 특히 종교전설의 민중어가 지적되고 있었다 ─ "새로운 단편으로 미루어 판단하건대 『안나 카레니나』의 출현 이후로 지나간 세월은 그 작가에게 있어서는 헛되이 지나간 것은 아니었다……. 작가의 언어는 한결 더 강해지고 냉정해졌으며 씩씩해졌다. 그것의 성서적 단순함에 놀랐다. 그뿐만 아니라 작가의 언어에서는 민중의 말의 강한 영향의 흔적이 보이고 있다. 민중의 말에서 저자는 그것의 표현의 정확함과 표현력을 차용할 줄 알고 있다." 비평은 사물에 대한 작가적 견해가 완전히 농민적인 견해에 가까워졌다. 즉 작가와 농민 사이에 완전한 내적 의견의 일치가 있다는 분명한 사실도 강조하고 있다.

〈두 형제와 황금〉 ― 1885년 2월 말에 쓰여졌다. 『교회력』에 실린 옛 종교전설이 이 이야기의 전거가 되었다. 톨스토이는 전설의 근본사상(부의 부정)을 지켰으나 그것의 종교적 금욕주의적 요소를 약화시켰다. 〈두 형제와 황금〉은 1886년 초 '중개인' 출판사에 의하여 출판된 작품집 〈고레즈 황제와 스승 솔론, 그 밖의 단편〉에 처음으로 발표되었다.

〈일리야스〉 ― 이 이야기는 1885년 3월 후반 톨스토이가 결핵을 앓던 자기의 벗 L. D. 우루소프를 따라서 왔던 크르임에서 쓰여졌다.
최초의 이문異文에서는 이야기의 주인공은 타타르인이었으나 나중에 톨스토이가 아주 잘 알고 있던 바슈키르 초원으로 사건이 옮겨졌다. 3월 말 원고는 '중개인' 출판사에서 출판하도록 V. G. 체르트코프에게 넘겨졌고, 5월 18일 이야기는 다시 한 번 고쳐졌다. 이야기는 그림의 본문이 되어야 했으나 그림이 아직 만들어지지 않아 1886년에 작품집 〈고레즈 황제와 스승 솔론, 그 밖의 단편〉에 최초로 실렸다.

〈사랑이 있는 곳에 신도 있다〉 — 1885년 3월 후반에 쓰여졌다. 6월 초 출판사 '중개인'에서 A. D. 키프쉔코의 표지화와 함께 소책자로 출판되었다. 페테르부르크의 잡지 《러시아노동자》(1884, 제1호)에 발표된 단편 〈마르틴 아저씨〉의 개작으로 프랑스 작가 두벤 사이얀의 단편 〈Le père Martin〉의 조탁된 번역이다. V. G. 체르트코프가 톨스토이에게 이 작품이 실린 《러시아노동자》지를 부치면서 이렇게 쓰고 있다 — "이야기의 사상은 그것을 가능한 한 한결 더 감동적이고 설득력 있게 전달하였으면 싶은 만큼 중요하고 귀중합니다." 텍스트는 인쇄 전에 몇 차례 개정되고 정서되었다. 원전은 변형되었다 — 감상적인 톤과 외적 효과는 제거되고 수많은 실제적인 세부, 특히 생생한 한길의 장면 — 사과 장사를 하는 노파와 그녀에게서 사과를 훔치려는 개구쟁이 소년 — 이 덧붙여졌다.

〈악마적인 것은 차지지만 신적인 것은 단단하다〉 — 1885년 2월 전반에 쓰여져 같은 해의 5월에 개정되었다. 1886년 2월 출판사 '중개인'에서 이야기가 무척 마음에 들었던 I. E. 레핀의 속표지 그림과 함께 출판되었으며, 그때 작품집 〈고레즈 황제와 스승 솔론, 그 밖의 단편〉에 수록되었다.

〈소녀들은 노인들보다 지혜롭다〉 ― 1885년 4월 전반에 쓰여졌다. 같은 해 11월 K. A. 사비쓰키 그림의 본문으로 '중개인' 사에 의하여 출판되었다.

〈불을 놓아두면 끄지 못한다〉 ― 이야기의 슈제트는 톨스토이에 의하여 1884년 3월 초의 일기에 이렇게 적혀 있다 ― "한 농부가 저녁에 마당으로 나와 달개 밑에서 불길이 확 치솟는 것을 본다. 그는 고함을 친다. 어떤 사람이 달개에서 도망친다. 농부는 그것이 원수처럼 지내는 자기의 이웃임을 알고 그의 뒤를 쫓아간다. 그가 쫓아가는 동안 불길은 지붕으로 번져 집이고 마을이고 불타 버렸다." 이야기 가운데에 (한 농부가 다른 한 농부의 턱수염을 한움큼 잡아 뽑자 그것을 '문서'에 싸 면재판소에 보내고 한 싸움 가운데에) 그려진 에피소드는 실제의 근거를 가지고 있다. 1884년 5월 21일 톨스토이는 일기에 적고 있다 ― "레주노바 노파가 타라스에게 잡아 뜯긴 머리채를 플라토크에 싸 가지고 왔다."

이 작품의 초고는 1885년 4월 11일의 것으로 보여진다. 수많은 정정을 거쳐 5월 10일 작품은 인쇄소에 넘겨졌고 그런 다음에도 또 교정쇄로 수정되었다. 1885년 6월 초 '중개인' 출판사에서 출판되었다. 이듬해인 1886년 K. A. 사비쓰키의 삽화가 실려 중판되었다.

〈두 노인〉 ― 1885년 5월 말 ~ 6월 초에 쓰여졌다. 6월 2일 톨스토이는 V. G. 체르트코프에게 이렇게 알리고 있다 ― "나는 다른 일을 하는 사이에 내가 메모해 놓은 테마 가운데서 훌륭한 단편 한 편을 썼습니다. 나는 게를 기다리고 있는데 그에게 삽화를 그려 달라고 부탁하겠습니다." 1879년 V. P. 시체골로네크의 말에서 메모한 종교전설 〈두 순례자〉가 이 작품의 전거가 되었다. 이 작품의 사건은 우크라이나에서 일어난다(그래서 톨스토이는 언제나 체르니코프 도道의 작은 마을에 살며 우크라이나의 세태 풍속, 생활양식, 자연을 잘 알고 있던 N. N. 게를 기다리고 있었다). 종교전설의 기초에 놓여 있는 사상은 고대 러시아문학에 나온다(이를테면 『다닐로 수도원장의 여행』 가운데서).

7월 3일 출판을 위해서 '중개인'에 보내어졌다. 그런 다음 교정쇄로 정정하여 1885년 10월 키프쉔코의 표지그림과 함께 소책자로 출판되었다.

〈촛불〉 — 1885년 5월 말 ~ 6월에 쓰여져 7월 초 출판을 위하여 '중개인'에 보내어졌다. 이 작품의 전거에 대하여 톨스토이는 말하고 있다 — "나는 툴라에서 함께 와야 했던 술 취한 농부들에게서 그것을 들었다. 나에게는 그것의 조야한 단순함이 마음에 들었다. 자꾸자꾸 농부들의 짚신 냄새가 난다." 그것에 대해서는 톨스토이의 전기작가 P. I. 비류코프도 이렇게 쓰고 있다 — "톨스토이는 나에게 그 슈제트는 술 취한 농부가 자기에게 이야기했던 것이고 자기는 거의 아무것도 덧붙이지 않았다고 했다."

〈바보 이반〉 — 초고는 1885년 9월 20일께의 '저녁에 금방' 쓰여져 같은 해 10월 말 〈바보 이반〉의 저작은 끝났다. 『L. N. 톨스토이 백작 작품집 제12권(모스크바, 1886)』에 수록되어 발표되었다. 같은 해 '중개인' 출판사의 단행본으로 간행되었다.

이야기는 그 근저에 어떤 일정한 전거를 가지고 있지 않으며, 다만 민화로 보급된 바보 이반과 그의 교활한 형들의 형상을 이용하고 있을 뿐이다. "나는 이 이야기가 마음에 듭니다" 하고 톨스토이는 V. G. 체르트코프에게 부친 편지 가운데에서 적고 있다. P. I. 비류코프에 의하여 인용된 톨스토이의 말에 의하면 맏형 무관 세몬에는 전쟁에 대한 비판적 태도가 표현되어 있고, 배불뚝이 타라스(몇몇 원고에서는 수전노) 이것은 자본주의 체제의 모델이며 이반의 나라의 유일한 법칙 — "손에 못이 박인 자는 식탁에 앉게 되지만, 못이 박이지 않은 자는 먹다 남은 찌꺼기를 먹어야 하는 것이다" — 은 특권계급의 기생충적 생활의 영원한 폭로로 이바지할 것이다.

'중개인' 판 〈바보 이반〉은 검열에 의하여 크게 왜곡된데다 그 재판은 압수당했다. 종교검열위원회는 그것에 대하여 다음과 같은 반응을 보였다 — "바보 이반은 말하자면 원칙적으로 나라는 전쟁 없이, 돈 없이, 학문 없이, 사고하는 것 없이, 심지어는 최소한 그 무엇에 의하여서도 농부와 달라서는 안 되는, 황제가 없이도 존재할 수 있는 가능성에 대한 사상, 그리고 오직 하나 유익하고 합법적인 노동은 손에 못이 박인 노동이다라는 것에 대한 사상을 제시하고 있다. 이 이야기에서는 생활의 현대적 조건 — 정치적(군대를 유지할 필요성), 경제적(돈의 의의), 사회적(지적 노동의 의의) 조건을 직접적으로 조롱하고 있다." 〈바보 이반〉의 재판의 금지는 1892년과 1893년 되풀이되었다. 이야기는 심지어 이전 판에 관한 특별한 조치 — 길거리, 광장, 그 밖의 공공장소에서의 〈바보 이반〉의 소매금지, 그리고 마찬가지로 서적행상인과 농촌을 돌아다니는 도붓장수를 통한 이야기의 소매금지 — 를 불러일으키기까지 했다.

다수의 민담과 마찬가지로 〈바보 이반〉은 톨스토이 이전의 문우들에게서 찬성받지 못했다. N. N. 스트라호프는 1885년 10월 26일자의 톨스토이에게 보낸 편지 가운데서 〈바보 이반〉이 자기를 '슬프게 하여' 자기는 '이틀 동안 마음의 상처를 받고 서성거렸다' 하고 불평을 털어놓았다 — "이야기의 노골적인 교훈은 좋지 않아 그것이 이야기의 흥미를 없애고 있습니다." 공정한 사회체제에 대한 톨스토이의 이상적인 꿈, 그러한 체제가 수립되어야 한다는 것에 대한 그의 확신에 스트라호프는 그 당시 생활의 역사상의 사실을 대립시켰다 — "당신은 국가, 전쟁, 상업에 의하여 살아서는 안 된다는 것을 증명하고 있습니다만 프랑스, 영국, 독일은 살고 있습니다. 당신은 적은 평화의 나라에서는 떠날 것이라고 쓰고 있습니다만 영국사람들은 인도에서 떠나려고 생각하고 있지 않습니다."

N. K. 미하일로프스키는 자기의 〈독자의 일기〉(《북방소식》, 1886, 제6,7호)에서 〈바보 이반〉에서의 지적 노동의 비난과 육체적 노동의 옹호에 대한 부동의를 표명하고 있다.

저명한 여류국민교육가 Kh. D. 알체프스카야는 저서 『민중에게 무엇을 읽어 주어야 할 것인가?』에서 톨스토이의 〈바보 이반〉에 대하여 다음과 같은 의견을 말하고 있다 ― "지적 노동에 대하여 이처럼 공감하지 않는 민중속담民衆俗談을 민중도서관에 들여놓는 것은 완전히 불필요한 것으로 우리들은 여기고 있다."

그 뒤 〈실언의 주인공들〉이란 논문에서 V. I. 레닌은 〈바보 이반〉을 인용하면서 악에 대한 무저항의 가르침이 '급진적 인텔리겐치아 측에서 불러일으켰던 신랄한 비평에 반대하였던 잡지 《우리들의 여명기》(1910, 제10호)에 실렸던 메니쉐비크 V. A. 바자로프의 논문 〈L. N. 톨스토이와 러시아 인텔리겐치아〉를 비웃었다.

〈세 은사〉 — 종교전설의 저작은 1886년 1월~2월의 것으로 쳐지고 있다. 1월에 톨스토이는 그를 찾아온 손님인 화가 N. N. 게에게 단편을 읽어 주었다. "놀라운 작품입니다!" 하고 N. N. 게는 반응했다. 종교전설은 잡지 《니바》(1886, 제13호)에 〈볼가지방의 민담〉이라는 부제를 달아 발표되었다(3월 26일 검열허가). 보존되었던 교정쇄에서 소피야 톨스타야 부인은 파란 연필로 "몇 년?"이란 기호를 줄을 그어 지우고 "1886"을 달았다. '중개인' 출판사에서의 출판은 금지당했다. 세 은사에 대한 종교전설을 톨스토이는 비록 V. P. 시체골로네크의 말에서 메모된 민담과 종교전설 가운데에는 이 종교전설은 없을지라도 시체골로네크한테서 들었을 성싶다. 그때 톨스토이는 메모한 것보다 더 많은 것을 들었을 것임은 의심할 나위 없다. 민담의 슈제트는 아주 많이 보급된 것 중에 들어가며 구전의 전거에 있어서와 마찬가지로 문헌으로도 널리 알려져 있다. 16세기의 고대 러시아 고문서 중에 서유럽의 교훈문학에 기원을 둔 내용상 톨스토이의 단편에 가까운 〈이오니아의 사제 성 아우구스티누스에게 나타난 것에 대한 이야기〉가 있다. 이 이야기는 A. M. 쿠르브스키가 그것을 러시아에서 많은 사람들로부터, 특히 막심

필로소프(그레크)한테서 들어 기록하고 있다. 막심 그레크의 높은 권위가 구교파舊敎派 신자들 사이에서 볼가에서의 이 "민화"의 보존을 도운 것이었다. 여기에서 〈볼가지방의 민담 중에서〉라는 톨스토이의 단편의 부제가 나왔다.

종교전설은 톨스토이가 가장 좋아하는 사상 ― 틀에 박힌 교회의 교의와는 전혀 무관한 착한 일과 겸손한 헌신적 활동에 대한 ― 을 뒷받침하였다. 전거를 변용하는 자기의 작품에 충실한 톨스토이는 단편을 집필하면서 기적적인 것의 요소를 약화시켰다. 종교전설에 따르자면 물 위를 달리는 은사들을 갑판 위에 서 있던 사람들은 실제로 보고 있었다. 톨스토이의 초고에서는 대주교는 고함소리에 고개를 들었다 ― "그리고 대주교는 은사들에게 머리가 땅에 닿도록 절을 하였고 사람들은 모두 배 위에 있다." 단편의 최종적인 텍스트에서는 대주교가 꿈을 꾸고 있는 것인지 모든 것이 실제로 일어나고 있는 것인지가 완전히 명확하지 않다.

〈어떻게 작은 악마는 빵 조각을 보상하였는가〉 ― 1886년 2월 A. N. 아파나시예프의 작품집 〈민중의 러시아 종교전설〉을 읽으면서 톨스토이는 거기에서 자기의 민화를 위한 많은 슈제트를 발견했으나 "모두 파편으로 이루어져 있다 …… . 만일 그 파편을 본격적으로 짜맞추려면 어디 나을 수 있을까!"

A. N. 아파나시예프는 작품집에서 술을 빚는 것에 대한 백러시아와 타타르의 두 종교설화를 인용하고 있다. "민중 시와 종교설화에 있어서 인간의 이성을 어둡게 하고 인간을 온갖 도덕적 죄악과 범죄로 불러내는 것과 같은 악덕으로서의 알코올중독에 단죄를 내리고 있다." 그리고 비록 톨스토이가 모든 민중의 불행(기아, 질병, 범죄)이 알코올중독으로부터 생겨나고 있다고는 여기지 않았을지라도 '술을 빚는 것의 도덕적 죄악'에 반대하는 선전활동을 필요한 것으로 여겼으며 금주협회를 장려하고 그것을 테마로 한 문학작품(희곡 『최초로 술을 빚은 사람, 혹은 어떻게 작은 악마는 빵 조각을 보상하였는가』 등)을 쓰고 하면서 선전활동을 폈다.

단편에서 톨스토이는 종교전설의 두 이문異文을 통합하고 전거의 말을 그리 닮지 않은 생생한 구어口語로 그것을 고쳐 썼다. 실제로는 종교전설을 반박하고 있는 새로운 결말 — 짐승의 피를 술에 넣어 섞고 있는 악마가 나쁜 것이 아니라 보드카를 내리는 법을 익힌 농부들 자신이 나쁘다 — 이 쓰여졌다. 민중의 종교전설의 환상성은 개개 인간의 개인적 책임에 호소하고 있는 직선적인 도덕적 가르침으로 대체되었다.

단편은 '중개인' 출판사에서 간행된 책『레프 톨스토이의 세 편의 민화』(모스크바, 1886)에 발표되었다.

같은 해에 단편을 토대로 하여 민중극장을 위한 희곡『최초로 술을 빚은 사람, 혹은 어떻게 작은 악마는 빵 조각을 보상하였는가』가 창작되었다.

〈뉘우친 죄인〉 ― 톨스토이는 1886년 2월 A. N. 아파나시예프의 작품집〈민중의 러시아 종교전설〉에서 발견된 슈제트에 대하여 말하면서 이렇게 적고 있다 ― "나는 무엇인가를 이용하여 세 편의 조그만 작품과 한 편의 큰 작품을 썼다." "'조그만 작품' 그것은 〈어떻게 작은 악마는 빵 조각을 보상하였는가〉, 〈뉘우친 죄인〉, 〈달걀만한 씨앗〉 이고, '큰 것' 은 〈대자〉이다."

18세기의 고문서 중에서 차용된, 그러나 17세기의 옛이야기 ―〈주정뱅이에 대한 우화〉가 기원이 되고 있는 〈주정뱅이의 이야기〉가 단편 〈뉘우친 죄인〉의 전거가 되고 있다. 톨스토이는 천국에 들여놓아 달라고 사정하는 한 인간의 주요한 죄 ― 술잔치에 대한 언급은 빼 버렸다. 처음에는 죄악이 열거되고 있었다 ― "젊어서는 술을 마시며 술에 빠져 있었고 노름을 하며 음탕한 생활을 했다. 아내를 관 속에 몰아넣었다. 자식들을 이리저리로 내쫓아 버리고 늘그막에는 정부들과 살았다. 제 몸뚱이와 돈 외에는 아무도 사랑하지 않았다. 돈을 모아 불리고 아무도 불쌍히 여기지 않으며 가난뱅이, 고아, 과부들에게서 마지막 속옷을 빼앗고 목에서 십자가를 잡아챘다." 이러한 모든 것은 줄을 그어 지워졌다 ― 아마 톨스토이는 심지어 죽음 전에 회개하기까지 한 인간을 용서해서는 안 된다고 마음먹었던 것 같다. 즉 우화는 설득력을 잃은 것이었으리라.

단편은 1886년 4월에 간행된 『L. N. 톨스토이 작품집』 제12권에 수록되어 발표되었다.

〈달걀만한 씨앗〉 ― 1886년 2월~3월에 쓰여졌다. 같은 해 5월 초에 발행된 '중개인' 판의 『레프 톨스토이의 세 편의 민화』에 실려 발표되었다.

아르한겔리스크 도道에서 채록되어 A. N. 아파나시예프의 작품집 〈민중의 러시아 종교전설〉 머리말에 실린 종교전설이 이 작품의 전거가 되고 있다. 톨스토이는 정확히 종교전설의 슈제트의 근간을 지켰고 다만 비교(종교전설에서는 〈참새알 크기의 씨앗〉)를 바꾸었을 뿐이며 결말을 강하게 했다. 종교전설에서는 백칠십 살의 노인이 그대는 어찌 아들과 손자보다도 가뿐히 걷고 있는가라는 황제의 물음에 대하여 "신의 뜻에 좇아 살아왔기 때문이옵니다. 즉 제 것을 가질 뿐이고 남의 것을 탐내지 않았사옵니다" 하고 대답했다. 톨스토이가 고쳐 쓴 것에서는 곡식의 거래에 대한 대화가 나왔고, 주요한 것은 땅에서의 노동에 대한 농부의 생각 — "땅은 자유였사옵니다. 제 땅이란 건 몰랐었사옵니다. 제 것으로 불렀던 건 제 노동뿐이었사옵니다 — 이 표명돼 있다.

1906년 『독서의 고리』를 엮으면서 톨스토이는 여기에 〈달걀만한 씨앗〉을 실었다. 고문서 보관소에는 이것의 출판을 위하여 저자가 약간 정정한 교정쇄가 보관되어 있었다.

〈사람에겐 얼마만큼의 땅이 필요한가〉 — 1886년 2월 ~3월에 쓰여졌다. 잡지 《러시아의 부富》(1886, 제4호)에 발표되었으며, 동시에 '중개인'에서 출판된 책 『레프 톨스토이의 세 편의 민화』에 실렸다.

단편의 테마는 톨스토이가 그리스 역사학자 헤로도토스를 원어로 읽었고, 작가가 바슈키르인의 생활관습을 잘 알 수 있는 사마르 초원에서 묵었던 것과 연관된 것으로 추측할 수 있다. 죽음으로 끝나는 땅을 에워 가거나 뺑뺑 에워서 달리거나 하는 것에 대한 전설은 몇몇 우크라이나의 민담에 있다.

1886년 4월 모스크바대학교에서 이 단편과 그 밖의 몇몇 단편의 공개독회가 있었다. 소피야 톨스타야 부인은 이 저녁모임을 이렇게 쓰고 있다 ― "젊은 사람들이 인산인해를 이루었다. 모두가 대학생들이다." 단편 〈사람에겐 얼마만큼의 땅이 필요한가〉 뒤에 특히 일제히 박수소리가 울려 퍼졌다 ― "…… 인상은 '문체'가 놀랄 만큼 엄밀하고 간결하며 군말이 하나도 없는가 하면 화음처럼 모두가 정확하다고 하는 그런 것이다. 내용은 많고 말은 적으며 끝까지 만족시키고 있다." 단편 〈사람에겐 얼마만큼의 땅이 필요한가〉도 들어간 『L. N. 톨스토이 백작 작품집』 제12권의 검토에 바쳐진 검열문서가 보관되었다. 1886년 여름 모스크바검열위원회에서 12등 문관 K. 보로닌이 임시로 검열관의 직무를 수행

했다. 그는 톨스토이의 작가활동의 '새로운 영향'과 연관지으면서 이에 대한 보고서를 작성했다. 톨스토이의 금지된 사회평론적 저작을 '부정의 이데아'와 함께 비평하면서 (『고백록』 등) 검열관은 민중의 읽을거리를 위한 단편에 내포된 도덕적 설교를 무조건 승인했다.

〈대자〉 — 1886년 2월~3월에 쓰여졌다. 《주간의 책》 (1886, 제4호)에 〈민담〉이라는 부제를 붙여 발표되었다. 톨스토이의 정정으로 『L. N. 톨스토이 백작 작품집』 제12권에 수록되었다. '중개인' 출판사에서의 출판은 금지당했다 (1906년까지) — "종교검열은 이것보다도 더 파렴치한 책을 모른다는 평가를 내렸다".

A. N. 아파나시예프의 작품집에서 차용한 민중 종교전설 〈대부〉, 〈죄와 회개〉 그리고 또 외경의 〈주님이 불구자의 갓난애에게 세례를 준 대자 이야기〉가 이 단편의 전거가 되었다. 바슈키르에서 채록한 민간전승의 슈제트(〈곰과 통나무〉)가 4장의 자료가 되었음이 구명되었다. 널리 퍼져 있는 죄인에 대한 수다한 민간전승의 이야기에 있어서의 대단원은 다르다 — 큰 죄인이 죄를 뉘우치자, 실행 불능한 징벌이 지

위졌으나 그는 한결 더 죄가 무거운 다른 죄인을 죽임으로써 죄의 사면을 얻는다. 종교전설의 여러 다른 이문에서는 죄인은 잔학한 지주, 부농, 장사치, 극악무도한 황제, 부정한 재판관, 부역을 시키려고 송장들을 불러내면서 무덤을 두드리는 지주의 마름 등을 죽인다. 아파나시예프의 작품집에서 종교전설의 결말은 검열상의 이유로 바뀌거나, 혹은 (한결 더 다분히) 고대 교훈문학에 있어서 널리 보급되어 있는 문자로 쓰여진 이야기의 구전口傳 이문이 인용되어 있다. 여기에서 죄인은 "통행 불능한 숲속으로 떠나 동굴 속에 칩거하여 밤낮으로 신을 위하여 일을 한 뒤 용서를 받는다. 톨스토이는 자기의 결말을 소년은 강도를 죽이지 않고 그에게 선을 따르도록 하였다"라고 썼다.

〈머슴 예멜리얀과 빈 북〉 — 1886년 5월에 쓰여졌다. 톨스토이는 그것을 5월 16일 소리를 내어 읽었다. 〈사마라 지방의 민화와 전설. D. N. 사도브니코프 채집, 채록, 산크트 페테르부르크, 1884〉에 실린 〈빈 북〉의 개작이다.

'중개인'을 위하여 반전反戰 민화를 쓸 계획은 의심할 나위 없이 1886년 모스크바에서 야스나야 폴랴나로 가는 도중 톨스토이에게 일어났던 만남, 즉 알렉산드르 1세와 니콜라이 1세 때에 걸쳐 복무했던 아흔다섯 살의 병사와의 만남과 연관돼 있다.

이 단편은 1891년 제네바에서 M. 엘피딘에 의하여 "먼 옛날 볼가에서 만들어진 민화 중에서 톨스토이가 복원하였다"란 주가 붙여져 발표되었다. 1892년 C. A. 톨스타야 부인은 이 민화를 작품집에 실으려고 했다. 검열의 요구로 이 민화는 이미 정판된 권卷에서 제외되었다.

1889년에 V. G. 체르트코프는 이 민화를 포함시켜 영국에서 반전 작품집을 출판했다. '중개인' 사는 1906년에야 이 민화를 출판할 수 있었다.

〈세 아들〉 ― 작품집『꽃』(제2판, 모스크바, 1889)에 처음 발표되었다. 이 우화의 집필추정일자는 1887년 6월이다. 같은 해 7월에 톨스토이는 체르트코프에게 부친 편지에서 그에게 정정된 텍스트를 부쳤노라고 알리고 있기 때문이다.

〈지옥의 붕괴와 그 부흥〉 ― 1903년 V. G. 체르트코프가 편집한『레프 니콜라예비치 톨스토이의 지옥의 붕괴와 그 부흥』이 영국에서 처음으로 출판되었다.

1889년 9월 25일 체르트코프에게 보낸 편지에서 톨스토이는 처음으로 종교전설 〈지옥의 붕괴와 그 부흥〉의 구상에 대하여 언급하고 있다. 1902년 그에게 보낸 편지 가운데서 톨스토이는 "……지금 〈성직자계급에 부침〉의 예증으로 쓰여야 할 악마에 대한 종교전설을 쓰고 있습니다" 하고 전하였다. 종교전설은 1992년 11월 17일에 집필이 끝났다. 이 종교전설을 톨스토이는 고대 러시아 영웅서사시의 이야기꾼인 올로네쓰의 농민 V. P. 시체골로네크한테서 듣고 그것을 소논문 〈성직자계급에 호소함〉의 '예증'으로 이용하여야겠다고 마음먹었다.

〈아시리아 황제 아사르하돈〉─ "민담 〈아사르하돈〉의 착상은 내 것이 아니고," 하고 톨스토이는 쓰고 있다. "내가 독일 잡지 《Theosophischer Wegweiser, 1903, 제5호》에 실린 〈Das bist du〉라는 제명으로 발표된 어떤 무명작가의 민화에서 취한 것이다." 민화 〈아시리아 황제 아사르하돈〉은 다른 두 편의 민화 ─ 〈세 가지 물음〉, 〈노동과 죽음과 병〉과 마찬가지로 톨스토이는 단편소설 〈무도회 뒤〉와 동시에 숄

알레이흐가 엮은 문학작품집을 위하여 썼다. 그러나 저작의 결과는 톨스토이를 만족시키지 못했다. 1903년 8월 9일 그는 V. G. 체르트코프에게 이렇게 썼다 — "민담은 좋지 않습니다. 그러나 그러한 것들로부터 벗어나야 했습니다." 똑같은 평가를 톨스토이는 일기에 적고 있다 — "이제 막 민화를 끝냈다……, 불만스럽다."

세 민화는 모두 유대어로 번역되어 작품집 『길프』(문학작품집, 바르샤바, '투 쉬야' 출판사, 1904)에 처음 발표되었다. 러시아어로는 〈아시리아 황제 아사르하돈〉은 '중개인' 출판사(모스크바, 1903)에서 나왔다.

〈큰곰자리〉— 1906년에 쓰여졌다. 영국잡지 《Gerald of peace》(London)에서 전거를 취했다.

〈돌〉— 1906년에 쓰여졌다. 이 단편은 그 주제며 내용으로 미루어 보아 누군가의 성현전의 일부를 전거로 하고 있는 것으로 추정되나 미상이다. 이 작품은 『독서의 고리』의 주간 읽을거리에 수록되었다.

* 그 외의 단편 소설

〈기도〉— 1879년 여름 야스나야 폴랴나에 손님으로 와 묵고 있던 올로네쯔의 농부인 이야기꾼 V. P. 쉐골렌코에게서 톨스토이가 들은 전설과 연관된 단편소설

〈코르네이 바실리예프〉— 1905년 2월에 쓰여진 단편소설

〈딸기〉— 1905년 6월 10일~11일에 쓰여진 단편소설

〈세 죽음〉— 1859년 《독서문고》지 1호에 맨 처음 발표되었다. 이 단편 제목은 맨 처음 일기 가운데에서는 그저 〈죽음〉 혹은 〈나무〉라고 일컬어지고 있었다. 이 작품은 1858년 1월 15일에 집필하기 시작했다. "〈죽음〉을 쓰기 시작했다. 훌륭하다" 하고 그는 일기 가운데에서 쓰고 있다. 이 작품은 며칠 만에 쓰여졌다. 1월 19일 톨스토이는 '나무를 버리라고 충고한' 그의 형 N. N. 톨스토이에게 이 작품을 읽어 주었다. 작가는 이때 아직 귀부인 혹은 나무의 죽음 어느 것으로 이 작품을 끝맺음 할 것인지를 결정하지 못했었다. 1월 20일 톨스토이는 일기에 적고 있다 — "생각하고 또 생각했다, 〈세 죽음〉을 여러 가지로 생각해 보았고 〈나무〉를 썼다.

단번에 잘 나가지는 않았다." 최종적으로 톨스토이는 1월 24일 자기의 단편을 탈고했다.

〈세 죽음〉은 귀부인, 농부, 나무의 죽음에 대한 일종의 3부작이다. 얼른 보기에 이 세 죽음은 거의 연관이 없는 것 같다. 연관은 이야기 줄거리나 인물들 관계가 아니라 내적 관계로 만들어져 있다. 1858년 5월 1일 작가가 A. A. 톨스타야에게 보낸 편지 가운데에서 자기 작품의 자세한 해석을 주고 있다 ─ "내 생각은 세 존재 ─ 귀부인, 농부, 나무가 죽는다는 것이다. 귀부인은 가련하고 혐오스러운 존재이다. 그것은 한평생을 거짓말로 살아왔고 죽음을 앞에 두고서도 거짓말을 하고 있기 때문이다. 그리스도교는 그녀가 이해하고 있는 것처럼 그녀를 위해서 생사의 문제를 해결해 주지 않는다. 살고 싶어할 때에 왜 죽어야 하는가? 그녀는 그리스도교의 미래를 상상과 두뇌로 믿고 있다. 그 전 존재는 받아들이지 않는다. 그리고 사이비 그리스도교적인 것 외에 다른 마음의 안정은 없다. 고정관념으로 막혀 있다. 그녀는 가련하고 혐오스러운 존재이다. 농부는 편안히 죽음을 맞고 있다. 그것은 말하자면 그가 그리스도교도가 아니기 때문이다. 그 종교는 비록 그가 관습에조차 그리스도교 의식을 실행하고는 있을지라도 전혀 별개의 것이다. 그가 같이 살아온 자연이 곧 그의 종교이다. 그는 자신이 벌목을 하고 호밀을 심어서 그것을 거두고 양을 도살한다. 그리고 그한테서는 양이 태어나기도 하고 어린이들이 태어나기도 하고 늙은이들이 죽기도 한다. 그리고 그는 이 법칙을 확실히 알고 있으며 귀부인처럼 그것으로부터 절대로 이탈하지 않았다. 똑바로 그저 그것을 두려워하지 않고 마주 대하고 있을 뿐이었다. 나무도 또한 편안히 정직하고 아름답게 죽어 가고 있다. 이것은 전자들보다도 한결 더 아름답다 ― 왜냐하면 나무는 거짓말하지 않고 괴로워하지 않고 두려워하지 않고 후회하지 않기 때문이다."

이 작품은 죽음과 죽음에 대한 생명이 있는 모든 것들의 관계와 죽음의 의의에 대하여 깊이 생각하고 그것을 밝히려고 하였던 톨스토이의 문학활동 초기의 것으로 초기 여러 단편 가운데의 백미이다.